걸리버 여행기

차 례

환대받는다.

2부 거인국 여행기

3부 라퓨타, 발니바비, 럭나그, 글럽더브드립, 일본 여행기

4부 말의 나라 여행기

1부

소인국 여행기

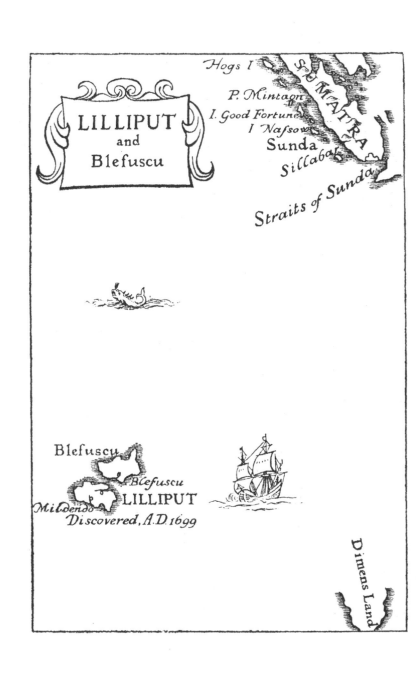

1장

저자 자신과 그 가족에 대해 소개한다. 최초로 여행을 한 경위에 대해서 설명한다. 배가 난파당하고 필사적으로 헤엄친다. 릴리푸트에 도착하고 포로가 되어 호송된다.

나의 아버지께서는 노팅햄셔에서 기반을 잡으셨는데, 나 걸리버는 다섯 형제 중에서 셋째로 태어났다. 14세 정도면 대학 공부를 시작하는데, 아버지는 나를 케임브리지 시에 있는 에마뉴엘대학에 보내주셨고 거기서 나는 3년 동안 공부했다. 그런데 우리 집이 큰 부자는 아니라서 보내주는 돈은 적었고 들어가는 돈은 많아, 학교를 그만두고는 런던의 유명한 의사인 제임스 베이츠 씨 밑에 실습생으로 들어가서 4년을 보냈다. 그동안에 아버지는 돈을 조금씩 보내주셨는데, 내가 언젠가는 해외로 나가야 하는 운명이라고 생각했기 때문에 그 돈을 선박 항해와 관련된 것을 배우는 데 썼다. 베이츠 씨 밑에서 나온 뒤로는 고향으로 갔는데 거기에서 아버지와 숙부님, 그리고 다른 친척들에게 40파운드를 받았고, 해마다 30파운드씩 보내주겠다고 했기 때문에 유명한 의학대학이 있는 네덜란드의 라이덴으로 갔다. 거기에서 2년 7개월 동안 의학을 공부했다. 그것이 뱃사람으로서 필요할 것으로 보았기 때문이다.

네덜란드에서 돌아온 다음에 옛 스승인 제임스 베이츠 씨의 추천으로 스웰로 호의 선상 의사가 되었다. 그 배의 선장은 에이브러햄

파넬이었고 그 배에서 3년 반 동안 지내면서 동부 지중해와 연안 지방을 왕래했다. 돌아온 후에는 런던에 정착하기로 마음먹었는데 베이츠 씨는 내가 자립할 수 있도록 손님들을 소개해주었다. 먼저 유대인들이 모여 사는 동네인 올드주리에 집을 마련했다. 그리고 그 의사의 권유로 독신 생활을 청산하게 되었는데, 뉴게이트 가(街)에서 양말 가게를 하는 에드먼드 버튼 씨의 둘째 딸 메리 버튼과 결혼했다. 아내는 결혼시에 지참금으로 4백 파운드를 갖고 왔다.

그런데 2년 후에 나의 스승 베이츠 씨는 세상을 하직했고 나는 아는 사람들이 별로 없어서 의사 일이 점점 어려워졌다. 다른 의사들의 나쁜 관행을 따를 수 없었기 때문이다. 결국 아내와 주변 사람들과 상의를 하고 나서는 다시 배를 타기로 작정했다. 6년 동안 두 배의 선상 의사를 지내면서 동인도와 서인도 제도로 여러 번 항해했고 그동안에 돈도 벌었다. 배에는 항상 많은 책이 있었기 때문에 여러 가지 책을 읽을 수 있었다. 그리고 육지에 상륙하면 그곳 사람들의 풍습이나 기질 같은 것을 관찰하는 게 나의 취미였고 그들의 언어를 배우는 데도 흥미가 있었는데, 나의 머리가 괜찮아서 그런지 현지인의 말을 쉽게 배우곤 했다.

마지막 항해에서 별로 재미있는 일이 없었기 때문인지 바다 생활에 싫증이 났다. 그래서 가족들이 있는 런던에 머무르기로 작정했는데 올드주리에서 페터레인으로 이사했다가 선원들을 상대로 의사 일을 할 생각으로 선원들이 많은 런던의 워핑이라는 동네로 거처를 옮겼다. 그렇지만 수입은 그저 그랬다. 경기가 호전되기를 기다리며 3년이 지났고, 앤틸로프 호의 윌리엄 프리처드 선장이 유리한 조건을 제시하기에 다시 배를 타게 되었다. 그 배는 남쪽으로 항해할 예정으로 1699년 5월 4일에 영국 서남부 브리스톨에서 출발했다. 처음 얼마 동안은 항해가 아주 순조로웠다.

그 항해에서 일어난 일들을 상세하게 얘기해서 독자들을 지루하게 만들 생각은 없고, 다만 우리가 항해하는 도중에 거센 폭풍 때문에 오스트레일리아 남부 반 디멘스 랜드의 북서부 해역으로 밀려갔다는 사실만 알려주면 충분할 거다. 관측 결과 우리가 남위 30도 2분에 있다는 사실을 알게 되었다. 우리 선원 중 12명은 과로와 영양실조로 숨졌고 나머지도 아주 허약한 상태에 놓였다. 그 지역에서 여름이 시작될 무렵인 11월 5일에 자욱한 안개 속에서 배에서 1백 미터 정도 되는 지점에 바위가 있는 것을 발견했다. 그런데 바람이 너무 강해서 배가 바람에 밀려 그 바위에 부딪혔고 두 동강이 나고 말았다. 나를 포함해서 선원 여섯 명은 보트를 바다에 내렸고 난파한 배와 바위에서 벗어났다. 15킬로미터 정도 노를 저어갔는데 더는 해볼 도리가 없었다. 큰 배에 있을 때부터 이미 기진맥진했기 때문이다. 우리는 잠시 파도에 운명을 맡겼는데 대략 30분 후에 북쪽에서 돌풍이 불어오면서 보트는 뒤집어지고 말았다. 보트에 있던 동료들은 물론이고 바위 위로 피신하거나 배에 남은 선원들이 어떻게 되었는지 알 수는 없지만 모두 죽은 것으로 짐작된다. 나로서는 사력을 다해서 헤엄쳐보았지만 바람과 파도에 이리저리 쓸려다녔다. 바닥에 발이 닿는지 자주 뻗어보았지만 헛일이었다. 그런데 기운이 완전히 빠져 더는 몸부림칠 수도 없는 상태에서 발이 바닥에 닿았다. 그리고 그때는 폭풍도 많이 잠잠해져 있었다. 바닥의 경사는 아주 완만해서 1킬로 반 정도 걸어서야 해안에 다다를 수 있었다. 그때는 저녁 8시 정도라고 짐작되었다. 거기에서 다시 1킬로미터를 더 걸어갔는데 집이나 사람들의 흔적이 전혀 보이지 않았다. 너무 허약해진 상태여서 보지 못한 것이 아닌가 생각한다. 지칠 대로 지치고 날씨도 더웠으며 보트를 타기 전에 본선에서 마신 술 때문에 졸음이 왔다. 그래서 매우 짧고 부드러운 풀밭에 누워서 내가 평생 자보지 못한 단잠에 빠지고 말았다. 아마 아홉 시간 정도 잤을 것이다. 깨어나 보니 막 해가 떠오를 때였다. 그런데 자리에서 일어나려고 했지만 꼼짝을 할 수가 없었다. 내 몸은 등을 땅에 대고 누운 상태에서 양팔과 양다리가 모두 땅에 단단히 묶였고 길고 숱 많은 머리카락도 마찬가지로 땅에 묶여 있었다. 또한 가느다란 끈 여러 개가 나의 몸통을 묶어놓았다. 위를 올려다볼 수밖에 없었는데, 곧 해가 뜨거워지기 시작하여 눈도 뜨지 못할 정도가 되었다. 사방에서 요란한 소리가 들려왔지만 하늘밖에 보이지 않았다. 얼마 후에 왼쪽 다리 위에 어떤 생물체가 올라오는 것이 느껴졌는데 그것이 가슴까지 올라와 거의 턱까지 닿았다. 시선을 그곳으로 돌려보니 키가 15센티 정도밖에 되지 않는 물체였는데 분명히 인간의 형색이었다. 손에는 활과 화살을 들었으며 등에는 화살통을 멨다. 그동안에 그와 비슷한 형태의 인간들이 40명 정도 더 나의 몸뚱이로 기어올라왔다. 나는 깜짝 놀라서 크게 소리 질렀고 그 소리에 그들은 모두 겁에 질려서 달아났다. 나중에 안 일이지만 그중 몇 명은 나의 허리에서 땅으로 떨어져 다치기까지 했다. 그렇지만 그들은 다시 되돌아왔고 그중에서 한 사람은 대담하게도 내 얼굴 전체를 보려고 가까이 와서는 놀라는 표정으로 두 팔을 들고는 "헤키나 데굴" 하면서 이상한 소리를 질렀다. 다른 소인간들도 같은 말을 지껄였지만 나는 그 소리가 무슨 의미인지 알 수가 없었다. 독자들도 짐

작하겠지만 그동안 나는 내내 불안 속에서 누워 있었다. 결박을 풀어보려고 버둥거렸더니 운 좋게도 줄이 몇 개 끊어져서 왼팔을 묶었던 말뚝을 뽑아냈다. 고개를 들어보고는 내가 어떻게 묶여 있는지 알게 되었는데 동시에 엄청난 통증이 몰려왔다. 왼쪽 머리카락을 땅에 묶었던 끈을 느슨하게 해서 머리를 5센티쯤 돌릴 수 있게 만들었다. 그런데 소인간들은 내가 잡으려고 하자 다시 도망가버렸다. 그리고 아주 날카로운 소리로 "톨고 포낙"이라고 외치는 소리가 들렸다. 순식간에 100여 개나 되는 화살이 발사되면서 바늘처럼 나의 왼손을 찔렀다. 다시 그들은 일제히 화살을 공중으로 날렸는데 그 대부분이 나의 몸에 맞았고 일부는 내 얼굴에 떨어져 나는 즉시 왼손으로 얼굴을 가려야 했다. 소나기 같은 화살 공격이 끝나고 내가 통증으로 신음하고 몸부림치려니 그들이 다시 처음보다 더 많은 화살을 발사했다. 그중 몇 명은 창으로 내 옆구리를 찔렀지만 다행히도 가죽 조끼를 입고 있어서 창이 뚫지는 못했다. 가만히 누워 있는 편이 가장 현명한 방법이라고 생각했는데, 왼손은 이미 자유로웠고 그대로 밤까지 기다리다 보면 나중에 줄을 풀 수 있을 것 같았다. 그리고 그 소인간들이 모두 그 정도로 크기가 작다면 그들이 대부대를 이루어서 덤빈다고 하더라도 내가 얼마든지 상대할 수 있을 것이라고 믿었다. 그런데 운명의 여신은 나를 예상 밖의 상황으로 몰고 갔다. 내가 가만히 있자 소인간들도 활쏘기를 중단했다. 시끄러운 소리가 점점 커지는 것으로 미루어보아서 그들의 수가 많아지는 것 같았다. 그리고 나의 머리 오른쪽에서 4미터 정도 떨어져서 소인간들이 무슨 공사를 하는 듯한 소리가 한 시간 이상이나 들려왔다. 내가 움직일 수 있는 만큼 최대한 그쪽으로 고개를 돌려서 보니 땅에서 50센티미터 정도 높이로 소인간들 서너 명이 올라갈 수 있는 탑이 섰고 거기에 사다리도 두세 개 걸쳐놓았다. 거기에 신분이 높아 보이는 사람이 올라가서 나에게 장황한 연설을 했는데 나는 그 말을 한마디도 알아들을 수 없었다. 그는 연설을 하기 전에 "란그로 데훌 산"이라고 세 번 외쳤다(이 말과 먼저의 말들을 그 후에도 몇 번 들었고 그 의미가 무엇인지 나중에 알게 되었다). 그러자 소인간들 50명 정도가 나의 왼쪽 머리카락을 묶었던 줄을 잘랐고 그래서 나는 이제 머리를 오른쪽으로 돌려서 연설하는 사람 쪽을 잘 볼 수 있게 되었다. 그는 중년의 남자인데 그의 옆에 있는 다른 세 사람보다 키가 컸다. 그중 한 사람은 그의 옷자락을 붙들고 있었는데 키가 나의 가운뎃손가락보다 약간 커 보였다. 나머지 두 사람은 연설하는 사람의 양옆에 서 있었다. 연설하는 사람은 언변이 좋았다. 말투가 협박조였지만 무슨 약속을 하는 것도 같았고 동정심도 있어 보였으며 인자한 모습도 엿보였다. 나는 그들이 알아들을 수 없는 몇 마디 대답을 하고선 아주 순종적인 모습으로, 마치 태양이 나의 증인이라도 되는 것처럼 태양을 바라보면서 왼손으로 가리켰다. 그리고 음식을 먹은 지 한참이나 지나서 배가 무척 고팠기 때문에 무언가 먹고 싶다는 뜻으로 손가락을 자주 입에다 갖다 대면서 배고파서 참지 못하겠다는 시늉을 했다. 그 '허고'(후에 알았는데 그들은 고관대작을 '허고'라고 불렀다)는 내가 무엇을 말하려 하는지 알아챘다. 그가 탑에서 내려가서 내 옆구리에 사다리를 여러 개 놓으라고 지시했고 그러자 소인간들 백 명 이상이 음식이 가득 찬 바구니를 메고는 그 사다리로 올라와서 내 입 쪽으로 걸어왔다. 그 음식은 그 나라 황제가 나의 얘기를 듣고서 마련하라고 명령해서 나 있는 곳으로 보내온 것이었다. 거기에는 여러 가지 종류의 고기가 있었지만 무슨 고기인지 맛으로는 잘 알 수가 없었다. 양의 어깨살이나 다리살, 허리살로 짐작되는 것들이 있었는데, 잘 요리되었지만 그 크기는 종달새 날개보다도 작았다. 그것을 나는 한번에 두세 개씩 먹었고 총알만 한 빵 덩어리를 한꺼번에 서너 개씩 먹었다. 그들은 부지런히 음식을 공급해주면서 나의 식사량에 놀라운 탄성을 끊임없이 터뜨렸다. 다음에 나는 마실 것을 달라는 표시를 했다. 그들은 내가 먹는 것으로 봐서 어지간한 양으로는 충분치 못할 것으로 알고는 제일 큰 술통 하나를 솜씨 좋게 줄에 매달아 올려서 내 손 있는 곳으로 굴려 보냈고 다음에 그 뚜껑을 부쉈는데 그런 것으로 보아서 그들이 아주 영리한 종족인 것 같았다. 나는 한 통을 한 모금에 마셔버렸는데, 그도 그럴 것이 한 홉 정도밖에 안 되었기 때문이다. 부르고뉴 산(産)의 포도주 맛이 났는데, 그보다 더 맛은 있었다. 내가 대번에 마셔버리자 그들은 다시 한 통을 갖다 주었다. 그것도 한 번에 마셔버리고서 더 달라는 시늉을 했지만 더 줄 것이 없는 모양이었다. 내가 그처럼 놀랍게 먹어댔더니 그들은 내 가슴 위에서 즐거운 듯이 춤을 추면서 처음에 말했던 "헤키나 데굴"이란 말을 되풀이해서 외쳤다. 그들은 나에게 그 술통 두 개를 아래로 던지라고 손짓을 했는데, 그러기에 앞서서 밑에 있던 사람들에게 "보락 미볼라"라고 외치면서 비키라는 경고를 했다. 내가 술통을 공중으로 던졌더니 그들에게서 일제히 "헤키나 데굴"이라는 함성이 터져나왔다. 그들이 내 몸 위를 이리저리 지나다닐 때 나는 내 손에 닿는 사오십 명을 잡아서 땅바닥으로 던져버리고 싶은 충동을 자주 느꼈다는 걸 고백해야겠다. 그렇지만 내가 그들에게서 당했던 그 고통이 떠올랐고, 잘못하면 그것보다도 더 심한 고통을 당할 수도 있다는 생각에서, 그리고 점잖게 굴겠다고 약속까지 한 터라 그런 생각은 버렸다. 더군다나 내가 그렇게 음식을 얻어먹었으니 이제 그들에게 빚을 진 것이라는 생각이 들었다. 그런데 그들의 대담성에는 놀라지 않을 수가 없었다. 한 손을 마음대로 움직일 수 있는 상태고 엄청나게 큰 존재인 나에게 겁을 먹지 않고 내 몸에 기어 올라와서 걸어다녔기 때문이다. 내게 더 음식이 필요하지 않은 것을 알자 얼마 있다가 황제에게서 파견된 고관이 나타났다. 그는 수행원 열두 명과 함께 내 오른발의 가장 낮은 곳으로 올라와서는 나의 얼굴 있는 곳으로 다가왔다. 그러고는 황제의 도장이 찍힌 신임장을 꺼내 내 눈에 바짝 갖다대더니 결단성 있는 어조로 약 10분 동안 연설했다. 그러는 동안에 자주 전방을 손가락으로 가리켰는데, 후에 안 일이지만 그쪽으로 약 8백 미터 거리에 그 나라의 수도가 있는데, 황제가 대신들과의 회의에서 나를 그곳으로 데려가기로 했던 거다. 나는 몇 마디 답변을 했지만 헛일이었다. 그래서 자유자재로 움직일 수 있는 손을 다른 하나의 손에 갖다 대고 다음에는 몸통과 머리에 대고서는 나를 풀어달라는 시늉을 해 보였다. 그는 나의 의도를 알아차린 듯했다. 고개를 옆으로 흔들면서 안 된다는 표시를 했다. 그러고는 내가 포로로서 호송되어야 한다는 뜻을 손짓을 해가면서 나타내 보였다. 그리고 또 다른 몸짓으로, 나에게 충분히 음식을 줄 것이며 잘 대접하겠다는 표시를 했다. 그래서 나는 내 몸의 결박을 끊어버릴까 생각했지만, 몸에 박힌 화살의 아픔을 느꼈고 온몸에 상처가 생기고 화살이 그대로 박혀 있는 걸 알고 있었으며 또 이제 적의 수가 많아졌다는 점을 떠올리고는 나를 마음대로 해도 좋다는 의사 표시를 했다. 그러자 그 허고와 수행원들은 만족스러운 표정으로 물러갔다. 이어서 사방에서 "페플롬 셀란"이라는 고함 소리가 났고 소인간들이 나의 왼편에서 줄을 늦추어주는 것을 느낄 수 있었다. 이제 나는 오른쪽으로 돌아누울 수 있었고 소변을 볼 수 있게 되었다. 내가 소변을 보자 그 양이 많은 것에 소인간들이 크게 놀라워했고 소변의 물살을 피하려고 좌우로 흩어졌다. 그러기 전에 그들은 나의 얼굴과 손의 상처에 향기로운 연고를 발라주어서 잠시 후 화살의 아픔이 사라졌다. 이제 몸이 조금 편해지고 그들이 준 음식과 술로 인해서 졸음이 왔다. 나중에 알게 되었지만 그때 여덟 시간을 잔 모양이다. 그건 당연했다. 의사들이 황제의 명령으로 술통에 수면제를 타놓았던 거다.

내가 그 나라에 도착하여 누워 잠들어 있는 것을 그들이 발견하자마자 황제는 그 소식을 급보로 들었고 비상 회의를 소집하여 우선 나를 묶게 하고(그것은 내가 잠든 밤 동안에 이루어졌다) 나에게 충분한 음식과 음료를 제공하고 나를 그 나라의 수도로 운반할 기구를 준비하도록 했다.

그러한 결정은 아주 대담하고 위험하며, 유럽의 어느 나라 왕이든지 그런 결정을 하지 않았으리라고 나는 확신한다. 그렇지만 그것이 아주 현명하고 관대한 결정이었다고 생각한다. 그 사람들이 내가 잠든 사이에 창과 화살로 나를 죽이려고 했다면 나는 아픔을 느끼자마자 잠에서 깨어났을 것이고 분에 솟구쳐서 줄을 끊어버렸을 것이다. 다음에는 그들은 나에게 저항하는 것이 불가능했을 것이고 나에게서 어떤 자비도 바랄 수 없었을 것이다.

그 나라 사람들은 황제가 학문을 장려하여 수학 방면에서 뛰어났고 기계공학 부분에서도 높은 경지에 이르렀다. 그 나라에는 큰 나무나 커다란 물건을 운반하는 데 쓰는, 바퀴가 여럿 달린 기계가 있었다. 황제는 때때로 길이가 3미터 정도 되는 전함을 목재가 자라나는 숲에서 건조하게 하고 그것을 그 운반 기구에 실어서 해안까지 3, 4백 미터 운반하게 했다. 나를 운반하려고 그들은 그중에서 가장 큰 운반 기구를 이용했는데, 5백 명 정도 되는 기술자가 동원되었다. 그것은 나무로 만든 것으로서, 높이는 땅에서 8센티미터고 길이는 2미터, 폭은 1미터 20센티 정도 되었으며 바퀴 22개로 움직이도록 되어 있었다. 나는 앞서 함성 소리를 들었는데, 기구가 도착할 때 소인간들이 내는 소리였다. 그 기구는 내가 상륙한 지 네 시간이 지난 후에 출발했고 나의 옆에 나란히 자리 잡았다. 그런데 커다란 문제가 생겼는데 나를 어떻게 들어서 그 위에 올리느냐 하는 것이었다. 이제 그들은 30센티미터 높이의 기둥을 나의 몸 주위로 80개 세우고 붕대를 나의 목, 손, 몸뚱이, 발에 칭칭 감아서는 그 기둥에 붙들어 매고는 가장 힘센 사람들 900명 정도가 동원되어 모든 기둥 위에 달린 도르래를 이용하여 붕대를 잡아당기는 방식으로 해서 세 시간도 되지 않아서 나를 그 수레에 태워 꽁꽁 묶어놓았다. 그런 모든 이야기는 나중에 전해들은 것이다. 그 일이 진행되는 동안에 나는 앞서 술과 함께 마신 수면제로 인해서 깊은 잠에 떨어졌던 거다. 이어서 황제가 관리하는 말들 중에서 가장 큰, 높이가 12센티미터 정도 되는 말이 약 1천5백 마리 동원되어서 앞에서 언급한 8백 미터 정도 떨어진 수도로 나를 끌고 갔다.

그 이동이 시작된 지 네 시간 후에 나는 우스꽝스러운 사고로 인해서 잠에서 깨었다. 조그만 고장이 생겨서 수레가 서 있는 동안에,

젊은이들 두셋이 자고 있는 나의 모양을 보려는 호기심에서 수레 위로 기어올라와서 내 얼굴 쪽으로 천천히 다가왔는데, 그중 한 사람인 장교가 자기가 갖고 있던 창의 뾰쪽한 끝을 나의 왼쪽 콧구멍 깊숙이 박았다. 그것이 지푸라기처럼 코를 간지럽게 했기 때문에 세게 재채기를 하지 않을 수가 없었다. 그러자 그들은 얼른 수레에서 내려버렸는데, 내가 그처럼 갑자기 잠이 깬 원인을 안 것은 3주 후의 일이다. 우리는 그날 종일 긴 이동을 했고 밤이 되자 쉬었는데, 경비병 5백 명이 반은 횃불을 들고서, 그리고 반은 활과 화살을 들고서 내가 무슨 이상한 짓을 하려 들면 쏠 태세를 갖추고 있었다. 다음날 날이 밝자 우리는 이동을 계속했고 정오경이 되어서 도시의 입구인 큰 문에서 2백 미터 안까지 도착했다. 황제와 모든 신하들이 우리를 맞이하러 나왔는데, 황제의 호위장교들은 황제의 신변을 염려하여 그가 나의 몸 위로 올라오는 것을 제지했다.

수레가 정지한 곳에는 오래된 신전이 하나 있었다. 그것은 그 왕국에서 가장 큰 건물이었는데, 몇 년 전에 어떤 잔인한 살인 사건이 발생했다. 그리하여 신앙심이 깊은 그 나라 국민들은 그곳을 신성을 모독한 장소로 간주하여 모든 물건들을 치워버리고 일반 용도로 사용해왔다. 이제 그 건물에 내가 살도록 한 것이다. 대문이 북쪽으로 나 있는데 높이는 1미터 20센티, 넓이는 60센티미터 정도 되었기 때문에 내가 쉽게 들어갈 수 있었다. 그 문 양쪽에 높이가 15센티 정도 되는 창이 있었다. 그 왼쪽 창 안쪽에 쇠사슬 91개를 설치해놓았는데 쇠사슬이 유럽에서 여자들이 차고 다니는 손목시계에 달린 고리만 했다. 그 쇠사슬을 나의 왼발에 매고 자물쇠 36개를 채워놓았다. 대로변에서 6미터 떨어진, 그 신전의 맞은편에 높이가 1

미터 50센티 정도 되는 탑이 있었다. 나의 모습을 보려고 황제가 고관들을 대동하고 그곳으로 올라갔다. 나는 당시에는 그것을 볼 수 없었기 때문에 그런 사실은 알지 못했고 후에 들은 이야기다. 그리고 나를 구경하려고 10만 명 이상 되는 주민들이 몰려왔다. 내가 눈을 뻔히 뜨고 있는데도 어떤 날에는 1만 명 이상 되는 주민들이 사다리를 이용하여 나의 몸에 올라왔다. 그런데 곧 그런 행위를 금지하게 되었고 위반자는 사형에 처한다는 엄명이 내려졌다. 내가 도망칠 수 없는 상태로 있었기 때문에 나중에는 나를 묶었던 모든 밧줄을 끊어주었다. 그래서 울적한 기분으로 일어설 수 있게 되었다. 그런데 사람들이 내가 서서 걷는 것을 보고는 소리를 질러대는데 그 모습을 어떻게 형용할 수가 없다. 나의 왼발에 묶인 쇠사슬은 길이가 2미터 정도 되었기 때문에 나는 반원을 그리면서 그 공간 안에서 앞뒤로 이동할 수 있었다. 그렇지만 문 안쪽의 10센티 되는 곳에 매여 있었기 때문에 바깥으로 나왔다가는 들어갈 때는 기어들어가야 했다. 그래도 신전 안에서 몸을 쭉 뻗고 드러누울 수도 있었다.

2장

릴리푸트의 황제가 대신들을 대동하고서 묶여 있는 저자를 찾아온다. 황제의 모습에 관해 묘사한다. 저자에게 그 나라 말을 가르치도록 학자가 임명된다. 저자가 온순한 성격으로 인해서 호감을 사게 된다. 호주머니를 수색당하고 칼과 권총은 압수당한다.

두 발로 서서 사방을 둘러보니 평생에 보지 못했던 멋진 경치가 한눈에 들어왔다. 땅덩어리가 마치 정원이 연속된 것처럼 보였고 밭은 가로세로가 12미터 정도로 구획되어 울타리를 쳤는데 마치 화단처럼 보였다. 밭과 밭 사이에는 5백 제곱미터 정도의 숲이 있었고 그중에서 제일 큰 나무는 높이가 2미터 정도 되어 보였다. 오른쪽에 시내가 보였는데 마치 극장에서 무대의 배경으로 그려놓은 도시 같았다.

나는 오랫동안 뒤가 마려웠는데 그것은 당연한 결과였다. 그 일을 본 지가 이미 이틀이나 지났던 거다. 급하기는 한데 창피하기도 해서 진퇴양난에 빠졌다. 생각할 수 있는 가장 좋은 방법은 건물 안으로 들어가는 것이었는데, 그래서 대문을 닫고서는 쇠사슬의 길이가 허용하는 대로 깊이 안쪽으로 들어가서 그 일을 보았다. 그런데 내가 그렇게 일을 처리한 건 그때 한 번뿐이었다. 공정한 독자라면 내가 처한 곤경을 참작하여 너그럽게 이해해줄 수 있을 거다. 그 후로는 아침에 일어나자마자 쇠사슬이 허용하는 한 바깥으로 나가서는 그 일을 보았다. 그러고는 사람들이 몰려오기 전에 그것을 처리하도록 임명된 두 사람이 손수레에 그 냄새나는 물건을 실어가도록 했다. 내가 깨끗한 사람이라는 점을 세상 사람들에게 입증할 필요성을 느끼지 않는다면 그리 중요하지 않은 이런 일에 대해서 왈가왈부하지 않을 거다. 그런데 나에 대해서 악의를 가진 몇몇 사람들이 기회 있을 때마다 나의 청결성에 대해서 문제를 삼는다고 해서 이런 언급을 해두는 것이다.

나는 볼일을 보고 나서는 신선한 공기를 마시려고 밖으로 도로 나갔다. 황제는 이제 탑에서 내려와서는 말을 타고서 내가 있는 쪽으로 오고 있었다. 그런데 그때 말 때문에 큰일 날 뻔했다. 그 말은 훈련이 잘된 말이었지만 마치 산 같은 물체가 앞에서 움직이는 것을 보고는 깜짝 놀라서 앞발을 번쩍 들어올린 거다. 그런데 황제가 말 타는 데 능숙한 사람이어서 떨어지지 않고 안장에 앉아 있을 수 있었고 사람들이 달려가서 말고삐를 잡았다. 이윽고 황제는 유유히 말에서 내려왔다. 그러고는 놀라는 기색으로 나를 살펴보았다. 그런데 쇠사슬의 한도 안으로는 오지 않았다. 그는 이미 준비하고 있는 요리사들에게 나에게 먹을 것과 마실 것을 주도록 명했다. 그들은 바퀴가 달린 수레 여러 대에 음식을 싣고 와서는 나의 손이 닿는 데까지 밀어주었다. 나는 수레들을 통째로 집어 들고는 금방 비워 버렸다. 수레 20대는 살코기로, 그리고 10대는 음료수로 채워져 있었다. 살코기 수레는 한 대당 두세 입이 되었다. 음료수는 도자기로 된 병에 담겨 있는데, 수레 한 대당 10병씩 있는 것을 몽땅 수레 하나에 따라 붓고는 한 모금에 마셨고 그런 식으로 해서 10대의 수레를 모두 비웠다. 황후와 황자, 황녀들은 여러 귀부인들을 대동하고서 조금 떨어진 곳에서 의자에 앉아서 지켜보다가는 황제의 말에 사고가 생겨서 황제 옆에 가 있었다. 이제 황제의 모습에 대해서 묘사해보겠다. 그는 궁궐에서 가장 키 큰 신하보다도 나의 손톱만큼이나 더 컸는데, 그 자체만으로도 보는 사람에게 경외감을 일으키기에 충분했다. 체격은 튼튼하고 남성미가 넘쳐흘렀으며 아랫입술은 오스트리아 사람처럼 컸고 코는 매부리코이며 얼굴색은 올리브색이었다. 얼굴은 곧게 되어 있었고 몸매와 팔다리는 균형이 잘 잡혀 있었다. 모든 거동에서 품위가 넘쳤으며 자태가 황제다웠다. 그는 나이가 28세 하고도 9개월이 지나서 이제 한창때를 넘기기는 했지만 7년 동안 평화스럽게 그 나라를 통치했고 전쟁에서도 승리하는 때가 많았다. 나는 그를 잘 관찰하려고 옆으로 드러누웠다. 그결과 그의 얼굴과 나의 얼굴이 나란한 상태가 되었고 거리도 3미터 밖에는 떨어지지 않았다. 그 이후로 나는 여러 번 그를 나의 손바닥에 올려놓았으므로 그에 대한 나의 묘사는 틀림이 없다. 그의 복장은 단순하고 소박한 편이었으며 유럽풍과 아시아풍의 중간 양식이라고 볼 수 있었다. 머리에는 보석으로 장식되고 꼭대기에 깃털이 있는, 금으로 만든 투구를 썼다. 그는 나를 묶은 사슬이 풀릴 것을 대비하여 칼을 빼내어서 손에 쥐었다. 칼의 길이는 8센티 정도였고 칼자루와 칼집은 다이아몬드가 장식된 금제였다. 그의 목소리는 날카롭기는 하지만 또렷했기 때문에 내가 서 있는 상태에서도 분명히 들을 수 있었다. 궁정 부인들과 신하들은 모두가 화려한 옷을 걸쳤기 때문에 그들이 서 있는 장소는 금과 은으로 수놓은 치마를 땅에 펼쳐놓은 듯했다. 황제는 자주 나에게 말을 붙였고 나도 대답을 하긴 했는데, 서로가 한마디도 알아들을 수가 없었다. 행동하는 모습으로 보아서 그 자리에는 성직자나 법률가들이 여러 명 있는 것으로 보였는데, 그들도 나에게 말을 걸어보라는 지시를 황제가 내렸다. 나는 내가 조금이라도 아는 모든 나라의 말, 즉 독일어, 네덜란드어, 라틴어, 프랑스어, 스페인어, 이탈리아어 등을 모두 동원하여 말을 해보았지만 소용없는 일이었다. 그로부터 두 시간 후에는 궁정 사람들은 모두 물러갔고 경비대만이 남았다. 군중이 나에게 가할지 모르는 경솔한 짓을 막으려는 것으로 보였다. 성급한 일부 사람들은 나에게 최대한 가까이 오려고 했고 그중 몇 사람은 내가 나의 처소 문 옆 땅바닥에 앉아 있는데 나를 활로 쏴서 하마터면 그중 한 개가 왼쪽 눈알에 맞을 뻔했다. 그러자 지휘관인 대령은 그 사람들 여섯 명을 체포하도록 했고 그에 대한 벌은 그들을 묶은 채로 내 손에 갖다 주는 것이 상책이라고 여겨서 경비병들 몇 명이 그 일을 했다. 경비병들은 창 끝으로 죄인들을 밀어서 내 손에 닿도록 했다. 나는 그들을 오른손으로 쥐고는 다섯 명은 윗도리 호주머니에 집어넣고 나머지 한 명은 마치 산 채로 먹어버릴 것처럼 나의 입속에 집어넣을 듯한 몸짓을 했다. 그러자 그 사람은 혼비백산하여 비명을 질렀고 대령과 다른 장교들도 무서운 표정으로 바라보고 있었다. 특히 내가 주머니칼을 꺼내는 것을 보고는 모두 질겁했다. 그렇지만 곧 사람들을 안심시켰다. 부드러운 표정으로 그 사람을 묶은 끈을 주머니칼로 자르고서는 살며시 땅에 놓아주었더니 그는 부리나케 도망쳐버렸다. 나머지 다섯 사람도 조심스럽게 한 명씩 주머니에서 꺼내주었다. 나의 그러한 자비심 있는 행동을 보고는 사람들이 모두 다 안도하는 표정을 지었고 그래서 그 일은 나중에 나에게 유리한 상황을 조성하는 데 도움이 됐다.

밤이 되자 나는 겨우겨우 건물 안으로 기어들어가서 땅바닥에 누

웠다. 그런 식으로 2주 동안 지냈는데, 황제는 그동안에 나의 잠자
리를 만들어주도록 지시했다. 그들은 보통 크기로 된 담요를 6백
장 정도 수레에 싣고 와서는 나의 거처 안에서 내가 쓸 담요를 만들
었다. 담요 1백50장을 연결하고는 그것을 네 겹으로 포개어 만들었
는데, 그 위에 누워 있어도 딱딱한 바닥에 누워 있는 것과 별반 다
를 것이 없었다. 그들은 그런 식으로 해서 시트와 이불 같은 것도
만들어주었는데 나처럼 고생을 많이 한 사람에게는 그 정도도 고마
운 일이었다.

내가 그 나라에 왔다는 사실이 전국적으로 알려지자 돈 많고 할

일 없고 호기심 많은 소인간들이 나를 구경하려고 구름처럼 몰려들었다. 그래서 마을마다 텅텅 비고 사람들이 농사일이나 집안일을 하지 않는 사태가 벌어질 정도까지 되었다. 그래서 황제는 여러 가지로 포고령을 내려서 그런 일이 발생하지 않도록 했다. 이미 한 번 나를 구경한 사람은 집으로 돌아가도록 했고 허가 없이는 내 거처의 반경 50미터 안으로 사람들이 들어가지 말도록 했다. 그런데 그 허가를 내주는 과정에서 허가권자들이 재미를 보기도 했다.

그러는 동안에 황제는 자주 궁정 회의를 소집하여 나를 어떻게 처리할 것인가를 논의했다. 나중에 나의 각별한 친구가 되었고 지위도 높으며 국가 기밀에 통달해 있는 사람이 알려주어서 알게 되었는데, 궁궐에서 나로 인해서 많은 고민을 했다. 그들은 내가 사슬을 끊어버리지 않을까 걱정했고 나의 음식을 마련하는 데 비용이 너무 많이 들기 때문에 그것으로 인해서 나라에 기근이 들지 않을까 걱정하기도 했다. 때로는 그들은 나를 굶겨 죽이기로 결정하기도 했고 때로는 나의 몸에 독화살을 쏘아서 죽게 하도록 의견 일치를 보기도 했다. 그런데 그들은 다른 한편으로 생각해보니, 그렇게 큰 송장이 썩는 과정에서 그 나라에서 전염병이 돌지 않을까 걱정도 하는 것이었다. 그런 논의를 한참 하는 과정에서 육군장교 몇 명이 궁정 회의장에 나타났다. 그중에서 두 사람이 앞으로 나서서, 앞에서 언급한 죄인 여섯 명에 대한 나의 처사를 알려주었다. 그것이 황제와 회의 참석자들 모두에게 좋은 인상을 심어주어 이제 나에게 반가운 칙령이 내려졌다. 그 수도 주위 8백 미터 안의 모든 마을에서는 매일 소 여섯 마리와 양 40마리만큼의 고기를 나에게 제공하도록 한 것이다. 또한 내가 먹을 양만큼의 빵과 포도주와 음료수를 가져오도록 했고 그에 대한 비용은 황제 자신의 금고에서 지출되도록 했다. 황제는 예외가 아닌 한은 좀처럼 신하들에게 세금을 징수하지 않았으며 황제 자신은 자기 영지의 수입으로 생활했기 때문이다. 그리고 국민은 전쟁이 나면 자비로 황제와 함께 전쟁에 참전해야 하기 때문에 더 큰 부담은 국민에게 지우지 않았다. 이제 나의 하인 구실을 하도록 6백 명으로 구성된 기구가 설립되었고 그 사람들에게는 봉급이 주어졌으며 나의 일을 하기에 편리하도록 나의 거처 양쪽으로 천막을 쳐서 생활했다. 그리고 재봉사 3백 명에게 그 나라식 양복을 한 벌 나에게 지어주도록 시켰고, 또 궁궐에 소속된 학자 중에서 가장 유능한 여섯 명을 지명하여 나에게 그 나라 말을 가르치도록 했으며, 황제의 말과 대신들의 말, 그리고 경비대의 말을 내 앞에서 훈련시켜서 나에게 익숙해지도록 하라는 지시가 내려졌다. 그러한 명은 그대로 지켜졌고 그래서 황제의 명령이 시행된 지 2주쯤 지나서 나는 그 나라 말에 큰 진전을 보게 되었다. 그동안에 황제는 여러 번 나를 친히 방문하여 나에게 말을 가르치는 선생들로 하여금 더 빨리 말을 가르칠 수 있도록 도왔다. 황제와 나는 이제 어느 정도 대화를 나눌 수 있게 되었다. 내가 제일 우선적으로 배운 말은 황제가 나를 자유롭게 해달라고 하는 말이었고 나는 그 말을 매일 무릎을 꿇고서는 되풀이했다. 그의 대답은 그것은 시간이 걸리는 일이고 대신들의 권고 없이는 생각할 수 없는 일이라는 것이었다. 그에 앞서서 우선 나는 '루모스 켈민 페소 데스마 론 엠포소' 해야 한다는 것이었다. 즉 황제와 그의 국가와 평화롭게 지내기를 서약해야 한다는 것이었다. 그리고 황제는 나에게 최대한으로 환대를 해줄 것이기 때문에 인내심을 갖고서 자신과 자신의 신하들에게 호감을 사라고 일러주었다. 그리고 황제는 내가 수사관의 수색을 당하더라도 기분 나쁘게 생각하지 말라고 했다. 몸수색을 하는 이유는 내가 어떤 무기를 소지했을지 모르는 일이고 그 무기는 나의 어마어마한 신체로 미루어볼 때 가공할 무기가 틀림없을 것이라고 했다. 그래서 나는 황제의 의심을 풀어드릴 수 있다면 옷을 벗고서 호주머니를 전부 털어 보여드리겠다고 했다. 나는 그런 취지의 의사를 반은 말로 반은 손짓으로 나타내 보였다.

황제는 이렇게 말하는 것이었다.

"우리나라 법에 따라서 관리 둘이 당신 몸을 수색해야 하는데, 그 일은 당신의 승낙과 도움 없이는 할 수 없을 거요. 당신은 너그러움과 정의감으로 그 일에 협조해야 하는 거요. 그리고 당신한테서 몰수한 건 모두 당신이 이 나라를 떠날 때 돌려주거나 당신이 매기는 값으로 사겠소."

나는 두 검사관을 손으로 들어올려서 먼저 윗도리의 주머니에 넣었고 다음에 다른 주머니에 넣어주었다. 작은 시계 주머니 두 개와 나의 아주 사사로운 물건이 들어 있는 비밀 주머니 하나는 조사받기가 싫어서 제외했다. 시계 주머니 하나에는 은시계가 있었고 다른 하나에는 약간의 금화가 든 지갑이 있었다. 검사관들은 펜과 잉크, 그리고 종이를 준비하여 보이는 것을 모두 적어서 정확한 목록을 만들어두었다. 그들은 모든 조사를 마치고는 나에게 다시 그들을 집어서 황제 앞에 놓아달라고 했다. 나는 그들이 작성한 목록을 후에 영어로 번역했는데 그것은 정확히 다음과 같은 내용이다.

우선 이 거인(그들은 나를 '거인'의 뜻인 '퀸버스 플레스트린'이라고 불렀다)의 윗도리 우측 호주머니를 샅샅이 뒤진 결과 궁중 대회의실에서 바닥깔개로 쓰기에 충분한 크기의 거친 천 한 장을 발견했다. 좌측 주머니에는 은으로 만든 거대한 상자가 있고 그것은 역시 은으로 된 뚜껑으로 덮였는데 우리 조사관들은 도저히 들어올릴 수가 없었다. 우리가 거인에게 그것을 열어달라고 해서 한 사람이 안으로 들어가 보니 무릎까지 일종의 먼지 속으로 빠져버렸다. 그 일부가 우리의 얼굴에 날아들어서 한동안 재채기가 났다. 조끼 오른쪽 주머니에서는 엄청난 하얀색 종이 뭉치를 발견했는데 여러 겹으로 겹쳐 있었고 그 크기는 세 사람을 합친 것만 하며 튼튼한 밧줄로 꿰매어졌고 검은색으로 무늬가 그려져 있었다. 그것은 글씨로 보였는데 글자 하나가 우리 손바닥의 반이나 되었다. 조끼 왼쪽 주머니에는 어떤 연장이 들었는데 그 등에는 긴 막대기가 20개나 뻗쳐 있었고 그 하나하나가 마치 황제 폐하의 궁궐 앞에 있는 철책 울타리같아 보였다. 우리는 그것이 거인의 머리를 빗는 연장이라고밖에 추측할 수가 없다. 거인에게 말을 이해시킬 수가 없기 때문에 일일이 물어볼 수가 없었다. 바지(바지를 그들은 '란푸 로'라고 불렀다)의 오른쪽 큰 주머니에는 사람의 키만 한 속이 빈 철 기둥이 있는데, 그보다 더 큰 단단한 나무토막에 고정되어 있었다. 그리고 그 기둥 한쪽으로는 이상한 모양의 커다란 쇳조각들이 꽂혔는데 우리는 그것이 도대체 무엇인지 짐작조차 할 수 없었다. 좌측 주머니에도 동일한 모양의 도구가 또 하나 있었다. 우측의 작은 주머니에는 크기가 다른 흰 금속과 붉은 금속으로 된 둥글납작한 물건들이 여러 개 있었다. 흰 것 중 몇 개는 은으로 보였는데 너무 크고 무겁기 때문에 나와 내 동료는 들어올릴 수가 없었다. 좌측 작은 주머니에는 불규칙하게 생긴 검은색 기둥이 두 개 있었다. 우리는 주머니의 바닥에 서 있었는데 힘들이지 않고서는 그 기둥 꼭대기에 오를 수가 없었다. 그 하나는 막혀 있었는데 전체가 하나의 재료로 되어 있는 것 같았다. 그중 하나의 기둥 상단에는 우리 머리의 두 배 크기의 희고 둥근 물건이 보였다. 그 기둥 안에는 거대한 강철판이 들어 있었다. 우리는 그것이 위험한 도구일 것이라고 생각되어 거인에게 그것을 보여달라고 요구했다. 그는 그것을 용기에서 꺼내어서 보여주었는데 자기 나라에서는 그중 하나로 수염을 깎고 다른 하나로는 고기를 자른다고 했다. 우리가 들어갈 수 없는 주머니가 두 개 있었는데, 바지 상부의 일부를 길게 자른 커다란 틈새 두 개로서, 거인의 배의 압력으로 인해서 딱 붙어 있었다. 오른쪽 작은 주머니에는 큰 은사슬이 달렸고 그 끝에는 놀랄 만한 도구가 있었다. 우리는 그 사슬 끝에 있는 것이 무엇이든 간에 꺼내놓으라고 지시했다. 그것은 반쪽은 은으로 되었고 반쪽은 투명한 금속으로 된 공 같은 것이었다. 투명한 쪽에는 이상하게 생긴 무늬가 원형으로 배열되었는데 우리는 그것을 만질 수 있을 것이라고 생각했다. 그런데 우리의 손가락은 그 투명한 물질에 의해서 막혀버렸다. 그가 그 도구를 우리의 귀에 갖다 대니 물레방아 소리 같은 게 끊임없이 들려왔다. 우리는 그것이 어떤 알 수 없는 동물 아니면 그가 숭배하는 신일 것이라고 추측했다. 그것이 신일 가능성이 더 많다고 본다. 왜냐하면, 그의 설명이 매우 불완전해서 우리가 잘 알아들을 수 없었지만, 그가 어떤 일을 할 때 반드시 그것과 상의한다고 말해주었기 때문이다. 그는 그 것이 자기 생활의 모든 것을 지시해준다고 말했다. 왼쪽 작은 주 머니에는 어망으로 쓸 정도의 그물이 있었다. 그것은 지갑처럼 열고 닫을 수 있게 되어 있는데, 거인은 그것을 지갑으로 사용한 다고 말했다. 우리는 그 안에서 묵직한 황색 금속 여러 개를 볼 수 있었는데 그것이 진짜 금이라고 한다면 커다란 가치가 있을 것으로 생각된다.

황제 폐하의 명에 따라서 거인의 호주머니를 철저히 조사한 후에 우리는 그가 허리에 어떤 거대한 동물의 가죽으로 만든 허 리띠를 맨 것을 보았다. 그 허리띠의 왼쪽에는 길이가 다섯 사람 의 키만 한 칼이 매달려 있었다. 그리고 오른쪽에는 어떤 자루 같 은 것이 매달렸는데 그것은 두 칸으로 나뉘었고 그 하나하나는 우리 같은 사람 세 명이 들어갈 수 있었다. 그중에서 한 칸에는 크기가 우리의 머리통만 하고 아주 무거운 쇠붙이로 된 공 모양 의 물건이 있는데 힘센 사람만이 들어올릴 수 있었다. 또 하나의 칸에는 검은색 알갱이가 들어 있었는데 크지도 않고 무겁지도 않 아서 우리가 손바닥에 50개 이상을 놓을 수 있었다.

이상의 것들이 우리가 거인의 몸에서 발견해낸 물건들의 정확한 목록이다. 거인은 매우 정중하게 폐하의 명령에 따랐다. 황제 폐하 께서 다스리신 지 89개월 4일에 이를 작성하고 서명 날인하다.

클레프렌프레록과 마시 프레록

황제 앞에서 그들이 이 목록을 낭독하고 나니 황제는 나에게 그 물건들을 내놓으라고 명령했다. 우선 단도를 내놓으라고 요구했으며 그래서 칼집 채로 내놓았다. 그동안에 황제는 대기하던 3천 명의 정예 기병대에게 조금 떨어진 곳에서 활을 쏠 태세를 갖추고서 나를 포위하라고 명령했다. 그렇지만 나는 황제에게만 집중했기 때문에 다른 것은 보지 못했다. 황제는 나에게 단도를 빼보라고 했다. 단도가 바닷물 때문에 조금 녹슬기는 했지만 그래도 광채가 났다. 내가 칼을 빼드는 순간 전체 기병대가 놀라운 함성을 질러댔다. 그때는 강한 햇빛이 있었는데, 내가 단도를 손에 들고 이리저리 흔들어대니 햇빛이 반사되어 병사들이 눈이 부셨기 때문이다. 황제는 매우 대담한 사람이어서 다른 사람들보다는 덜 무서워하는 편이었다. 황제는 내가 단도를 칼집에 도로 넣은 다음에 내 사슬이 허용하는 한도에서 약 1미터 80센티 정도 더 떨어져서 단도를 살며시 놓으라고 지시했다. 다음에 그가 요구한 것은 속이 빈 철 기둥 같은 것인데 그것은 권총을 일컬었다. 나는 그것을 꺼내서 그의 지시에 따라서 그것의 용도를 최대한 설명해주었다. 그리고 화약 주머니가 다행히도 꼭 닫혀 있어서 바닷물이 들어가지 않았는데(선원들은 그것에 많은 주의를 기울인다), 총알은 없이 화약만을 권총에 장전하고는 먼저 황제에게 놀라지 말라고 주의를 준 후에 공중을 향해서 발사했다. 그것의 놀라움은 단도를 보았을 때보다 훨씬 더했다. 몇백 명이 그 자리에서 기절하여 쓰러졌다. 황제조차도 발을 땅에 대고서 서 있기는 했지만 한동안 정신을 차리지 못했다. 나는 단도를 인도했던 것과 같은 방식대로 권총 두 자루, 화약 주머니, 총탄 등을 갖다 바쳤다. 그리고 화약 주머니는 조그만 불꽃에도 폭발해 궁궐 전체를 날려버릴 수도 있으니 절대로 불에 가까이 하지 말도록 당부했다. 그 다음에 시계도 내놓았다. 황제는 그것을 보고 매우 신기해했으며 가장 힘센 병사 둘에게 명하여 영국에서 사람들이 맥주통을 운반하는 것처럼 어깨에 막대를 걸쳐서 시계를 운반해오도록 지시했다. 황제는 시계 바늘이 움직이는 것과 그것이 재깍재깍 내는 소리에 신기해하지 않았다. 그들의 눈은 우리 보통 사람들보다 예민하기 때문에 세세한 움직임까지 볼 수 있었던 거다. 황제는 가까이 있는 대신들에게 그것이 무엇인지 의견을 말해보라고 했지만 그들의 의견은 제각각 달랐고 엉뚱했다. 물론 내가 그들의 말을 전부 알아들은 건 아니었다. 다음에는 은과 구리로 된 동전과 큰 금조각 아홉 개, 그리고 지갑을 꺼내놓았고 주머니칼과 면도칼, 빗, 담뱃갑, 손수건, 수첩 등을 내놓았다. 단도, 권총, 화약 주머니는 마차에 실려서 황제의 창고로 운반되었다. 그렇지만 나머지 물건들은 나에게 돌려주었다.

앞에서 언급했듯이 그들이 수색하지 못한 비밀 주머니가 있었는데, 거기에는 시력이 약해서 내가 이따금씩 쓰는 안경, 소형 망원경, 그리고 기타 자질구레한 몇몇 물건들이 있었다. 그런 물건들은 황제에게는 중요한 것들이 아니어서 보여주지 않아도 예의에 어긋나지 않는다고 생각했고 일단 주머니에서 꺼내놓으면 분실하거나 망가질 염려도 있었던 거다.

3장

저자가 황제와 남녀 귀족들을 묘한 방법으로 즐겁게 해준다. 릴리푸트의 궁정 오락에 대해서 묘사한다. 저자가 일정한 조건하에서 자유인이 된다.

나는 얌전하고 예의 바르게 행동하여 황제나 궁정 사람들뿐 아니고 군대나 일반인들의 신임까지 얻었으며 곧 자유를 찾을 수도 있다는 희망을 품게 되었다. 가능한 모든 방법을 써서 나에 대한 호감이 커지도록 만들었다. 이제 주민들은 내가 위험한 사람이 아니라는 생각을 점차 갖게 되었다. 나는 때때로 드러누운 채로 사람들 대여섯 명이 내 손바닥 안에서 춤추도록 했다. 어린아이들은 내 머리카락 사이에서 숨바꼭질을 하기도 했다. 이제 그 나라 말을 알아듣고 이해하는 데도 큰 발전을 보았다. 어느 날 황제는 그 나라의 곡예를 보여줌으로써 나를 즐겁게 해줘야겠다고 생각했다. 그들의 곡예는 내가 여태껏 보았던 것 중 기술과 규모 면에서 가장 나았다. 그중에서도 60센티 정도 길이의 가느다란 실을 땅에서 약 30센티 높이에 걸어놓고서 행하는 줄타기 곡예가 가장 재미있었다. 그 줄타기에 대해서 좀 더 자세히 묘사해보겠다.

그 곡예는 궁궐에서 높은 관직이나 황제의 총애를 얻으려는 사람들이 행하게 된다. 그 사람들은 어릴 때부터 그러한 훈련을 받으며 꼭 귀족 출신이거나 고등 교육을 받은 사람들만이 하는 건 아니다.

어떤 높은 관직을 담당하는 사람이 사망했거나 황제의 신임을 상실하여 공석이 되면(이런 일은 자주 일어난다) 그 자리를 원하는 사람들 대여섯 명이 줄타기를 하여 황제와 고관대작들을 즐겁게 해주겠다고 청원을 내고 이때 줄 위에서 떨어지지 않고 제일 높이 뛰는 사람이 그 자리를 계승하게 된다. 심지어는 현재의 고관대작들도 자기 재주를 보여주어서 황제에게 그들의 재주가 아직 살아 있다는 점을 입증하는 일도 빈번하게 있다. 재무대신인 플림나프는 그 가느다란 실에서 그 나라의 어떤 고관들보다도 최소한 2센티 더 높이 뛸 수 있는 것으로 인정받는다. 나는 그가 영국에서 보통의 노끈보다 굵지 않은 줄 위에 놓인 나무 접시 위에서 연방 재주를 넘는 것을 본 일이 있다. 내무대신이며 나와 가장 친근한 사람이었던 렐드레살은 내가 생각하기로는 재무대신 다음가는 재주꾼이었다. 기타 관리들은 실력이 비슷비슷하다.

그러한 오락에서는 생명이 걸린 사고가 자주 발생한 것으로 기록되어 있다. 나 자신도 지원자 두세 명이 팔다리가 부러지는 부상을 입는 것을 본 일이 있다. 그런데 관리들이 황제의 명에 의하여 재주를 보여줄 때 위험이 더 따르게 된다. 다른 사람들보다 더 나은 재주를 보여주려고 애쓰는 나머지 도중에 바닥으로 떨어지지 않는 사람이 거의 없고 두세 번 떨어지는 경우도 많이 생긴다. 내가 그 나라에 가기 1, 2년 전에 재무대신인 플림나프가 하마터면 목을 부러뜨릴 뻔한 적이 있었는데, 다행히도 땅바닥에 방석이 놓여 있어서 위기를 모면했다는 이야기를 전해들은 적이 있다.

황제와 황후, 그리고 총리대신 앞에서 펼쳐지는 또 하나의 오락이 있다. 황제는 탁자 위에다가 길이가 15센티미터 되는 가느다란 비단실을 세 개 올려놓는다. 하나는 푸른색이고 또 하나는 붉은색이며 다른 하나는 녹색이다. 그 실들은 황제가 특별히 총애하는 사람을 다른 사람과 구별하기 위해서 하사하는 것이다. 그 상을 받기를 희망하는 사람은 줄타기 재주와는 다른 재주를 심사받는다. 나는 그러한 것을 이전에 어떤 나라에서도 본 적이 없다. 황제가 막대기 하나를 양손에 수평으로 들고 있으면 지원자는 한 명씩 앞으로 나와서 황제가 막대기를 높이거나 낮춤에 따라서 때로는 그 막대기를 뛰어넘기도 하고 때로는 그 밑을 기어가기도 한다. 어떤 때는 황제가 막대기의 한쪽 끝을 잡고 있으면 다른 한쪽 끝은 총리대신이 잡는다. 그리고 때때로 총리대신이 혼자서 잡기도 한다. 그러한 연기를 가장 신속하게 하고 가장 오랫동안 뛰어넘고 기는 사람이 푸른색 비단실을 상으로 받게 된다. 2등을 차지한 사람은 붉은 실을, 3등은 녹색 실을 받는다. 상을 받은 사람들은 그것을 허리에 두 번 감아서 착용한다. 궁궐에서는 그 비단실 허리띠 중에서 하나라도 착용하지 않은 고급 관리는 거의 볼 수가 없다.

기병 부대의 말이나 황실 축사의 말들은 매일 내 앞으로 와서 훈련을 받았기 때문에 이제 겁을 내지 않았고 나의 발 아래까지 바싹 다가오게 되었다. 내가 손을 땅바닥에 대면 기수들이 말을 타고서 내 손을 뛰어넘기도 했고 황제의 수렵을 담당하는 관리 중 한 사람은 구두를 신은 내 발을 뛰어넘기도 했다. 그것은 엄청난 도약이라고 볼 수 있었다.

어느 날 내가 황제를 묘한 방법으로 즐겁게 해주는 기회를 갖게 되었다. 높이는 60센티 정도, 굵기는 영국에서 보통 지팡이만 한 막대기를 몇 개 갖다달라고 황제에게 부탁했다. 그러자 황제는 산림

청장을 불러서 그걸 준비하도록 명했다. 다음날 산림청 소속 직원 여섯 명이 각각 말 여덟 마리가 끄는 수레 여섯 대를 끌고 왔다. 나는 가져온 막대기 중에서 아홉 개를 가로세로 80센티미터 정도 되는 사각형을 이루도록 땅에 단단히 박고 나서 다시 네 개를 더 골라서 60센티 높이에서 네 모서리에 수평으로 매달았다. 다음에는 내 손수건을 수직으로 서 있는 아홉 개의 막대기에 고정시켰고 사방에서 잡아당겨서 북의 표면처럼 팽팽하게 되게 만들었다. 수평으로 매단 막대기 네 개는 손수건의 면보다 12센티 정도 더 높이 솟아서 사방에서 울타리 구실을 했다. 작업을 끝낸 뒤 황제에게 24명으로 구성된 정예 기병대를 그 평평한 면에서 훈련하도록 해달라고 요청했다. 황제는 그 제안을 받아들였고 나는 무장하고서 말에 탄 병사들을 한 명씩 손으로 집어 올려놓았고 그들을 지휘할 장교 한 사람도 역시 올려놓았다. 이제 그들이 두 편으로 갈라져서 모의 전투를 하도록 했다. 그들은 끝이 무딘 화살을 쏘아댔고 날이 무딘 칼을 이용하여 서로 찌르고 도망하고 추격하고 공격하는 훈련을 했다. 내가 그때까지 본 것 중에서 가장 훌륭한 군사 훈련을 한 거다. 수평으로 고정된 네 막대는 병사들과 말이 무대에서 떨어지는 것을 막아주었다. 황제는 너무나 즐거워하면서, 그 훈련이 며칠 동안 계속되도록 했고 한번은 내가 황제 자신을 무대에 올려놓았고 황제가 직접 지휘를 하기도 했다. 그리고 황제는 주저주저하는 황후를 설득하여 나에게 그녀를 가마에 태운 채로 무대에서 약 2미터 되는 곳에 들고 있게 했고 그래서 황후는 그곳에서 훤하게 모든 동작을 볼 수 있게 되었다. 그러한 훈련에서 한 번도 커다란 사고가 일어나지 않았다는 건 다행스런 일이었다. 단지 한 번 가벼운 사고가 있었는데, 한쪽의 대장이 탄 성미 급한 말이 앞발굽으로 손수건을 긁어서 구멍이 났고 말의 발이 미끄러지면서 기수와 함께 나뒹굴었다. 나는 즉시 기수와 말을 일으켜 세웠으며 한쪽 손으로 구멍을 막고서 사람과 말들을 하나씩 들어서 전부 땅으로 내려놓았다. 넘어졌던 말은 왼쪽 어깨를 삐기는 했지만 기수는 아무런 부상을 입지 않았고, 나중에 나는 손수건을 수선했다. 그렇지만 이제는 손수건의 힘을 믿을 수가 없었기 때문에 더는 그런 훈련은 하지 않기로 했다.

내가 자유로운 몸이 되기 2, 3일 전에 그러한 훈련으로 궁궐 사람들을 즐겁게 하는 동안, 황제한테 전령이 도착했는데, 몇 사람이 내가 처음에 붙잡혔던 곳 근처를 말을 타고 지나가다가 땅 위에서 거대한 검은색 물건을 보았다는 것이다. 그 물건은 아주 거대했고 가장자리가 황제의 침실 정도 넓이로 둥글게 뻗었는데, 가운데는 사람의 키만큼 위로 솟아올라 있다는 것이다. 몇몇 사람이 그 주위를 걸어 다녀보았는데, 그것은 꼼짝도 하지 않고 가만히 풀 위에 누워 있어서 처음에 염려했던 것처럼 살아 있는 생물은 아닌 듯했고, 또 사람들이 서로 어깨를 딛고 그 위에 올라가 보았더니 고르고 평평했고, 쿵쿵 밟아보니 속이 비었음을 알게 됐다는 것이다. 그들은 그것이 거인의 물건이 아닌지 의심하고 있는데, 황제가 원한다면 말 다섯 필만 있으면 그것을 운반해 오겠다는 것이었다. 나는 그 소식을 듣고서는 그들이 말하는 것이 무엇을 의미하는지를 알고는 속으로 기뻐했다. 내가 난파를 당해서 해안에 도달했을 때는 정신이 하나도 없었기 때문에, 보트를 젓는 동안에 끈으로 매어서 내내 나의 머리에 붙어 있던 모자가 육지에 도착한 후에 떨어져나간 사실을 몰랐던 거다. 내가 알지 못하는 어떤 사고로 인해서 끈이 떨어져

나갔는데, 나는 바다에서 모자를 잃어버렸다고 생각하고 있었다. 나는 황제로 하여금 속히 그것을 가져오도록 명을 내려달라고 부탁했고 그 물건의 용도에 대해서 설명해주었다. 다음날 모자가 도착했다. 그런데 상태가 좋지는 못했다. 그들은 모자의 가장자리에서 7센티 되는 곳에 구멍을 두 개 뚫고 거기에 고리 두 개를 걸고는 그 고리를 긴 줄로 말에 연결했다. 그래서 내 모자는 8백 미터의 거리를 질질 끌려온 거다. 그런데 그 나라의 땅이 아주 부드럽고 평평해서 생각보다는 손상이 덜했다.

그런 사건이 있은 지 이틀이 지나서 황제는 수도와 그 근방에 있는 군대에게 출동 명령을 내렸고 아주 독특한 방식으로 군대를 이동시키려는 생각을 했다. 황제는 내게 양다리를 최대한으로 벌리고 서 있어달라고 부탁했다. 그러고 나서는 대장에게(그 사람은 나이 많고 경험 많은 지휘자였으며 나중에 나와 좋은 사이가 되었다) 군대를 밀집 대형으로 정렬시키게 하고 내 양다리 사이로 행군하라고 명했다. 그러자 보병은 24줄, 기병은 16줄을 이루면서 북을 치고 나팔을 불며 군기를 휘날리고 창을 앞으로 겨누면서 나의 가랑이 사이를 통과하여 행진했다. 모두 보병 3천 명과 기병 1천 명으로 구성되었다. 황제는 그 군대가 나의 신체를 통과할 때 조금이라도 나에게 경우가 어긋나는 짓을 해서는 안 되며 그것을 위반하는 경우 사형에 처한다는 포고를 내렸다. 그런데도 젊은 장교 중에서 지나갈 때 나의 사타구니를 쳐다보는 사람이 없지 않았다. 그때 내 바지는 이미 상당히 해져 있었는데, 따라서 보는 사람으로 하여금 웃음을 자아낼 상태였다는 점을 시인해야겠다.

내가 나를 자유롭게 해달라는 탄원서를 여러 번 올렸기 때문에

황제는 그 문제를 먼저 내각 회의에, 다음에는 모든 대신이 참석한 회의에 내놓았다. 그런데 스키레쉬 볼고람이라는 대신만을 제외하고는 아무도 반대하는 사람이 없었다. 그 사람은 내가 조금이라도 괴롭힌 적이 없는 사람인데도 나를 철천지원수로 생각했다. 그렇지만 그가 반대했음에도 나의 안건은 가결되었고 황제의 재가도 받았다. 스키레쉬 볼고람은 해군 제독인데 황제의 두터운 신임을 받았고 일처리에도 능한 사람이었지만 성격이 까다로웠다. 그런데 그도 결국은 동의하게 되었다. 그렇지만 한 가지 조건을 달았고 그 조건에 모두가 찬성했다. 그것은 나를 석방하는 데 따른 조항과 내가 서약해야 하는 조문을 그가 직접 작성해야 한다는 조건이었다. 그런 조항을 적은 문서를 그가 여러 관리들을 대동하고서 나에게 가져왔다. 그는 조문을 낭독하고 나서 그것을 지키는 서약을 하라고 나에게 요구해왔다. 우선 나의 조국인 영국에서 하는 방식으로 하도록 했으며, 다음에는 그들의 규정이 정하는 방식으로 하라고 했다. 그 방식은 왼손으로는 오른발을 잡고, 오른손 가운뎃손가락은 머리 꼭대기에 놓고, 엄지손가락은 오른쪽 귀 끝에 갖다대는 것이었다. 독자들은 내가 어떻게 해서 자유를 회복하게 되었는지 그 조문에 대해서 알고 싶어 할 것이고 그들의 독특한 표현 방식에 대해서도 궁금하게 생각할 것이기 때문에 나는 여기에 그 석방 조문을 충실하게 번역해놓았다.

위대한 국가인 릴리푸트의 황제 골바스토 모마렌 에블레임 거딜로 쉐핀 뮬리 울리 규는 전 우주의 기쁨과 공포의 대상이로다. 나의 통치력은 5천 블러스트록(둘레 약 20킬로미터)에 미치고 왕중의 왕이며 모든 인간 중에서 가장 키가 크고 발의 압력은 지구의 중심까지 미치며 머리는 태양과 닿아 있다. 나의 한마디에 다른 나라의 모든 왕들이 무릎을 떨며 나는 봄처럼 상쾌하고 여름처럼 편안하며 가을처럼 풍성하고 겨울처럼 엄격하다. 가장 숭고한 나 황제는 근래에 우리 천국의 나라에 도래한 거인에게 다음과 같은 조항을 제안하고 그가 엄숙히 서약하며 실천할 것을 명한다.

첫째, 거인은 나의 옥새로 날인한 허가 없이는 이 나라를 떠나지 않는다.

둘째, 거인은 특별한 명이 없이는 수도에 들어오지 않는다. 들어오는 경우에는 두 시간 전에 주민들에게 통고하여 집 밖으로 나오지 않도록 해야 한다.

셋째, 거인은 대로에 한해서만 통행해야 하며 목초지나 논밭을 걷거나 거기에 드러눕지 않는다.

넷째, 거인은 앞서 기록한 대로를 통행할 때는 우리나라의 어떤 국민이나 말이나 마차라도 밟는 일이 없도록 세심한 주의를 기울여야 하며 어느 누구든 본인의 동의 없이는 신체에 접근하지 않는다.

다섯째, 특사가 급파될 필요가 있을 경우, 거인은 특사와 그의 말을 호주머니에 넣어서 이동시켜야 하며 황제의 요청이 있을 경우 그 특사를 황제 앞에 안전하게 데려간다.

여섯째, 거인은 우리 군대와 연합하여 블레푸스쿠 섬에 있는 우리의 적과 싸워야 하며 우리를 침공하려고 준비 중인 적 함대를 격퇴하는 데 힘쓴다.

일곱째, 거인은 시간 여유가 있으면 우리가 궁궐이나 기타 주요 건물을 건축할 때 큰 돌을 움직여야 할 필요가 있을 경우 협조한다.

여덟째, 거인은 앞으로 2개월 이내에, 해안을 일주하면서 걷는 발걸음의 수를 바탕으로 하여 우리나라 영토에 대한 정확한 측량을 하는 데 협조한다.

마지막으로, 위의 모든 조항을 준수한다는 엄숙한 서약을 하여야만 거인은 1,728명의 국민이 먹고살 만한 식량과 음료를 매일 지급받으며 나 황제의 신변에 접근할 수 있는 권리, 그리고 기타 여러 권리를 부여받는다. 나의 통치 개시부터 91개월 12일 되는 날에 벨파보락 궁전에서 허용함.

이중에서 몇 가지는 나의 마음에 들지 않았지만 그 조항들을 준수할 것을 서약하고 서명했다. 몇 가지 명예롭지 못한 조항은 스키레쉬 볼고람의 악의에서 나온 것이었다. 내가 서약하고 서명하고 나자 나를 묶었던 사슬의 자물쇠가 열렸고 이제 완전한 자유의 몸이 되었다. 나를 풀어주는 의식에는 황제가 직접 참여하는 영광을 베풀어주었다. 나는 황제에게 엎드려서 절을 하여 고마움을 표시했다. 황제는 나에게 일어나라고 하면서 여러 가지 덕담을 해주었고, 내가 앞으로 그 황제의 충실한 하인이 되고 이제까지 나에게 베풀어준 모든 은총, 그리고 앞으로 베풀어줄 은총에 어긋나지 않도록 처신할 것을 당부했다.

나를 자유롭게 해주는 포고문의 마지막 조항에서, 릴리푸트 사람들 1,728명을 먹여 살릴 수 있는 음식을 나에게 제공한다는 약속을 황제가 했다. 어떻게 해서 그런 수치가 나왔는지 뒤에 궁정에 있는 친구에게 물어보았더니, 황제 소속의 수학자들이 나의 몸을 측량해 본 결과 내가 12 대 1의 비율로 그들보다 키가 크고 나의 몸통은 그들보다 1,728배는 된다고 계산하게 되었고 나의 신체는 그들과 비슷하므로 내게 그만한 수의 릴리푸트 사람을 먹여 살릴 음식이 필요하다고 결론을 내렸다는 사실을 알게 되었다. 그것만 보더라도 그 나라 사람들이 얼마나 머리가 좋은지, 그리고 그 위대한 황제가 경제적인 면에서 얼마나 신중한 사람인지 독자들은 짐작할 수 있을 거다.

4장

릴리푸트의 수도 밀덴도와 황제의 궁궐에 관해서 묘사한다. 그 제국의 여러 가지 사정에 관해 저자가 수상과 대화한다. 저자가 전쟁 시에는 황제를 보필하겠다는 서약을 한다.

내가 자유를 얻게 된 후에 맨 처음으로 황제에게 요청한 것은 그 나라 수도인 밀덴도를 구경할 수 있게 해달라는 것이었다. 황제는 쾌히 승낙했지만 주민들이나 그들의 집에 해를 입히는 일이 없도록 주의하라고 경고를 주었다. 주민들은 포고를 통해서 나의 수도 탐사에 대해서 미리 통고를 받았다. 수도를 둘러싼 성곽은 높이가 80센티미터는 되었고 넓이는 거의 30센티미터였다. 그러므로 여러 말이 끄는 마차가 성곽 위를 일주하며 다닐 수 있었다. 그리고 성곽은 3미터 간격마다 망루가 설치되어 있었다. 나는 서쪽의 큰 성문 위를 넘어 들어갔고 주위를 잘 살피면서 대로를 아주 조심스럽게 걸어갔다. 옷자락이 지붕이나 처마에 걸리지 않도록 윗도리는 짧은 조끼만을 입었다. 주민들은 가능한 한 집 밖으로 나오지 말라는 경고를 미리 받기는 했지만 길을 돌아다니는 주민을 밟지 않도록 아주 조심하면서 걸어 다녔다. 집집마다 나를 구경하려고 모두 창밖으로 얼굴을 내밀고 있어서 인구가 조밀한 것을 실감할 수 있었다. 수도는 정확하게 정사각형이었고 성곽의 길이는 전체가 6백 미터 정도 되었다. 큰 길 두 개가 교차하여 나 있어서 도시 전체를 네 구

C E Brock
1894.

역으로 나누었고 길의 넓이는 1미터 50센티 정도 되었다. 골목길은 내가 들어갈 수 없었지만 눈대중으로 본 바로는 폭이 40 내지 50센티미터 정도 되었다. 수도는 인구 50만 명을 수용했으며 집은 보통 3층에서 5층 사이로 지어졌고 상점이나 시장에는 물건들이 충분히 갖추어져 있었다.

황제의 궁궐은 두 대로가 서로 만나는 시내 한복판에 있었다. 궁전은 성벽으로 둘러싸였는데, 성벽의 높이는 60센티미터 정도고 다른 건물에서 6미터 정도의 거리를 두고 지어졌다. 나는 황제의 허가를 얻어 그 성벽을 넘었다. 성벽과 궁전 건물들 간의 공간이 아주 넓었기 때문에 사방에서 궁전을 잘 볼 수 있었다. 제일 바깥쪽 궁전은 가로세로 12미터 정도의 정사각형 건물이고 그 안에 다른 궁전이 들어 있었다. 가장 안쪽에는 황제의 거처가 있었는데 그것을 꼭 보고 싶었지만 그렇게 하는 것은 극히 힘들었다. 왜냐하면 바깥 궁궐에서 안쪽 궁궐로 통하는 대문의 높이가 45센티미터, 폭은 17센티미터밖에 되지 않았기 때문이다. 바깥 궁전은 높이가 적어도 1미터 50센티미터는 되었고 벽은 돌로 튼튼히 지어져 있었으며 두께는 10센티미터 정도 되었지만 건물에 손상을 주지 않고 쉽게 넘어 들어갈 수 없었다. 그렇지만 황제는 그 장엄한 궁전을 꼭 보여주고 싶어 했다. 나는 사흘 후에야 겨우 볼 수 있었다. 그 3일 동안에 나는 도시에서 1백 미터 정도 떨어진 황실 산림원에서 칼로 가장 큰 나무 몇 개를 잘라서 발판 두 개를 만들었다. 그것은 높이가 1미터 정도 되었고 나의 몸무게를 견딜 만큼 견고했다. 다시 시민들에게 경고가 발령되었고 나는 발판 두 개를 들고서 시내를 지나 궁궐로 갔다. 바깥 궁궐에 다가가서는 하나의 발판에 올라서고 다른 하나의 발판은 손에 쥐고서 그것을 지붕 너머로 들어올려서 첫 궁궐과 두 번째 궁궐 사이의 넓이 2미터 반 정도 되는 공간에 살며시 내려놓았다. 다음에는 발판을 교대로 밟아가면서 쉽사리 건물을 넘어 들어갔고 앞의 발판은 갈고리 모양의 막대기로 들어올려 넘겼다. 그렇게 해서 가장 안에 있는 궁전까지 진입했으며 거기에 가서는 옆으로 드러누워서 얼굴을 중간 정도의 층에 있는 창문에 갖다대었다. 창은 나를 위해서 일부러 열어두었는데, 상상을 초월하는 찬란한 방들이 들여다보였다. 거기에서 황후나 황자들이 각각 자기 방에서 시종들과 함께 거주했다. 황후는 나에게 자비로운 웃음을 던져주었으며 내가 입을 맞추어주도록 창밖으로 자기 손을 내밀어주었다.

이런 이야기는 이제 그만하기로 하겠다. 이런 것에 대해서는 이보다 더 큰 책에 서술해놓았으며 그 책은 지금 인쇄 단계에 들어가 있다. 그 책에는 그 제국의 건국에서 시작하여 역대 황제로 이어지는 그 나라의 역사, 그 나라의 전쟁과 정치, 법률, 학문, 종교에 관한 이야기가 포함되어 있으며 그 나라의 동식물이나 풍습, 그리고 그 밖의 아주 유용한 것에 관한 얘기가 있다. 지금 이 책에서 내가 말하고자 하는 주요 내용은 내가 그 제국에 체류하던 9개월 동안에 그 나라와 나에게 발생했던 여러 가지 사건과 그 해결에 관한 것이다.

내가 자유의 몸이 된 지 약 2주일 후에 내무대신 렐드레살이 하인 하나만 데리고서 나의 집으로 찾아왔다. 그는 마차를 나의 집에서 좀 떨어진 곳에 대기시키고는 나에게 할 얘기가 있으니 1시간만 시간을 내달라는 것이었다. 그는 내가 황제에게 청원을 냈을 때 나를 위해서 힘을 써주었을뿐더러 신분도 높고 인격도 갖춘 사람이기 때문에 나는 흔쾌히 승낙했다. 내가 그의 말을 잘 듣기 위해서 드러 눕겠다고 했더니 그는 그보다는 자기를 내 손 위에 올려달라고 하는 것이었다. 그는 내가 자유를 얻은 것을 축하한다는 얘기부터 시작했으며 그것에 관해서 자기도 꽤 힘을 썼다고 말했다. 그런데 궁궐의 사정이 급박하지 않았다면 내가 그렇게 쉽게 자유를 얻지 못했을 것이라고 했다. 그는 말을 이어나갔다.

"외국인인 당신의 눈에는 우리가 아주 잘사는 것처럼 보일 테지만 사실 우리는 두 가지 커다란 재앙에 봉착해 있소이다. 한 가지는 국내에서 벌어지는 격렬한 당파 싸움이고 다른 한 가지는 강력한 적이 우리를 침공해올 준비를 하고 있다는 거요. 우리나라에서는 지난 70개월에 걸쳐서 트라멕산 당, 슬라멕산 당이라는 두 당이 싸움을 벌이고 있는데, 그 당명은 양쪽이 서로를 구별하기 위해서 신고 있는 신발의 높은 굽과 낮은 굽에서 유래한 거요. 높은 굽 쪽이 우리 전통에 더 어울린다고 일반적으로 사람들이 생각하기는 하는데, 황제 폐하께서는 정부의 행정 기관이나 모든 관직에서 관리들을 임용할 때 오로지 낮은 굽 쪽만 임명하고 있소이다. 그건 당신도 봤을 거요. 특히 황제 폐하의 굽은 궁궐 안 어느 사람의 신발보다도 2밀리미터는 더 낮소이다. 양 파벌 사이의 적개심은 아주 대단해서 절대로 같이 식사하지도 않고 같이 술도 마시지 않고 같이 길을 걸어가지도 않소. 국민의 수에서는 높은 굽 쪽인 트라멕산 당이 더 많지만 권력은 완전히 우리 편에 있소. 다음에 황제가 될 황태자는 높은 굽 당 쪽으로 기울지 않을까 염려되기는 한데, 적어도 한쪽 신발은 다른 쪽보다 낮아서 걸어다닐 때 절룩거리는 걸 분명히 볼 수 있을 거요. 그런 당쟁이 계속되는데, 블레푸스쿠 섬에서 우리를 침공해올 위험에 처해 있소이다. 이 나라는 이 우주에 있는 또 다른 거대한 제국인데, 크기나 국력에서 우리나라와 거의 대등한 수준이오. 당신은 당신만 한 크기의 인간들이 사는 나라에서 왔다고 주장하는데 우리는 그걸 믿지 않소. 그보다는 당신이 달이나 어디 다른 별에서 왔다고 생각하고 있소이다. 왜냐면 당신과 같은 사람이 백 명만 있다고 해도 우리나라에 있는 모든 가축이나 과일이 얼마 안 가서 없어져버릴 것이기 때문이요. 그리고 6천 개월에 걸쳐 있는 우리 역사 기록에는 릴리푸트와 블레푸스쿠 양대 제국의 역사 외에는 나와 있지 않소. 아까도 얘기했지만 두 강국은 지난 36개월간 끊임없이 전쟁을 해왔소이다. 그것이 다음과 같은 원인으로 발생했소. 우리가 계란을 깰 때 계란의 두꺼운 쪽을 깨는 게 오랜 옛날부터 쭉 이어져왔소이다. 그런데 현재의 황제 폐하의 조부께서 어릴 때 계란을 잡수려고 전통적인 방식으로 깨다가 손가락을 다치게 됐소. 그러자 당시 황제께서 모든 국민에게 계란의 얇은 쪽 끝을 깨도록 하셨고 그것을 위반하면 엄벌에 처한다는 포고령을 내렸소. 국민은 그 포고령에 아주 분노했고, 역사적인 기록에 의한다면 그것 때문에 우리나라에서 여섯 번이나 반란이 일어났고 그 과정에서 한 황제께서 목숨을 잃으셨고 다른 한 황제께서는 제위를 상실하게 됐소. 그러한 반란을 항상 블레푸스쿠의 역대 황제들이 조장해왔고 소요가 진압되면 반란자들은 항상 블레푸스쿠로 망명해버렸소이다. 그리고 계란의 얇은 쪽을 깨느니 차라리 죽음을 선택하겠다고 하는 사람의 수가 반란 때마다 1만 1천명을 넘는다고 집계되어 있소. 그 논쟁에 관해서 몇백 권에 달하는 책이 출판되었소이다. 그런데 두꺼운 쪽 깨기파의 책은 금지된 지 오래되었고 그쪽 사람들은 법률에 의해서 관직을 갖지 못하게 되어 있소. 그러는 동안에 블레푸스쿠의 황제들은 자주 우리나라에 사신을 파견하여 우리가 우리 경전인 브룬데크랄의 54장에 나오는 위대한 예언자이신 러스트로 그의 가르침을 어겨서 종교적인 분열을 일으킨다고 주장하고 있소이다. 그런데 그건 경전의 억지 해석에 불과한 거요. 왜냐면 경전에는 모든 신자는 자기가 편리한 대로 계란을 깨라고 씌어 있기 때문이오. 나의 얄팍한 생각으로는 계란은 각자가 자기가 알아서 깨거나 아니면 최고 통치자의 결정에 따라야 한다고 보고 있소이다. 그런데 두꺼운 쪽 깨기파의 망명객들이 블레푸스쿠의 황제에게 매우 환대를 받고 많은 도움을 받기 때문에 지난 36개월간 두 나라 간에 피 터지는 싸움이 계속돼오고 승패를 거듭해왔소이다. 그동안에 우리 편에서는 대형 군함 40척을 잃었고 작은 군함은 그보다 더 많이 잃었소. 그리고 3만여 명에 달하는 해군, 육군 병력도 잃었소이다. 적군이 입은 피해는 우리보다 조금 더 많다고 보고 있소. 그런데 지금 적이 대규모 함대를 구축하고서는 우리를 침공할 준비를 하고 있소이다. 그래서 폐하께서는 당신의 의리와 힘을 믿으시는 터이므로 이 문제에 대해서 논의하라고 나를 보내신 거요."

나는 내가 할 수 있는 한 최대한으로 황제께 충성하겠다는 말을 황제에게 전해달라고 말해주었으며, 내가 외국인으로서 당파 싸움에 개입하는 것이 올바른 일은 아니라고 생각하지만 침략자에게서 황제와 나라를 지키기 위하여 나의 목숨이라도 바칠 각오가 돼 있다는 말도 전해주도록 했다.

5장

저자가 독특한 전략으로 외국의 침략을 방어한다. 영예로운 호칭이 저자에게 부여된다. 블레푸스쿠의 황제에게서 특사가 도착하여 화평을 요청한다. 황후의 거처에 화재가 발생했는데 저자의 도움으로 궁궐이 전소되는 걸 막는다.

블레푸스쿠 제국은 릴리푸트의 북동쪽에 있는 섬나라인데, 두 나라는 약 7백 미터의 해협을 사이에 두고 떨어져 있었다. 나는 아직까지 그 섬을 본 적이 없었고 그들의 침략에 대한 정보를 들은 후로는 그 섬이 있는 쪽의 해안에 나타나는 것을 삼갔다. 나에 관한 정보가 없는 적 함정에 들키면 안 되기 때문이다. 전쟁 동안에는 두 나라 사이의 교류가 엄격히 금지되었고 위반자는 사형에 처하도록 되어 있었으며 양국 간에 모든 배의 항해가 금지되었다. 나는 적의 함대를 송두리째 나포할 계획을 구상하고서는 이를 황제한테 알렸다. 이제 적 함대는 순풍이 불면 출항할 예정이라는 사실이 우리 편의 정찰대에 의해서 확인되었다. 나는 해협의 깊이에 관해서 잘 아는 뱃사람들과 대담을 나눴는데 그들은 만조 때 해협 한복판의 깊이가 1미터 80센티미터 정도 된다고 했다. 그 외 다른 부분의 깊이는 대략 1미터 50센티미터 정도 된다고 알려주었다. 나는 블레푸스쿠가 바라보이는 북동쪽 해안으로 걸어가서는 작은 언덕 뒤쪽에 누워서 망원경을 꺼내어 정박하고 있는 적 함대를 관찰했다. 적 함대는 군함 50척 정도와 그 외 수많은 수송선으로 이루어져 있었다. 나는 집으로 돌아와서 튼튼한 밧줄과 쇠막대기를 여러 개 준비하라는 지시를 내렸다. 내가 그런 권한을 부여받았던 거다. 밧줄의 굵기는 노끈 정도였고 쇠막대기는 뜨개질할 때 쓰는 바늘만 했다. 나는 밧줄을 튼튼하게 하기 위해서 세 줄을 합쳐서 꼬았고 쇠막대기도 3개를 겹쳐 꼰 다음 그 끝을 갈고리 모양으로 구부렸다. 그렇게 해서 갈고리 50개를 밧줄 50개에 연결해놓았고 다시 동북쪽 해안으로 갔으며, 윗도리와 신발, 양말 등을 벗고는 만조가 되기 반 시간 전에 윗도리는 가죽 조끼만을 입은 채로 바닷물 속으로 걸어 들어갔다. 최대한 빨리 물속을 걸어갔으며 바다 한복판에서는 약 30미터를 헤엄쳐 갔더니 발이 바닥에 닿았다. 그래서 반 시간도 못 되어 적 함대가 있는 곳에 도달했다. 적군은 나를 보자 깜짝 놀라서 배에서 뛰어내려 뭍으로 헤엄쳐갔다. 뭍으로 도망한 사람의 수가 3만 명은 되는 것 같았다. 나는 배마다 뱃머리 쪽에 갈고리를 걸었고 밧줄 모두를 한꺼번에 묶었다. 내가 그런 일을 하는 동안 적군은 나를 향해 화살을 몇천 개나 발사했으며 나의 손과 얼굴에 무수히 화살이 날아들었다. 그 때문에 몹시 아팠고 일을 진행하기가 힘들었다. 제일 염려했던 건 눈인데, 좋은 생각이 떠오르지 않았더라면 실명했을지도 모른다. 나의 비밀 주머니 속에 다른 사소한 물건과 함께 안경이 있었는데, 앞에서 언급했듯이 황제의 조사관들이 그것을 보지는 못했던 거다. 그 안경을 꺼내서 얼굴에 단단히 고정시켰다. 그렇게 방비를하고는 화살이 날아오는 것을 무릅쓰고서 일을 계속했다. 그 후에 많은 화살이 안경 유리에 맞기는 했지만 안경이 약간 흔들리는 것 외에는 별다른 이상이 없었다. 이제 모든 배를 다 걸었고 다음에는 그것들을 당기기 시작했다. 그런데 배가 단단히 뭍에 매여

있어서 한 척도 움직이지 않았다. 그래서 그 매인 줄을 칼로 잘라버려야 했다. 그 일을 하는 동안 화살을 2백 발 이상 맞았지만 결국 해냈고 갈고리가 매달린 밧줄을 잡고서는 손쉽게 전함 50척을 끌고 갔다.

블레푸스쿠 사람들은 내가 어떻게 할지 전혀 예측하지 못했고 다만 놀라고 있을 뿐이었다. 그들은 내가 배를 뭍에 묶은 밧줄을 자르는 것을 보고는 나의 계획이 군함들을 바다 위로 표류시켜버리거나 아니면 배들끼리 서로 부딪치게 하려는 것이라고 생각했을 거다. 그런데 내가 그 배들을 한꺼번에 끌고 가는 걸 보고는 대경실색하여 비명을 질러댔다. 그들의 위험 지역에서 일단 빠져나오자 나는 잠시 멈추어서 몸에 박힌 화살을 뽑아냈으며 릴리푸트 사람들에게 얻은 연고를 상처에 발랐다. 그러고 나서 안경을 벗고는 조류가 빠질 때까지 한 시간가량 기다리다가 함대를 끌고서 해협의 중심부를 건너서 무사히 릴리푸트의 항구에 도착했다.

황제와 신하들은 내가 어떻게 하는지를 기다리면서 해안에 서 있었다. 나의 목소리가 들리는 곳까지 그들에게 다가갔을 때 나는 함대를 묶은 밧줄의 끝을 쳐들고는 큰 소리로 "위대하신 릴리푸트 황제 폐하 만세"라고 외쳤다. 황제는 내가 뭍에 상륙하자 온갖 찬사로 나를 반겼고 즉석에서 나에게 그 나라 최고의 호칭인 나르닥이라는 작위를 수여했다.

황제는 그 자리에서 이런 말도 했다. 언제 기회를 잡아서 남아 있는 적의 함대를 모두 끌고 오라는 거다. 그 황제의 야망은 끝이 없어서, 블레푸스쿠 제국 전체를 자기에게 예속시켜서 총독으로 하여금 통치하게 하고 자기가 전 세계의 유일한 군주가 되며 블레푸스쿠로 망명한 계란 두꺼운 쪽 깨기파 사람들을 모두 죽이고 블레푸스쿠 사람들에게 계란을 얇은 쪽으로 깨도록 할 때까지는 만족하지 않을 것으로 보였다. 나는 공정한 편에 서서, 그러한 야망은 버리는 것이 좋을 것이라고 황제를 설득하려고 했다. 아무 죄도 없는 블레푸스쿠의 국민을 속박하는 것에 대해서는 협력할 수 없다고 말했다. 그리고 그러한 문제가 대신들의 회의에서 논의되었을 때 나와 같은 생각을 내놓는 현명한 대신들도 있었다.

황제의 생각에 대한 나의 대담하고 공개적인 반대는 황제의 계획과 정책에 정반대되어서 황제로서는 결코 용납할 수 없는 것이었다. 황제는 궁중 회의에서 교묘한 방식으로 그 일을 언급했다. 후에 내가 전해들은 바로는, 현명한 사람들은 대신 회의에서 최소한 침묵을 지킴으로써 나의 의견에 동의했다는 것이다. 그런데 나에게 적의를 품은 사람들은 나를 간접적으로 비난하는 발언을 삼가지 않았다고 한다. 그리고 이때부터 나에게 악의를 품은 사람들과 황제 간에 모종의 음모가 꾸며졌고 그것은 두 달도 되지 못해서 표면화하였으며 나는 하마터면 목숨을 잃을 뻔했다. 황제에게 아무리 잘해주다가도 일단 한 번만 눈 밖에 나버리면 그전의 공은 완전히 소멸돼버리는 거다.

내가 전공을 세운 지 3주가 지나 블레푸스쿠에서 사신들이 도착하여 화평을 요청해왔다. 그래서 우리 편의 황제에게 유리하게끔 화평 조약이 체결되었다. 그 구체적인 내용에 관해서는 언급하지 않기로 한다. 그들은 수행원 5백 명으로 이루어졌는데 그들의 행차 모습이 장려하여 그 나라의 규모와 그들의 임무의 중요성에 어울려 보였다. 조약을 체결하는 데는 내가 궁중에서 누리는 신임으로 인해서 그들에게 여러 가지 조언을 해주었다. 조약의 체결이 끝나자 그들은 내가 그 나라에 우호적으로 대한 사람이라는 말을 전해 듣고는 그중 몇 사람이 나를 방문했다. 그들은 나의 정의로움에 관한 찬사를 시작했고 나더러 그 나라를 방문해달라고 그들 황제의 이름으로 초청했다. 그러고 나서 나의 능력에 관해서 그들이 전해들은 것이 있는데 그중 몇 가지만 보여줄 수 없겠느냐고 해서 승낙했는데, 그것에 관해서는 구체적인 언급을 피하겠다.

내가 몇 가지 힘을 보여주면서 사절단을 즐겁게 해주었더니 그들은 매우 놀라워했다. 그러고 나서 나 자신도 그 나라로 가서 황제를 알현하고 싶다고 전해달라고 부탁했다. 내가 다음번에 우리 쪽 황제를 만났을 때 내가 블레푸스쿠의 황제를 만나고 싶으니 허락해달라고 요구하자 황제는 승낙하기는 했지만 어딘지 냉정한 태도가 엿보였다. 나는 그때 당시에는 그 이유를 알 수가 없었는데, 후에 어떤 사람이 나에게 알려준 바에 따른다면, 플림나프, 스키레쉬 볼고람이 내게 반역의 의도가 있다고 황제에게 고자질했다는 것이었다. 나는 그런 의도가 전혀 없었는데도 말이다. 그때부터 나는 대신들이나 궁정인들의 사고방식이 어떤가를 어렴풋이나마 알게 되었다.

블레푸스쿠 사람들이 나에게 말을 걸 때는 통역을 썼다는 사실을 언급해야겠다. 두 나라의 말은 유럽 각국의 말처럼 각각 달랐고 두 나라는 자기 나라 말의 전통과 아름다움 등을 부각시키면서 상대방 나라의 말은 멸시했던 거다. 우리의 황제는 우리 쪽에서 상대방 함대를 나포했기 때문에 유리한 위치가 되어 있었으며 따라서 그 사신들이 릴리푸트 말을 쓰도록 했다. 그렇지만 두 나라 간에는 무역이나 상업상의 교류가 많았고 끊임없이 망명자를 받아들여왔다. 또

한 양국의 귀족들이나 부유한 사람들, 그리고 세상 구경을 하고 싶은 사람들은 서로 상대방의 나라를 방문하는 경우가 많아서 신분이 높은 사람이나 해안 지역에 사는 상인들, 선원들치고 두 나라 말을 못 하는 사람이 거의 없을 정도였다. 그러한 사실은 내가 몇 주 후에 블레푸스쿠 황제를 알현하러 갔을 때 직접 목격했던 것이다. 내가 나의 적들의 악의 때문에 곤경에 처하게 되었는데 그 만남은 나에게 유익했다. 이것에 대해서는 나중에 따로 언급하겠다.

내가 앞에서 나의 자유를 회복하는 조건에 서명했을 때 거기에는 나에게 굴욕적인 조건도 있었지만 마지못해 순응할 수밖에 없었다는 점을 독자들도 기억할 수 있을 거다. 그렇지만 이제 그 나라에서 가장 높은 계급인 나르닥이 되었기 때문에 나도 나의 행동에 대해서 신중하게 되었고 황제도 이제 나의 경솔한 처신을 언급하는 일이 없게 되었다. 그런데 어느 땐가 황제에게 점잖지 못한 방법으로 봉사를 할 기회가 생기게 되었다. 한밤중에 집 안에서 곤히 잠을 자는데 수많은 사람들의 고함 소리에 놀라 잠을 깼다. 사람들이 "버글럼"이라고 외쳤다. 그들 궁정인 몇 사람이 앞으로 나서서 나에게 즉시 궁궐로 가달라고 요구했다. 한 시녀가 연애소설을 읽는 도중에 등불을 끄지 않고 잠이 드는 바람에 황후의 거처에 화재가 발생했다는 것이다. 나는 즉각 자리에서 일어났다. 나의 앞을 비키라는 소리를 지르면서 궁궐에 도달했고 달빛이 비추었기 때문에 아무도 밟지 않았다. 벽에는 사다리가 설치되었고 수많은 사람들이 물통으로 물을 날랐지만 화재가 발생한 곳과 물이 있는 곳은 상당한 거리가 있었다. 그들은 조그만 물통을 쉴새 없이 나에게 전달해주었고 나는 그걸로 불을 끄려고 노력했다. 그렇지만 화마가 너무 강해서 물통으로 끄는 게 별로 소용이 없었다. 외투를 입고 갔더라면 쉽게 불을 진압할 수 있었을 것인데 급하게 가느라고 가죽 조끼만을 입고 갔기 때문에 소용없었다. 사태는 절망적이었다. 그 장엄한 궁전은 이제 전소하고 말 터인데, 다행히도 내가 침착성을 잃지 않고서 묘안을 궁리해냈다. 그날 밤에 나는 '글리미그림'이라는 맛좋은 포도주를 많이 마셨는데(블레푸스쿠 사람들은 그 술을 '플루낙'이라고 불렀는데 릴리푸트 것이 맛이 더 좋았다) 오줌이 많이 나오게 하는 술이었다. 그런데 천만다행으로 나는 장시간 동안 오줌을 누지 않은 상태였다. 불을 끄려고 하면서 받은 열로 인해서 이제 오줌이 아주 마려웠고 그래서 엄청난 양을 방출했는데 적절한 지점으로 쏟았기 때문에 불은 3분 만에 완전히 진화되었고 따라서 여러 세대를 통해서 건축된 다른 장엄한 궁궐도 보존될 수 있었다.

날이 밝아왔다. 나는 거기에서 좀 기다리다가 황제를 알현할 생각도 있었지만 그냥 집으로 돌아갔다. 왜냐하면 내가 비록 훌륭한 일을 하기는 했지만 점잖지 못한 행동을 했기 때문에 황제가 어떻게 생각할지 몰랐기 때문이다. 그 나라의 법에 의하면 어떠한 신분의 사람이라도 궁내에서 소변을 보면 사형에 처하게 되어 있었다. 황제가 나에 대한 사면을 대법관에게 명했다는 전갈을 나중에 받고서 조금 마음이 놓였다. 그런데 대법관이 나에게 사면장을 내리도록 되어 있는데 나는 그것을 얻지를 못했다. 그뿐 아니고 내가 누구한테 들은 바로는 황후는 내가 한 일에 대해서 극도로 혐오감을 느껴서 궁궐의 가장 먼 쪽으로 이사를 가버렸고 원래의 거처는 다시 사용하지 않겠다고 결심했으며 그녀의 시녀들이 있는 자리에서 나중에 복수할 것을 맹세했다고 한다.

6장

릴리푸트의 주민들에 관해서, 그리고 그들의 학문, 법률, 관습에 관해서 설명한다. 그 나라에서 저자가 살아가는 방식에 대해서 언급하며 어느 귀부인에 대해서 저자가 변호한다.

그 제국에 대한 자세한 설명에 대해서는 다른 책에서 할 것이지만 우선 독자들의 호기심을 채워주기 위해서 개략적인 사실을 언급하고자 한다. 그곳 사람들의 키는 보통 15센티미터를 약간 밑돈다. 그리고 나무나 기타 식물, 모든 동물의 키도 그에 정확히 비례한다. 예를 들자면 가장 큰 말과 소는 키가 10 내지 13센티미터고 양은 4센티 정도며 거위는 참새 정도의 크기고 그런 식으로 점점 작아져서, 가장 작은 동물에 이르면 나의 눈에는 거의 보이지 않게 된다. 그런데 자연은 그런 것을 모두 볼 수 있도록 릴리푸트 사람들의 눈을 만들어놓았다. 그들은 가까운 것을 아주 정확하게 볼 수 있지만 대신 멀리 있는 것을 잘 보지 못한다. 가까운 것을 볼 때 그들의 시력이 얼마나 정교한지 예를 들자면, 한 요리사가 파리보다도 크기가 작은 종달새의 깃털을 뽑는 것을 볼 때, 그리고 한 처녀가 나의 눈으로 보이지 않는 바늘구멍에 나의 눈으로 볼 수 없는 실을 꿰고 있을 때다. 가장 큰 나무는 높이가 2미터 정도인데 그런 나무는 황실에서 관리하는 산에 있었다. 그러니 그런 나무도 나는 쉽게 꼭대기에 닿을 수 있었다. 다른 식물들도 크기가 그에 비례하니 어느 정도인지 짐작할 수 있을 거다.

그들의 학문에 대해서 이 책에서는 약간만 언급하겠지만 오랜 세월에 걸쳐서 찬란하게 꽃피워왔다. 그런데 그들이 글을 쓰는 방식은 아주 독특하여, 유럽인들처럼 왼쪽에서 오른쪽으로 쓰는 것도 아니고, 아라비아인들처럼 오른쪽에서 왼쪽으로 쓰는 것도 아니고, 중국인들처럼 위에서 아래로 쓰는 것도 아니며, 카스카지아 사람들처럼 아래에서 위로 쓰는 것도 아니고, 영국에서 여자들이 쓰는 것처럼 종이의 한 구석에서 반대편 구석으로 경사지게 쓴다.

그들은 죽은 사람을 매장할 때 머리를 아래쪽으로 하여 묻는다. 그 이유는, 1만1천 개월이 지나면 그들이 모두 부활한다고 믿는데, 그때가 되면 현재의 평평한 상태의 지구가(그들은 지구가 평평하다고 생각했다) 뒤집혀서, 현재는 거꾸로 묻어두어야 그때는 똑바로 서게 된다고 믿기 때문이다. 그들 중에서 일부 사람들은 그러한 믿음이 터무니없다고 생각했지만 일반 사람들의 관행에 따라서 그런 매장 방식이 지속되었다.

그 나라에는 아주 독특한 법률과 관습이 있다. 그것이 나의 고국의 것과 크게 거리가 있는 게 아니라면 그 소인국을 위해서 약간의 변명을 하고 싶다. 릴리푸트의 그것이 잘 지켜지기를 기대할 뿐이다. 내가 우선 언급하고 싶은 것은 밀고자에 관해서다. 국가에 대한 반역죄는 가장 엄중하게 처벌된다. 그런데 고발된 사람이 재판을 받는 자리에서 자기가 죄가 없다는 것을 입증하면 그를 고발했던 밀고자는 사형에 처해지고 그 처형된 사람의 재산이나 토지를 갖고서 그 무죄가 판명된 사람은 시간에 대한 손실과 투옥으로 인한 고통, 그리고 변호에 지불한 경비 등에 대해서 네 배의 보상을 받는다. 재원이 부족하면 그것은 황실에서 지급한다. 또한 황제는 무죄가 된 사람이 결백하다는 사실을 국민에게 공표한다.

그 나라 사람들은 도적질보다 사기 행위를 더 큰 범죄로 간주하며 따라서 그런 행위는 거의 항상 사형으로 처벌된다. 왜냐하면 보통의 지능을 가진 사람은 조심하고 경계하면 자기 재산을 도적에게서 지킬 수 있지만 정직한 사람은 교활한 사람에게 당할 도리가 없다는 것이다. 그리고 물건을 사고팔고 하는 행위와 신용 거래가 이루어져야 하는데, 사기가 난무하고 또 그것을 처벌하는 법이 약하다면 정직한 거래인들은 항상 당하고 악질들만 득을 보게 된다는 거다. 한번은 내가 자기 주인에게서 큰 돈을 사취한 사람에 대해서 그 사람 편을 들면서 황제에게 중재를 하려 했던 경우가 있었다. 범인은 그 돈을 환어음으로 받아가지고 도망가버렸다. 나는 그 범인의 죄를 경감시키기 위해서 그것이 신용을 어긴 것에 불과한 게 아니냐고 황제에게 말했다. 황제는 나의 변호가 오히려 그 사람의 죄를 악화시킬 뿐이며 나의 생각이 어이없다고 말하는 것이었다. 나는 아무 말도 하지 못했고 나라마다 관습이 다르다는 사실을 실감하게 되었다. 한편으로는 마음속 깊이 부끄러움을 느꼈다.

상과 벌은 사회가 유지되는 데 중요한 두 가지 요소라고 우리는 흔히 말하는데, 나는 그것이 릴리푸트에서처럼 철저히 지켜지는 예를 보지 못했다. 그 나라의 주민이 그 나라 법을 73개월 동안 엄격히 지키면 누구나 그의 신분이나 생활 정도에 따라서 일정한 권리를 요구할 수 있으며 그에 합당하는 액수의 돈을 받을 수도 있는데 그 돈은 그런 목적으로 배당된 기금으로 운영된다. 또한 그 사람은 '스닐팔' 또는 '레갈'이라는 호칭을 부여받고 그의 이름 뒤에 따라

다닌다. 그런데 자손까지 그 호칭이 따라다니지는 않는다. 내가 나의 조국인 영국에서는 상에 대한 규정은 없고 단지 벌에 의해서만 운영된다고 했더니 그것은 영국의 정책상에서 아주 큰 결함이라고 그 사람들은 얘기했다. 그들의 법원 앞에 선 정의의 여신상에는 눈이 앞으로 둘, 뒤로 둘, 그리고 양옆으로 하나씩 여섯 개가 달려서 국민에게 법을 조심하라는 경각심을 일깨워준다. 그리고 오른손에는 황금 주머니를 들었고 왼손에는 칼을 들어서 법의 여신이 벌주기보다는 상주기에 더 치중한다는 점을 알려준다.

그들은 모든 직업에서 사람을 채용할 때 능력보다는 도덕성에 더 중점을 둔다. 왜냐하면 그들은 보통의 능력을 갖고 있는 모든 인간은 각자에게 맞는 자리가 반드시 있다고 믿으며 몇 사람의 천재만이 할 수 있는 직업은 별로 없다고 믿는 거다. 그리고 모든 사람은 정의, 절제 등의 덕을 가질 수 있으며 그러한 미덕을 실천하는 사람은 누구든지, 전문적인 수련이 필요한 분야를 제외하고 국가에 봉사할 수 있는 일을 할 수 있다고 그들은 믿는다. 그렇지만 그러한 정신적인 도덕성이 결핍된 사람은 아무리 훌륭한 재능을 천부적으로 갖추었다고 하더라도 자기의 덕망의 부족을 메울 수가 없으며 그런 사람들에게 공직을 부여하는 것은 위험한 일이라고 그들은 생각한다. 그리고 덕을 갖춘 사람이 저지르는 실수는 부정 행위를 하는 데 뛰어난 사람이 저지르는 행위보다 그 해로움이 적다고 그들은 생각했다.

그리고 그들은 신을 부정하는 사람은 어떤 공직도 가질 수 없게 되어 있었다. 황제는 신의 대리인으로 여겼고 그 황제는 자기의 권위를 인정하지 않는 사람은 어떤 사람도 공직자로 채용할 수 없다는 생각을 갖고 있는 거다.

　나는 그 사람들의 원래의 제도에 관해서 말하는 것이지, 그들이 타락해서 현재 잘못되어 있는 제도에 관해서 중점을 두는 건 아니라는 사실을 독자들은 알아두어야 한다. 예를 들어 줄타기 곡예를 잘 함으로써 고관이 된다든지 나무막대를 뛰어넘거나 그 밑을 기어 다니는 재주를 보임으로써 상을 받는 것과 같은 질 나쁜 제도는 지금 황제의 할아버지가 도입한 것이고 그 후에 당쟁과 파벌이 많아 짐에 따라서 오늘날과 같은 모순을 범하게 되었던 거다.

　배은망덕이 어떤 나라에서는 사형에 해당될 정도로 중형에 처해지는 일이 있는데, 릴리푸트에서도 그것이 중죄에 해당된다. 은인에게 악으로 보답하는 사람은 모든 인류의 공동의 적일 수밖에 없으며 따라서 그런 인간은 이 세상에서 살아가기에 적합하지 않은 사람으로 간주한다.

　부모와 자식 사이의 관계는 우리가 일반적으로 생각하는 것과 전혀 달랐다. 릴리푸트 사람들은 생물이 종을 유지시키기 위하여 수컷과 암컷이 결합하는 것은 대자연의 기본적인 법칙이며, 인간은 다른 동물처럼 성욕 충족의 동기로 결합하게 되고 자식에 대한 애정도 자연의 순수한 원리에서 나온 것이라고 생각한다. 그렇기 때문에 자식은 부모가 자기를 세상에 태어나게 해준 것에 대해서 어떤 은혜도 입은 게 아니라고 생각한다. 인생이 불행으로 얼룩진다는 점을 생각할 때 이 세상에 나온 게 이득도 아니며, 부모가 자식을 생겨나게 할 때 어떤 의도를 가졌던 게 아니라 단지 성적 욕구에만 생각이 미쳐 있었던 것이라고 간주한다. 그러한 논리로 인해서 그들은 부모에게 자식의 교육을 맡겨서는 안 된다고 생각했다. 그래서 그들은 모든 지역 사회에 공립학교를 만들어 농민과 노동자를 제외하고는 모든 부모는 자식이 20개월 나이가 되면 남녀를 가리지 않고 공립학교로 보내어 교육을 받도록 해야 한다. 그 나이가 되면 아이들이 초보적인 학습을 받을 수 있는 능력이 있다고 본다. 그러한 공립학교는 아이들의 신분이나 성별에 따라서 여러 가지 종류가 있는데, 거기에서 부모의 사회적인 지위나 자녀의 능력에 따라서 적절히 가르치는 교사들이 아이들의 교육을 담당하는 것이다. 우선 남자아이들을 위한 공립학교에 관해서, 그리고 다음에 여자아이들을 위한 학교에 관해서 약간 설명하려고 한다.

귀족이나 신분이 높은 가문 출신의 남자아이들을 위한 공립학교에는 학식을 갖춘 교사와 보조 교사들이 배치되어 있다. 어린이들의 복장이나 음식은 평범하다. 아이들은 정의, 용기, 겸손, 중용, 명예, 종교, 애국 등에 관해서 교육받는다. 아이들은 식사 시간, 잠자는 시간, 그리고 신체 단련을 위한 시간을 제외하고는 항상 무엇인가를 공부한다. 네 살까지는 남자 어른이 옷을 입혀주지만 그 후부터는 아무리 높은 가문 출신이라도 혼자서 입고 벗어야 한다. 나이를 먹은, 시중드는 여자들도 있지만 일반적인 잡일만 한다. 아이들은 하인들과 이야기하지 못하게 되어 있으며 놀 때는 소수든지 다수든지 간에 무리를 지어 놀고 언제나 교사나 보조 교사가 그들을 지켜보아야 한다. 그렇게 해서 아이들에게 나쁜 버릇이 몸에 배지 않도록 하는 것이다. 부모들은 1년에 두 번만 자녀들과 만나도록 허용되며 면회 시간은 한 시간을 초과하지 않는다. 부모는 처음 만날 때, 그리고 작별할 때만 아이들과 키스할 수 있고 면회 시간 내내 교사가 옆에 있어서, 부모가 자식에게 귀엣말을 하거나 자식의 몸을 어루만지거나 장난감이나 과자 등을 선물로 주지 못하도록 감시한다. 어린이의 교육비와 기타 경비는 부모가 지불하는데 제때에 지불하지 않으면 강제로 징수해간다.

높은 신분이 아닌 일반적인 신사 계급, 상인, 무역업자, 수공업자 등의 자녀를 위한 공립학교도 그와 비슷한 방식으로 운영된다. 장차 무역업에 종사할 아이들은 7세가 되면 견습생으로 보내지고 높은 신분의 자녀들은 15세까지 학교에서 공부한다. 그런데 마지막 3년은 학교 밖 출입을 점차로 자유롭게 허용한다.

여자 어린이들을 위한 학교의 경우, 신분이 높은 아이들은 대체로 남자아이와 비슷한 교육을 받는다. 여자아이들은 다섯 살 때까지 보모가 옷을 입혀준다. 그럴 때는 항상 교사나 보조 교사가 입회한다. 그리고 그런 보모들이 아이들에게 쓸데없이 재미있는 이야기를 해준다든지 하는 어리석은 짓을 하면 시내를 세 번 일주하면서 사람들에게서 매를 맞고 일 년 동안 감옥에 투옥되며 나머지 평생 동안 먼 곳으로 추방당한다. 그래서 그 나라의 여자들은 비겁한 짓이나 어리석은 짓을 부끄러워하고 단정함을 넘어서는 어떤 몸치장이나 화장도 하지 않는다. 그리고 남녀의 성 차이 때문에 교육에 차별이 있는 것을 나는 보지 못했다. 다만 여자아이들의 체육 활동은 남자아이들처럼 격심하지는 않았고 여자아이들은 가정 생활에 관한 일에 대해서 가르치고 학문의 범위는 남자아이들보다 넓지 않았다. 여자아이들은 분별력 강하고 나중에 상냥한 아내가 되도록 교육받는다. 여자가 12세가 되면 그 나라에서는 결혼할 나이에 이르게 되는데, 그때 부모나 후견인이 집으로 여자를 데려간다. 그때 교사들에게 감사를 표시하게 되며 작별하는 여자들은 동료들과 눈물을 흘리면서 헤어진다.

신분이 낮은 집안의 여자아이들의 공공학교에서는 그 아이들의 신분에 알맞은 일을 배운다. 수습생으로 나갈 아이들은 일곱 살에 학교를 나가며 나머지는 11세 때까지 학교에 남는다.

신분이 낮은 집안의 아이의 부모는 자녀의 적은 교육비 외에도 매달 자기 수입의 일부를 학교에 보내야 한다. 그것은 적립되어 나중에 그 자녀들이 상속할 몫이 된다. 왜냐하면 인간들이 자기들의 욕정에 따라서 자녀를 낳아만 놓고 그 부양은 사회에 맡기는 것은 옳지 않은 일이라고 릴리푸트 사람들은 생각하는 거다. 신분이 높은 사람들도 그들의 수입에 맞는 적절한 금액을 내놓아야 한다. 그러한 기금도 아주 공정하게 운영된다.

농민이나 노동자들은 자녀를 자기 집에서 양육한다. 그들의 일이란 단지 농사를 짓거나 노동일을 하는 것뿐이기 때문에 자녀를 교육한다고 해도 별 중요성이 없기 때문이다. 그리고 늙고 병든 사람들은 요양 시설에서 부양받는다. 거지는 그 나라에서 찾아볼 수 없다.

독자들은 내가 9개월 13일에 걸쳐서 어떤 모양으로 살아갔는지 호기심이 생길 거다. 원래 나는 무슨 연장이든 잘 다루는 사람이라서 내 손으로 탁자와 의자를 만들었다. 그 재료로는 황실에서 관리하는 산에서 베어온 가장 큰 나무를 이용했다. 나의 셔츠와 침대, 그리고 탁자용 보를 만드는 데 여자들이 2백 명 정도 동원되었으며 그 천은 되도록이면 튼튼하고 거친 것을 이용했다. 그런 것들을 몇 겹으로 겹쳐서 꿰매어야 했다. 가장 두꺼운 천이라고 하더라도 면사포보다도 훨씬 얇았기 때문이다. 내 옷을 만들기 위해서 내 몸의 크기를 잴 때 나는 바닥에 드러누웠다. 한 사람이 목 근처에 서고 다른 한 사람은 다리 중간에 서서 튼튼한 밧줄을 팽팽히 잡고 있는 동안에 또 다른 한 사람이 길이 3센티 정도 되는 자로 그 밧줄의 길이를 쟀다. 다음에는 오른쪽 엄지손가락을 쟀고 그 외에는 잴 필요가 없었다. 엄지손가락의 두 배가 손목의 둘레가 되고 그런 방식으로 목과 허리의 둘레가 얼마나 되는지 알 수 있다는 것이다. 또 낡아빠진 내 셔츠를 바닥에 펼쳐놓으니 그들이 그것을 본떠서 나에게 아주 딱 맞는 옷을 만들 수 있었다. 나의 옷을 만드는 데 재봉사 3백 명이 동원되었다. 나의 치수를 재는 또 다른 방법이 있었다. 내가 무릎을 꿇으면 바닥에서 나의 목까지 사다리를 놓고서 거기에 한 사람이 올라가서 추가 달린 줄을 바닥까지 늘어뜨린다. 그렇게 잰 것이 나의 윗도리 길이가 되는 거다. 허리와 팔의 길이는 내가 직접 쟀다. 내 옷은 그들의 집에서 도저히 만들 수 없기 때문에 나의 집에서 만들었는데 모두 완성되었을 때 헝겊을 덕지덕지 이어놓은 것처럼 되어 있었다. 그 조각 하나하나가 색깔이 같을 뿐이다.

나의 음식을 준비하는 데는 3백 명이 동원되었다. 그들은 나의 집 근처에 편리하게 집을 마련하고서는 거기에서 자기네 식구들과 함께 살았고 그들 한 사람이 각각 두 가지 음식을 만들었다. 식사를 할 때 나는 웨이터 20명을 손으로 들어서 식탁으로 올려놓는다. 식탁 밑의 마룻바닥에는 1백 명 정도가 더 있는데, 어떤 사람은 고기 접시를 들고 있고 어떤 사람은 포도주 통, 그리고 어떤 사람은 술통을 어깨에 메고 있다. 그 모든 것들을 식탁 위에 있는 웨이터들이 내가 주문하는 바에 따라서 위로 끌어올린다. 그것을 끌어올리는 방법은 아주 교묘한데, 여자들이 샘에서 물을 길어 올리듯이 밧줄

을 사용하여 끌어올린다. 고기 한 접시는 나에게 한 숟가락이 되었
고 술 한 통은 대충 한 모금이 되었다. 그들의 양고기 맛은 영국의
것보다 못하지만 쇠고기는 맛이 더 좋았다. 한번은 아주 큰 고깃덩
어리가 나와서 세 입에 먹을 수밖에 없었다. 그렇지만 그런 건 아주

드문 일이다. 내가 쇠고기를 뼈까지 한입에 먹는 것을 보고 사람들은 아주 놀라워했다. 거위나 칠면조는 보통 한입에 넣었는데 영국의 요리보다 맛이 좋다고밖에 볼 수가 없다. 그보다 더 작은 새들은 한 번에 20, 30마리씩 나이프로 떠서 먹었다.

황제는 어느 때 자신과 황후, 황자, 그리고 황녀들을 대동하고서 나와 함께 식사를 하고 싶다고 했다. 그래서 나는 그들을 집으로 초청했고 식탁 위에 나와 마주보게끔 귀빈석을 마련해놓고는 그들이 앉게 한 뒤 그 주위로 호위병들도 올려놓았다. 재무대신인 플림나프도 동석하게 되었다. 나는 그가 나를 좋지 않은 눈길로 쳐다보는 것을 의식할 수 있었지만 아랑곳하지 않았고, 사람들을 놀래주기 위해서 보통 때보다 더 많은 음식을 먹었다. 플림나프에게는 그 기회가 내가 황제에게 나쁘게 보이도록 사주하는 데 도움이 되었을 것이라고 나는 생각한다. 그는 평소의 무뚝뚝한 성격에 어울리지 않게 좋은 인상을 보였지만 항상 나의 적이었다. 그는 황제에게 이르기를, 나로 인해서 국가 재정이 고갈되고 있고 많은 돈을 차용해야 하며 이미 내가 150만 스프럭(그들의 가장 액수가 큰 금화)을 쓰게 만들었고 따라서 적당한 기회를 보아서 나를 없애거나 내쫓는 것이 황제에게 이로울 것이라고 말했던 거다.

이제 나 때문에 누명을 쓸 뻔했던 한 훌륭한 귀부인의 명예를 위해서 몇 마디 해야겠다. 그녀는 재무대신의 부인이었는데, 재무대신이 묘한 생각으로 그 부인에 대해서 의처증을 품었다. 그것은 나쁜 소문 퍼뜨리기 좋아하는 사람들 때문인데, 그녀가 나의 용모를 흠모하여 나에게 연정을 품었고 남모르게 나의 거처로 찾아왔다는 소문을 냈고 그러한 소문이 한동안 나돌아다녔던 게다. 그것은 아무 근거도 없는 터무니없는 거짓말이었다고 나는 엄숙히 선서할 수 있다. 그 부인은 아주 순수한 마음으로 나에게 다정하게 대했을 뿐이었다. 그녀가 나의 집을 여러 번 방문했다는 사실은 인정한다. 그렇지만 그것은 어디까지나 공식적인 방문이었고 올 때는 반드시 다른 세 사람을 대동하고서 왔다. 그 세 사람은 그녀의 누이동생, 그녀의 어린 딸, 그리고 그녀와 친한 친구였다. 그런데 그처럼 방문하는 건 궁정 안의 다른 부인들에게도 흔히 있는 일이다. 누가 탔는지 모를 마차가 한 번이라도 나의 집 앞에 온 적이 없었다. 나에게 손님이 방문하러 온 사실을 나의 하인이 연락해주면 나는 즉시 문간으로 나가서 인사를 한 후에 방문객의 마차와 말을 아주 조심스럽게 손으로 들어서 탁자 위에 올려놓는다. 탁자 가장자리는 누가 떨어지는 사고를 막기 위해서 높이가 13센티 정도 되고 이동이 가능하도록 된 테두리를 둘러놓았다. 어떤 때는 네 대 정도 되는 마차와 거기에 딸린 말들을 한꺼번에 올려놓아 탁자가 가득 차는 일도 생기게 된다. 그때 내가 의자에 앉아서 한 손님과 얘기하고 있으면 다른 무리의 손님들은 마차를 탄 채로 탁자 위를 빙빙 돌면서 시간을 보낸다. 그런 식으로 손님과 대화를 하면서 시간을 때우는 일이 많았다. 재무대신이나 그에게 밀고한 두 사람인 클러스트릴과 드런노에게 누가 남모르게 나의 집에 왔는지 말해보라고 항의하고 싶다. 단, 앞에서 언급했지만 황제의 특명으로 파견된 렐드레살만은 예외다. 내가 이처럼 상세하게 설명하기는 싫지만 한 사람의 점잖은 귀부인의 명예에 관련되는 일이라서 그렇게 하지 않을 수가 없다. 나는 재무대신도 누리지 못하는 나르닥이라는 칭호를 갖고 있었고 재무대신의 직위는 나보다 한 단계 아래인 클럼글럼에 불과했다. 그

렇지만 그는 권한에서 나보다 우위에 있던 것만은 사실이다. 거짓
으로 퍼뜨린 그 소문이 어떤 우연한 사건으로 인해서 나의 귀에 들
어왔는데, 그 소문으로 인해서 재무대신은 한동안 자기 부인에게
험하게 대했고 나에게는 더욱 안 좋게 대했던 거다. 결국 모든 게
헛소문이었다는 사실을 나중에 알고는 부인과 화해했지만 나는 그
의 신뢰를 모조리 잃고 말았고 황제의 나에 대한 평가도 격하하는
것을 느끼게 되었다. 황제는 지나치게 재무대신에게 영향을 받고
있었다.

7장

저자를 반역죄로 단죄하려는 음모가 꾸며지는 걸 알고는 블레푸스쿠로 도피한다. 그곳에서 환대받는다.

이제 내가 그 나라를 어떻게 떠나게 되었는지 얘기하고자 하는데, 우선 그에 앞서서 나를 모함하기 위해서 2개월 동안 기도된 음모에 관해서 말하려고 한다.

나는 그때까지 궁궐과는 아무런 연관이 없는 사람이었다. 출생 신분이 낮아서 그런 곳과 연관될 자격이 없었던 거다. 물론 책으로 읽어서 군주나 대신들의 기질이 어떤 것이라는 점에 대해서는 어느 정도 알았다. 그런데 유럽과는 전혀 달라 보이는 그 조그만 나라에서도 무시무시한 궁궐 안의 음모가 있다는 사실을 전혀 예기하지 못했다.

전에 황제의 노여움을 받은 한 관리를 도와준 적이 있는데, 내가 블레푸스쿠를 방문할 준비를 하던 즈음에 그 관리가 장막을 가린 마차를 타고는 아무도 모르게 나의 집으로 찾아와서 나를 만나야겠다고 했다. 그래서 가마꾼들은 다른 곳으로 가도록 하고 그 가마를 그 사람이 탄 채로 통째로 들어서 윗도리 호주머니에 넣었다. 그러고 나서는 내가 신임할 수 있는 하인에게 누가 찾아오더라도 내가 몸이 불편해서 누워 있으니 돌려보내라고 일러두고 나서 집 문을 잠그고는 가마를 탁자 위에 놓고 의자에 앉았다. 먼저 인사를 주고받는데 그의 얼굴에 근심이 가득하기에 그 이유를 물었다. 그는 나의 명예와 생명에 관련된 일이 있는데 자기 말을 끝까지 참을성 있게 들어달라고 했다. 그러고 나서 다음과 같이 말했다. 그가 떠나자마자 적어두었기 때문에 정확히 기재할 수 있었다.

"지금 당신이 알아둬야 할 일이 있소이다. 최근에 당신에 관해서 비밀 회의가 여러 번 열렸소이다. 그리고 황제 폐하께서는 이틀 전에 중요한 결정을 내리셨소. 해군을 총괄하는 스키레쉬 볼고람이 당신이 이곳에 도착한 뒤로 늘 당신과 원수지간이었던 사실을 알 거요. 어떻게 해서 당신을 그렇게 미워하게 됐는지 모르지만 당신이 블레푸스쿠 함대를 전멸시킨 뒤로 그 사람의 미움은 더욱 심해졌소이다. 당신으로 인해서 자기의 존재가 빛이 바랬다고 생각하는 거요. 그 사람하고, 부인 때문에 당신에 대한 미움을 갖고 있는 재무대신 플림나프, 육군 사령관 림토크, 대법원장 발머프, 의전대신 랄콘 등이 결탁해서 반역죄와 기타 다른 죄로 당신을 벌하는 조항을 작성했소이다."

나는 내가 그 나라를 위해 공을 세웠고 아무런 잘못도 없다고 생각했으므로 그런 말을 듣고는 도저히 참을 수가 없어서 그의 말을 중단시키려고 했다. 그런데 그는 계속 듣기만 해달라고 간청하면서 말을 이어나갔다.

"당신이 나한테 베풀어준 은혜에 보답코자 나는 모든 정보를 입수했고 당신을 벌주는 문서도 입수해두었소. 당신을 위해서 내 목이 날아갈 각오를 하고 그렇게 한 거요."

그가 내보인 나의 처벌문을 보니 다음과 같이 되어 있었다.

퀸버스 플레스트린(거인)에 대한 처벌 조항

1항

궁정 안에서 소변을 본 자는 누구든 가리지 않고 엄한 처벌을 받는다는 사실은 칼린 데파 플루네 황제 때에 제정된 법률에 명백히 의거한다. 그런데도 상기 퀸버스 플레스트린은 황제 폐하의 부인이신 황후의 거처에서 발생한 화재를 진압한다는 구실로 그 법을 악의적으로 위반하였으며 상기의 거처에서 발생한 화재를 소변을 방출하여 진화하였다.

2항

상기의 퀸버스 플레스트린은 블레푸스쿠 제국의 함대를 우리나라 항구로 끌고 왔지만, 나머지 함정을 전부 포획하고 블레푸스쿠를 우리나라의 속국으로 삼아서 앞으로는 총독이 통치하게 하며 계란 두꺼운 쪽 깨기파의 망명자들을 모두 잡아들이고 사형에 처하며 두꺼운 쪽 깨기를 포기하지 않는 블레푸스쿠의 국민도 모두 사형에 처해야 한다는 황제 폐하의 명을 받게 되었다. 그런데 상기 퀸버스 플레스트린은 그처럼 지당하신 황제 폐하의 명에 대하여 자신의 양심을 어기고서 무고한 사람들의 생명이나 자유를 침해할 수 없다는 이유를 들어 배은망덕한 반역자처럼 상기의 명을 거절하였다.

3장

블레푸스쿠에서 사신들이 도착하여 황제 폐하의 궁정에서 화평을 요청하였다. 그런데 상기 퀸버스 플레스트린은 그 사람들이 최근까지도 황제 폐하의 원수이며 황제 폐하와 공공연히 전쟁을 일삼던 사람들이었다는 사실을 알고서도 그들 편에 서서 황제께 화평을 간청했고 그들을 도왔고 위로해주었고 향응을 베풀어주었다.

4장

상기 퀸버스 플레스트린은 우리나라의 충실한 신하로서의 임무를 저버리고 블레푸스쿠로 갈 준비를 하고 있다. 그런데 그것에 대해서는 황제께서 단지 구두로 허락한 것에 불과하다. 그런데도 그 허락을 얻었다는 구실로 마치 반역자처럼 블레푸스쿠로 갈 준비를 하고 있으며 최근까지도 우리 황제 폐하의 원수이고 황제 폐하와 전쟁을 일삼던 블레푸스쿠 황제를 도와주며 위로하려고 기도하고 있다.

내가 처벌문을 읽고 나자 그 사람은 이어서 말을 계속했다.

"그 외에도 몇 가지 항목이 더 있었지만 상기에 나열한 것이 가장 중요한 것이니 이것만 내가 따온 거요. 당신의 처벌에 관해서 여러 차례 논의가 있었는데, 폐하께서는 당신이 폐하께 해드린 공적에 대해서 강조하시면서 당신의 죄를 될 수 있는 한 감면하려고 노력하셨다는 점을 알아야 할 거요. 재무대신과 해군 사령관은 당신을 가장 고통스러운 방법으로 사형시키라고 주장했소. 그건 밤에 당신 집에다가 불을 지르고 육군 사령관이 독화살로 무장한 2만 명의 군대로 당신을 포위하는 거요. 당신의 하인 중에서 몇 사람에게 비밀 지령을 내려서 당신의 내의하고 요에 독을 뿌려서 당신은 그 독으로 인해서 혹독한 고통 속에서 죽도록 하는 거요. 그런 제안에 육군 사령관도 동의해서 한동안은 그 의견이 우세를 보였소이다. 그런데 황제 폐하께서는 가능하면 당신의 목숨을 살려보려고 결심하셨고 대신들을 설득하려고 했소이다.

폐하께서는 당신하고 좋게 지내는 내무대신 렐드레살한테 의견을 말해보라고 하셨고 그 사람은 자기 소견을 말했는데, 당신한테 유리한 쪽으로 말해주었소이다. 그 사람은 당신이 죄가 크다는 점은 인정했소. 그렇지만 자비를 베풀 여지가 있고 그 자비는 폐하께서 지닌 가장 큰 덕망이며 폐하의 자비로우심은 세상에 널리 알려져 있다고 말했소이다. 그 사람은 이어서 이런 말을 했소.

'제가 거인과 사이가 좋다는 사실을 세상 사람들이 알기 때문에 폐하나 여러분은 제가 공정하지 못하다고 생각하실지 모르지만 저는 양심에 따라서 저의 의견을 밝히겠습니다. 거인이 세운 공훈을 폐하께서 조금이라도 생각해주시고 폐하의 자비로우심으로 거인의 목숨을 살려주고 다만 그의 양 눈을 못 보게 하는 처벌만 내리신다면 그것으로 심판은 이루어질 것이고 온 세상 사람들은 폐하를 칭송할 것이고 여러 대신들의 공평하고 너그러운 조치에 대해서도 감복할 것입니다. 그리고 양 눈을 잃는다고 하더라도 힘을 쓰는 데는 지장이 없을 것이며 그런 힘으로 여전히 폐하께 도움이 되어드릴 수 있을 겁니다. 눈이 머는 건 오히려 위험을 보지 못하게 함으로써 용기를 배가시키게 됩니다. 거인이 적의 함대를 끌고 올 때 가장 염려했던 게 눈을 다치지 않을까 하는 걱정이었는데, 이제 눈이 없어지더라도 다른 사람들이 보조해주면 충분할 겁니다.'

그런 제안을 내놓았는데 대번에 거센 반격에 부딪치게 됐소이다. 해군 제독은 분에 겨워서 자리에서 일어나서 이런 말을 했소이다.

'내무대신께서는 어떻게 반역자의 목숨을 살려주자는 것인지 이해할 수 없소이다. 그 자가 세웠다고 하는 공적은 국가적 차원에서 본다면 오히려 화를 가중시키는 겁니다. 그 자가 황후 마마의 거처에서 소변을 보아서 불을 끈 건 사실이지만, 앞으로 사정이 바뀌게 된다면 그 같은 방법으로 홍수를 일으켜서 온 궁궐을 물바다로 만들어버릴 수도 있을 겁니다. 그리고 적 함대를 끌고 오는 힘으로 이제 앞으로 우리에게 불만이 생기면 우리 배를 끌어가버릴 수 있는 겁니다. 그가 마음속으로는 계란 두꺼운 쪽 깨기파에 동조하고 있을지도 모르고, 반역이라는 것은 그것이 드러나기 전에 마음속에서 싹트는 것이기에 저는 그 자를 절대 안심할 수 없는 인간이라고 보고 그래서 그를 사형시키는 게 당연하다고 생각합니다.'

재무대신도 그와 동일한 생각이었소. 그 사람은 당신을 부양하느라고 국가의 재정이 얼마나 고갈되었는지를 설명했고 이어서 이렇게 말했소이다.

'그러니 이제 더는 견딜 수가 없습니다. 눈을 멀게 하자는 내무대신의 방법은 문제를 해결하기는커녕 증폭시키기만 할 겁니다. 우리가 어떤 종류의 새를 눈을 멀게 하면 먹이를 더 많이 먹어서 더 빨리 살이 찌는 경우를 볼 수 있습니다. 위대하신 폐하께서, 그리고 여러 대신들도 그 자의 유죄를 충분히 확신하실 겁니다. 그 자의 죄목은 너무나 분명하기 때문에 법률적으로 요구되는 증거는 필요가 없다고 봅니다.'

그런데 사형은 결단코 반대하기로 마음을 굳힌 폐하께서는, 대신들이 당신의 눈을 없애는 것만으로는 형벌이 너무 가볍다고 생각한다면 나중에 가서 형을 추가할 수도 있지 않겠느냐고 말씀하셨소이다. 그러자 당신과 친근한 내무대신이, 국가의 재정 부담이 막대하다는 이유로 반대하는 재무대신에게 반대하기 위해서 다시 발언하기를 청해서 이런 말을 했소이다.

'재무대신께서는 거인에 대한 음식을 점차로 줄임으로써 문제를 쉽게 해결할 수 있을 겁니다. 그렇게 되면 거인은 음식이 모자라서 점차로 허약해지고 식욕을 잃어갈 것이며 몇 달 후에는 완전히 뼈와 가죽만 남을 겁니다. 또한 그 인간의 몸은 부피가 반 이하로 줄어들게 됨으로써 송장이 그렇게 위험하지도 않을 겁니다. 그리고 그가 죽는 즉시 오륙천 명이 이삼 일에 걸쳐서 살을 발라내어서 수레에 실어 먼 곳에 가져가서 묻어버리면 전염병도 돌지 않을 것이고 해골은 기념으로 남겨두면 될 겁니다.'

그래서 내무대신의 큰 아량으로 이제 모든 일이 해결을 보게 됐소이다. 당신을 점차로 굶겨 죽이는 건 비밀로 해두기로 했지만 눈을 멀게 하는 건 공식적인 문서에 올려두었소. 그 결정에는 스키레쉬 볼고람을 제외한 모두가 찬동했는데, 그 사람만 반대한 이유는 황후의 총신이기 때문인데, 황후께서는 당신을 죽이는 걸 바랐고 그걸 사주했던 거요. 황후께서는 자기 거처에 불난 걸 당신이 끌 때 고약한 방법을 이용했다 해서 늘 당신한테 반감을 품어왔던 거요.

이제 앞으로 사흘 후면 내무대신이 황제의 명으로 당신 집으로 와서 처벌문을 낭독할 거요. 그리고 형벌이 당신의 눈을 멀게 하는 걸로 그치는 건 폐하나 대신들의 자비로움 때문이란 사실에 대해서 말할 것이오. 폐하께서는 당신이 그 벌을 달게 받고 처벌에 감사할 것에 대해서 의심치 않고 있소이다. 당신이 바닥에 누워 있으면 화살을 당신 눈알에 쏘아 넣은 다음에 의사들 스무 명이 달려들어 잘 치료해줄 거요. 이제 당신이 어떻게 대응할지는 당신 판단에 맡기기로 하겠소. 나는 지금 당장에 아무도 모르게 다시 돌아가야겠소이다."

이렇게 말해주고서는 그 관리는 돌아갔고 이제 홀로 남은 나는 여러 가지 생각으로 마음이 괴로웠다.

그 나라에는 내가 전해들은 바로는 그전 시대와는 아주 다른, 현재의 황제와 그의 대신들이 만들어놓은 하나의 관습이 있었다. 그것은 황제의 노여움을 누그러뜨리거나 대신들의 악의를 충족시키기 위해서 어떤 중대한 형을 집행할 때는 황제가 대신들이 모인 곳에서 그에 관한 연설을 함으로써 황제의 너그러움과 법의 정당성을 나타내는 것이었다. 그러한 연설은 즉시 온 국민에게 공표되는데, 황제의 자비심에 대해서 강조하는 것만큼 국민을 벌벌 떨게 하는 대목은 없었다. 그러한 찬사가 강조될수록 그 처벌은 잔인하고 비인도적인 경우가 많기 때문이다. 나는 출신으로 보나 교육받은 것으로 보나 궁정인으로는 어울리지가 않아서 그런지 몰라도 나에 대한 처벌 조항이 왜 자비로운 것인지를 알 수가 없었으며(아마 내가 틀릴 수도 있겠지만), 오히려 가혹하다고 느꼈다. 재판을 받아볼까 하는 생각도 했다. 그 처벌 조항에 있는 몇 가지가 사실인 점은 부인하지 못하지만 정상참작의 여지가 얼마든지 있을 걸로 보았기 때문이다. 그렇지만 이제까지 그 나라의 재판 판결을 훑어보면 결국 판사의 재량에 좌지우지된다는 것을 알았기 때문에 그처럼 막강한 나의 적들에게 재판을 받아보는 모험은 할 수가 없었다. 그들 모두를 상대로 싸움을 벌일 생각도 해보았다. 왜냐하면 내가 몸이 자유로운 한은 그 나라 사람들이 모두 달려든다 하더라도 나를 이길 수는 없을 것이고 나는 몽둥이나 돌멩이로 쉽게 그 나라 수도를 박살내버릴 수도 있을 것이기 때문이다. 그렇지만 내가 황제하고 한 서약, 황제에게서 받은 호의, 나르닥이라는 칭호를 준 것 등을 고려해보면 그런 생각을 품는 것도 할 수가 없었다. 황제에게서 지금 혹독한 처사를 받는다고 해서 과거의 은혜가 다 없어진 걸로 생각할 수는 없었다.

그래서 다른 결단을 내렸다. 그로 인해서 나는 조금이라도 비난을 받을 수도 있을 것이고 그런 비난을 하는 것이 당연할 수도 있을 거다. 왜냐하면 내가 조금 경솔했고 미숙했다는 사실을 인정하기 때문이다. 그렇지만 그렇게 했기 때문에 나는 지금 두 눈을 부지하고 자유로운 생활을 하는 거다. 내가 궁정에서 이루어지는 수많은 판결들, 즉 나보다 죄가 덜한 사람들이 나보다도 더한 형을 받는 것을 잘 알았더라면 그처럼 가벼운 처벌을 기꺼이 받아들였을지도 모른다. 그렇지만 젊은 혈기로 인해서, 그리고 블레푸스쿠의 황제를 알현해도 좋다는 허가를 미리 받아놓았기 때문에, 나의 처벌 날짜가 도래하지 않은 지금이 좋은 기회라고 생각했고, 내무대신에게 편지를 써서 황제의 허가에 의해서 오늘 아침 블레푸스쿠로 떠난다는 사실을 알렸다. 그리고 답장은 기다리지 않고서 바로 출발했고 우리 쪽 함대가 정박하고 있는 쪽으로 갔다. 거기서 큰 군함 하나를 골라서 뱃머리에 밧줄을 매달고는 가지고 온 요를 실었으며 옷을 벗어서 옷도 싣고 그 배를 끌고 걷거나 헤엄쳐 가면서 블레푸스쿠의 항구에 도착했다. 거기에서는 사람들이 나를 영접해주었고 나를 수도로 안내하도록 안내인 두 사람을 붙여주었다. 그 수도의 이름 역시 블레푸스쿠였다. 나는 두 안내인을 손바닥에 올려놓고는 성문에서 2백 미터 떨어진 곳까지 갔으며 거기에서 내가 황제의 지시를 기다리겠다는 사실을 전해달라고 안내인에게 요청했다. 그로부터 약 한 시간 후에 회답이 왔는데, 황제가 여러 대신들을 대동하고서 직접 마중하러 온다는 것이었다. 나는 앞쪽으로 1백 미터쯤 더 나아갔는데, 잠시 후에 황제와 대신들이 말에서 내렸고 황후와 귀부인들은 마차에서 내렸는데 나를 무서워하는 기색은 전혀 보이지 않았다. 나는 땅바닥에 누워서 황제와 황후의 손에 입을 맞추었다. 그러고는 그 황제에게 내가 약속한 대로 나의 주인 격인 릴리푸트 황제의 허가를 받고서 위대한 그 황제를 알현하러 왔다고 했으며 나의 주인에 대한 의무를 벗어나지 않는 범위 내에서 내가 할 수 있는 모든 힘을 다해서 블레푸스쿠의 황제에게 봉사하겠다고 말했다. 그렇지만 나의 처벌에 관해서는 아직 내가 정식으로 통보를 받은 상태도 아니고 그런 것에 대해서 나는 전혀 모르는 것으로 인정되기 때문에 한마디 언급도 하지 않았다. 또한 나의 주인 황제도 내가 그의 영역 밖에 있는 동안에 그러한 비밀을 내가 폭로하리라고 생각할 리는 없을 것으로 나는 간주했다. 그렇지만 그런 점에서는 나의 생각이 틀렸다는 사실이 곧 밝혀졌다. 내가 궁정에서 환대를 받은 것에 관해서는 일일이 언급하는 것을 생략하겠다. 그리고 집이 없어서 요만 감싸고서 땅바닥에서 잠을 자면서 고생한 세세한 점에 관해서도 언급하지 않겠다.

8장

저자가 운 좋게도 블레푸스쿠에서 떠날 수 있는 방법을 찾는다. 그리고 조금 고생을 한 끝에 무사히 고국으로 돌아간다.

블레푸스쿠에 도착하고 나서 사흘 후에, 호기심이 생겨서 그 섬의 북동부 해안을 거닐었는데, 해안에서 2킬로미터 남짓 떨어진 바다에, 뒤집힌 보트처럼 보이는 물체를 발견했다. 그래서 신발과 양말을 벗고서는 바닷물 속으로 3백 미터 정도 걸어갔다. 그 물체가 조수에 밀려서 나에게 더 가까이 다가왔는데, 정말 보트라는 것을 확인할 수 있었다. 폭풍으로 인해서 어떤 선박에서 떨어져 나온 것으로 짐작되었다. 그래서 그 즉시 수도로 가서 황제에게 요청하기를, 현재 남아 있는 군함 중에서 가장 큰 것으로 20척과 병사들 3천 명을 빌려달라고 했다. 그 함대가 섬을 돌아서 오는 동안에 나는 지름길을 택해서 처음 보트를 발견했던 장소로 갔다. 보트는 조수에 밀려서 그전보다 더 뭍으로 가까이 와 있었다. 나는 줄을 여러 개 합쳐서 튼튼히 만들어놓은 밧줄을 함정과 함께 도착한 병사들에게 나누어주었다. 옷을 벗고서 물속을 걸어가다가 마지막 1백 미터는 헤엄쳐 가야 했다. 병사들에게 밧줄을 던지게 하고 나는 그것을 보트의 앞부분에 연결했고 다른 한 끝은 함정에 맸다. 그렇게 해서 뭍이 있는 곳으로 진격을 했는데 나는 발이 바닥에 닿지 않아서 큰 힘을 발휘할 수가 없었다. 그냥 보트 뒤에서 헤엄을 쳐가면서 힘닿는 한 한손으로 보트를 앞으로 밀어낼 수밖에 없었다. 그런데 조수가 나를 도와주었고 한참 동안 고생을 했더니 발이 땅에 닿았다. 거기서 2, 3분 쉬었다가 다시 보트를 밀어댔다. 그런 식으로 해서 바닷물이 나의 겨드랑이 정도 높이가 되는 곳에 이르렀다. 이제 가장 힘든 고비를 넘기게 되었고, 한 선박에 싣고 왔던 다른 밧줄을 꺼내가지고 우선 보트에 매고는 다음에는 내 옆에 있던 선박 아홉 척에 매었다. 바람이 유리한 방향으로 불어주었기 때문에 군함들이 잡아당기고 나는 밀고 해서 뭍에서 40미터 되는 거리까지 오게 되었다. 거기서 조수가 밀려가는 것을 기다렸다가 배도 말랐기 때문에 병사들 2천 명과 연장의 도움으로 고생고생하면서 똑바로 세워놓았다. 보트는 크게 망가진 데가 없었다.

다음에는 노를 만들고 보트를 블레푸스쿠의 항구로 이동시키는 데 10일이 걸렸는데 거기에 대한 세세한 이야기는 생략하기로 한다. 항구에 도착하니 군중이 구름처럼 모여들었고 거대한 보트를 보고 모두 놀랐다. 나는 황제에게 이르기를, 행운의 여신의 도움으로 이제 내가 고국으로 돌아갈 배를 얻게 되었다고 말하면서, 나에게 출국 허가를 내주고 나의 항해에 필요한 물자를 마련해달라고 요청했다. 황제는 이런저런 조언을 해주었고 나의 요청을 들어주었다.

그러는 동안에 릴리푸트의 황제에게서 블레푸스쿠로 나의 사안에 관한 특사가 파견되었는데 나는 그것에 대해서 까마득히 몰랐다. 나중에 전해 들은 바로는, 릴리푸트의 황제는 내가 그의 의도를 전혀 모르는 것으로 알았고, 나는 단지 그가 내준 허가에 따라서 블레푸스쿠로 간 것으로 알았으며, 블레푸스쿠 방문이 끝나면 2, 3일내로 돌아오리라고 믿었다. 그런데 내가 돌아오지 않자 그 황제는 불안해졌고 재무대신과 그 외의 대신들과 의논하고는 나에 대한 처벌문을 지참한 특사를 파견했던 거다. 그 특사는 블레푸스쿠의 황제에게, 릴리푸트의 황제가 자비심이 아주 깊어서 나에 대한 처벌로서 단지 두 눈을 멀게 하는 걸로 결정했다는 사실, 내가 형벌을 피하여 도주한 자고 앞으로 두 시간 내로 돌아가는 준비를 하지 않으면 나르닥의 작위를 박탈하고 나를 반역자로 온 나라에 선포할 것이라는 점 등에 대해서 말했다. 그리고 그 특사는 내가 자발적으로 돌아가지 않을 경우 두 제국 사이의 우애를 유지하기 위해서 내가 반역자로서 형벌을 받도록 블레푸스쿠의 황제가 손과 발을 묶어서 돌려보내달라고 릴리푸트의 황제가 요구했다는 사실을 통고했다.

블레푸스쿠의 황제는 3일 동안 대신들과 의논하고는 정중한 사과의 내용을 담은 답장을 보냈다. 그 답장은 다음과 같이 되어 있었다.

그 사람을 묶어서 보내는 건에 대해서는, 폐하께서도 그것이 불가능하다는 사실을 잘 아실 것입니다. 그가 잘못을 저지른 점도 있지만 우리가 강화조약을 맺는 데 그가 우리에게 힘써준 일에 대해서 우리는 고맙게 생각하고 있습니다. 그리고 우리 두 제국은 이제 안심해도 될 것입니다. 왜냐하면 그는 자기가 타고 떠날 수 있는 엄청나게 큰 배를 해안에서 발견하여 지금 떠날 채비를 하고 있고 몇 주 후면 두 제국은 그 거인을 부양하는 데 따른 부담에서 벗어날 수 있을 것으로 보고 있습니다.

그러한 답장을 갖고서 그 특사는 릴리푸트로 돌아갔다. 나중에 블레푸스쿠의 황제는 나에 관해서 벌어진 일을 나에게 모두 알려주었는데, 그 말을 하는 과정에서, 이것은 절대 비밀이라면서, 내가 그를 위해서 앞으로 봉사해준다면 나를 자기가 보호해주겠다고 제안했다. 나는 그러한 황제의 말이 진심에서 우러나온 거라는 사실은 알았지만 이제 황제나 대신들의 말을 더는 신뢰하지 않기로 속으로 마음먹고 있었다. 그래서 그의 호의에 대해서 내가 아주 고맙게 생각하기는 하지만 그를 위해서 봉사하는 일만은 하지 않게 해달라고 간청했다. 운명의 여신이 나에게 배를 보내주셨으니 그 위대하신 두 군주 사이에서 갈등의 원인이 되는 것보다는 차라리 바다의 모험에 나의 운을 맡기는 것이 좋겠다고 나의 심정을 토로했다. 그에 대해서 황제는 전혀 기분 나쁜 내색은 보이지 않았다. 사실은 나의 그런 결심에 대해서 황제가 속으로는 아주 반겼고 다른 대부분의 대신들도 좋아했다는 사실을 나중에 우연히 알게 되었다.

이제 나는 처음에 계획했던 것보다 조금이라도 빨리 출발하기 위해서 서둘렀다. 그 나라에서도 내가 없어졌으면 하고 바랐으므로 기꺼이 나의 일에 협조해주었다. 보트에 달아놓을 돛을 두 개 만들었는데, 5백 명 정도가 나의 지시에 따라서 그 나라에서 가장 튼튼한 천으로 열세 겹을 겹쳐 꿰맸다. 밧줄을 만드는 데도 애를 먹었는데, 그 나라에서 가장 튼튼한 밧줄을 10개나 20개 또는 30개를 합해서 꼬았다. 내가 해안가를 오랫동안 헤매다가 찾은 커다란 돌덩어리가 닻이 되어주었다. 소 3백 마리분의 기름으로 보트에 기름칠을 했다. 노와 돛대를 만드는 데는 그 나라에서 가장 큰 나무를 이용했는데, 만드는 데 많은 고생을 해야 했다. 그런데 그 일을 하는

데 황제에게 예속된 목수들이 나를 많이 도와주었다.

약 한 달이 지나고 나서 모든 준비가 완료되었고 이제 사람을 황제에게 보내어 작별인사를 하겠다고 전하도록 했다. 떠나는 날 황제는 다른 많은 사람들을 대동하고서 나를 전송해주었다. 나는 엎드려서 황제가 내밀어준 손에 입을 맞추었다. 황후와 황자 등도 내가 입을 맞추도록 손을 내밀었다. 황제는 2백 스프러그씩 든 지갑 50개를 나에게 주었으며 실물과 동일한 크기로 그린 그 자신의 초상화도 주었다. 나는 그것들을 손상되지 않도록 장갑 속에 잘 넣어두었다. 그들과 헤어질 때 거행된 의식은 너무 장황하여 일일이 언급하는 것은 생략하기로 한다.

보트에는 쇠고기 1백 마리분, 양고기 3백 마리분, 상당한 양의 빵과 음료, 그리고 그 밖의 식품이 실렸다. 영국으로 돌아가서 번식시킬 요량으로 살아 있는 암소 여섯 마리, 수소 두 마리, 그리고 그와 동일한 수의 암양과 수양도 실어놓았다. 그 짐승들에게 사료로 주려고 건초와 곡물도 상당량 준비했다. 그 나라의 주민도 몇 사람 데리고 가고 싶었지만 황제가 절대로 허용하지 않았다. 나의 몸을 샅샅이 뒤져서 조사했고, 설사 그들이 원한다고 하더라도 그의 신하 한 사람이라도 데려가지 않겠다고 나에게 서약하라고 했다.

그렇게 해서 모든 절차가 끝난 다음에 1701년 9월 24일 아침 6시에 출발했다. 남동풍을 안고서 북쪽으로 20킬로미터쯤 갔을 때가 오후 6시경이었는데 거기서 보니 북서쪽으로 약 2킬로미터 되는 지점에 작은 섬 하나가 있었다. 그쪽으로 배를 몰아서 바람이 안 부는 쪽으로 배를 대니 무인도인 듯했다. 음식을 약간 먹고는 곤하게 잠이 들었다. 여섯 시간 정도 잔 듯한데, 깨어나고 나서 두 시간 후에

동이 트기 시작했다. 해가 뜨기 전에 아침을 먹고 출발했는데 나침반으로 방향을 잡아가면서 그 전날과 같은 방향으로 나아갔다. 순풍이 불어주었다. 목표는 반 디멘스 랜드의 북동쪽에 있다는 섬 중 하나에 도착하는 것이었다. 그날은 하루 종일 아무것도 볼 수가 없었다. 그렇지만 다음날 오후 3시쯤, 내 계산에 블레푸스쿠에서 1백 20킬로미터 정도 떨어졌다고 생각되는 곳에 왔을 때 범선 하나가 남동쪽으로 항해하는 것을 보았다. 그때 나는 정동쪽으로 항해하고 있었다. 큰 소리로 그 배를 불러보았지만 아무런 답변도 없었다. 나는 돛을 최대한으로 펼쳐서 배를 몰았고 얼마 후에 그 배에 더 가까이 다가갈 수 있었다. 그로부터 약 반 시간 후에 그 배에서 나를 발견했고 깃발을 올리더니 대포를 한 발 쏘았다. 나의 조국, 거기에 남겨놓은 나의 가족들을 볼 수 있게 되었다는 그때의 기쁨은 어떤 말로도 표현할 수 없었다. 그 배는 돛을 낮추어서 속도를 줄여주었다. 그래서 결국 그 배에 따라붙었다. 그때가 9월 26일 오후 5시 내지 6시 정도 되었는데 그 배에 달린 영국 깃발을 보고서는 얼마나 반가웠는지 모른다. 소와 양들은 윗도리 호주머니에 넣고 식량도 모두 갖고서 승선했다. 그 배는 영국 상선이었는데, 일본에서 북태평양, 남태평양을 거쳐서 영국으로 귀국하는 길이었다. 선장은 뎁트포드 출신의 존 비들이라는 사람이었는데 아주 선량하고 능숙한 뱃사람이었다. 그때 배는 남위 30도 근처에 있었고 그 배의 선원 수는 대략 50명이었다. 거기에서 피터 윌리엄스라는 옛 동료를 만났는데, 그가 선장에게 나를 좋은 사람이라고 소개해주었다. 선장은 나에게 친근하게 대해주었고 어떻게 해서 그런 항해를 하게 되었느냐고 물었다. 자초지종을 들려주었지만, 그는 내가 헛소리를 하는 걸로 알았고 내가 고생을 너무 해서 머리가 돌아버린 게 아닌가 생각했다. 그래서 내가 검정색 소와 양을 호주머니에서 꺼내보여주니 깜짝 놀라면서 나의 말을 믿었다. 나는 블레푸스쿠의 황제가 준 금도 보여주었고 실물 크기의 황제 초상화, 그리고 그 외 몇 가지 진품을 보여주었다. 선장에게 2백 스프러그씩 든 지갑을 두 개 주었고 나중에 영국에 도착하면 소와 양을 한 마리씩 주겠다고 약속했다.

그 항해에 대해서 장황하게 설명하는 것은 생략하겠다. 비교적 순탄한 항해였고 별다른 사고도 없었다. 우리는 1702년 4월 13일에 도버 해협에 있는 다운스 항에 도착했다. 항해 도중에 한 가지 조그만 사고가 있었는데, 배 안의 쥐들이 나의 양 한 마리를 물고 간 사건이었다. 살을 완전히 뜯어먹힌 양의 해골이 배의 한쪽 구석에 있는 것을 발견했다. 나머지 가축들은 무사히 육지로 데리고 갔고 런던의 그리니치에 있는 잔디에 방목했다. 풀을 잘 먹을 수 있을까 걱정했는데 그곳의 풀이 부드러워서 잘 먹었다. 또 그렇게 긴 항해 과정에서 가축들이 살아남는 것이 힘들었을 터인데, 선장이 자기가 먹는 고급 비스킷을 가루로 만들어서 물과 함께 섞어주도록 했고 그렇게 하니 아주 잘 먹었다. 영국에서 오래 머물지는 않았지만 머무는 동안에 그 가축을 상류층 사람들에게 구경시켜서 꽤 돈을 벌기도 했다. 그리고 다음 번 항해를 시작하기 전에 그 가축들을 6백 파운드를 받고 팔아넘겼다. 내가 마지막 항해를 하고 나서 보니 가축들이 상당히 번식해 있었고 특히 양은 번식력이 아주 좋았다. 그 양털이 매우 부드럽기 때문에 앞으로 양모 제조업에 도움이 될 것이라고 생각한다.

내가 아내와 가족들과 같이 지낸 건 두 달밖에 되지 않는다. 다른 곳으로 여행하고 싶은 욕망 때문에 더는 조국에서 지낼 수가 없었다. 아내에게 1천5백 파운드를 주었고 레드리프에 있는 좋은 집에서 살 수 있도록 했다. 나머지 재산은 일부는 현금, 일부는 물건으로 바꾸어서 내가 가져가기로 작정했다. 그것으로 잘하면 재산을 불려나갈 수 있을 듯했다. 나의 숙부 존이 연간 30파운드 정도의 수입이 있는 토지를 물려주었고 페터레인에 건물 하나를 장기 임대로 내준 것이 있는데 거기서도 연간 30파운드 이상의 수입이 나왔다. 그러니 내가 밖에 나가 있는 동안에 식구들이 걸인으로 전락할 염려는 없었다. 나의 아들은 숙부의 이름을 따서 조니라고 불렀는데 당시에 중학교에 다녔고 성실한 아이였다. 나의 딸 베티는 현재는 결혼을 해서 잘살고 아이도 있는데, 그때는 바느질을 배우는 아이였다. 나는 아내와 아들딸과 함께 눈물로 작별을 했고 어드벤처 호에 승선하게 되었다. 그 배는 3백 톤짜리였고 인도 서부에 있는 수라트라는 항구로 가는 상선인데, 선장은 리버풀 출신의 존 니콜라스라는 사람이었다. 그런데 그 항해 이야기는 2부로 넘기기로 한다.

2부

거인국 여행기

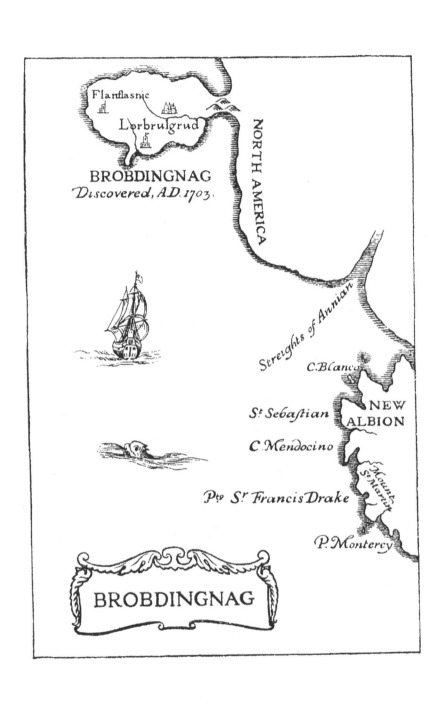

Flanflasnic

Lorbrulgrud

BROBDINGNAG

Discovered, A.D. 1703.

NORTH AMERICA

Streights of Annian

C. Blanca

St Sebastian

NEW ALBION

C. Mendocino

Mount St Martir

Pto Sr Francis Drake

P. Monterey

BROBDINGNAG

1장

항해 도중에 엄청난 폭풍을 만난다. 물을 구하려고 보트를 내보내고 저자는 그 배에 동승하여 브로브딩낙이라는 나라를 발견한다. 저자가 혼자 해안에 남겨지고 거인에게 붙잡혀서 농가로 간다. 거기서 어떻게 사람들이 저자를 대했는지, 그리고 어떤 일이 발생했는지 묘사한다. 그 나라 주민들에 관해서 설명한다.

나는 천성적으로 어디를 나돌아다니는 생활밖에 할 수 없기 때문에 고국으로 돌아온 지 두 달 만에 다시 항해를 떠났고 1702년 6월 20일에 다운즈에서 출항하게 되었다. 배의 이름은 어드벤처였으며 선장은 콘월 출신의 존 니콜라스였으며 목적지가 인도의 수라트였다. 우리 배는 순항을 하면서 희망봉에 도착했고 거기서 식수 등을 구하려고 상륙했다. 그런데 선체에 물이 스며들어 화물을 다 육지에 부려놓고서 배를 수리해야 했다. 그리고 나서는 거기서 겨울을 보낼 수밖에 없었다. 선장이 학질에 걸려서 3월 말까지는 출발할 수 없었던 거다. 그후 희망봉을 출발하여 마다가스카르 해협을 지날 때까지는 순항이 계속되었다. 그렇지만 마다가스카르 섬 북쪽 부근의 남위 5도경에 이르렀을 때 바람이 거세지기 시작했다. 그 바람은 그 구역에서는 12월 초부터 5월 초에 이르기까지 북쪽과 서쪽 사이에서 불어닥치는 강풍인데 4월 19일에는 아주 거세졌고 보통 때보다 서쪽으로 불었다. 약 20일 동안 그렇게 불어댔는데, 그러는 동안에 우리는 몰루카 제도의 약간 동쪽과 적도에서 북쪽으로 3도되는 지점까지 밀려갔다. 그러한 위치는 선장이 5월 2일에 관측한 결과 알아낸 것인데, 그때는 바람이 그쳐서 평온한 상태였고 그래서 나의 기분도 많이 좋아졌다. 그런데 그 지역의 항해에 경험 많은 선장은 모두에게 폭풍에 대비하도록 주의를 주었다. 선장이 예고한 대로 다음날부터 폭풍이 불어댔다. 남쪽에서 불어오는 몬순 폭풍이었다.

바람이 너무 강해졌기 때문에 우리는 기울어진 돛대의 돛 하나를 내렸고 앞의 돛도 내릴 준비를 했다. 사태는 점점 더 나빠져서 대포도 모두 단단히 묶어놓았고 결국에는 뒤쪽 돛도 내렸다. 배가 육지에서 멀리 떨어져 있었기 때문에 정지시키는 것보다는 파도에 그대로 밀려가도록 하는 것이 낫다고 생각했다. 우리는 앞쪽 돛을 줄여서 고정시켰고 그 아래의 밧줄을 선미로 끌어당겼다. 조타륜은 바람이 부는 방향으로 심하게 꺾여 있었다. 배는 바람을 등지고 용감하게 나아갔다. 우리는 앞 돛 밧줄을 잡아맸다. 그렇지만 돛이 갈라져버렸기 때문에 활대를 끌어내렸고 돛을 배 안에 접어 넣고는 돛대에 묶여 있는 것을 모두 풀어버렸다. 아주 사납게 불어대는 폭풍이었다. 파도가 산더미를 이루었고 배가 언제 침몰할지 알 수 없었다. 우리는 조타잡이를 맨 밧줄을 당겨서 그를 도왔다. 중간 돛대는 눕혀두지 않고 곧바로 세워두었다. 왜냐하면 그렇게 해야 배가 더 안정적으로 파도를 더 잘 타고 나간다는 것을 알았기 때문이다. 폭풍우가 지나갔을 때 우리는 앞쪽 돛과 중심 돛을 펼치고 배를 정상으로 돌려놓았다. 그러고 나서 뒤쪽에 있는 돛과 큰 돛대의 윗돛, 앞 돛대의 윗돛을 펼쳤다. 우리의 방향은 동북동쪽이었는데 남서풍이 불었다. 우리는 우현 측에 돛의 밧줄을 내렸고 바람 방향에 있는 아딧줄과 활대줄을 풀어놓았다. 바람 반대 방향에 있는 아딧줄을 당겼고 바람 방향의 볼링 닻줄을 끌어당겨서 잡아맸고 뒤쪽에 있는 돛의 밧줄을 바람이 부는 쪽으로 끌어당겨서 배가 똑바로 가도록 했다.

그 폭풍과 그에 이어지는 강력한 서남서풍으로 인해서 우리는 나의 계산으로 2천5백 킬로미터 정도 동쪽으로 밀려갔다. 그 배의 가장 노련한 선원조차도 우리가 어디쯤에 있는지 몰랐다. 그렇지만 배의 식량은 넉넉한 편이었고 배도 튼튼했으며 선원들도 모두 다 건강한 상태였다. 그런데 물이 부족하여 고생을 했다. 우리는 북쪽으로 방향을 돌리는 것보다는 지금까지의 진로를 유지하는 것이 낫다고 생각했다. 왜냐하면 북쪽으로 가면 시베리아의 북서쪽으로 가버리거나 북극해 근처로 들어갈 수 있었기 때문이다.

1703년 6월 16일에 돛대 위에 올라가 있던 소년이 육지를 발견했다. 다음날에 이르자, 그것이 섬인지 대륙인지 알 수는 없었지만 더 뚜렷하게 볼 수 있었다. 그 남쪽으로 뭍이 바다로 돌출했고, 얕은 만이 있는데 1백 톤 이상의 큰 배는 들어갈 수 있을 것 같지 않았다. 그래서 우리는 만에서 5킬로미터 정도 떨어진 곳에 닻을 내렸고 선장은 선원 12명에게 무기를 휴대하고 물통을 갖고서 물을 구해오라고 보트에 태워 보냈다. 나는 선장에게 그 땅을 구경하고 싶으니 그 사람들과 같이 보내달라고 요청했다. 그래서 상륙했더니 강도 없고 샘물도 없으며 거주하는 사람들도 보이지 않았다. 선원들은 바다 가까이에서 물을 찾아서 돌아다녔고 나는 혼자서 다른 사람들과는 반대편으로 1천5백 미터가량 걸어나갔다. 그 일대는 초목이 없는 바위투성이였다. 이제 몸이 피곤했고 재미있는 구경거리도 없었기 때문에 서서히 만이 있는 곳으로 돌아갔다. 바다가 완전

히 보이는 곳에 갔을 때 우리 배의 선원들이 보트에 타고서는 필사적으로 본선이 있는 쪽으로 노를 저어가는 것을 보게 되었다. 나는 그들을 큰 소리로 불러보려고 했는데, 그 순간에 어떤 거대한 인간이 선원들을 잡으려고 바다 쪽으로 쫓아가는 것을 보았다. 바닷물이 그 거대한 인간의 무릎에도 차지 않았고 거인의 한 걸음 한 걸음은 엄청나게 넓었다. 그렇지만 선원들은 2킬로미터 정도는 앞서갔고 그 근처의 바다가 뾰족한 바위로 가득했기 때문에 그 거대한 인간이 보트를 따라잡을 수 없었다. 그러한 사실은 그 후에 안 것이다. 그 순간에는 겁에 질려서 그 쫓고 쫓기는 결과가 어떻게 될지 지켜보지도 못한 채 뒤돌아서 도망쳤다. 그러고는 가파른 언덕으로 기어 올라갔더니 근처의 전망이 한눈에 들어왔다. 사방이 밭으로 둘러싸였는데 내가 놀란 것은 풀의 길이였다. 건초용으로 남겨놓은 듯한 풀의 길이가 6미터는 되어보였다.

나는 대로에 들어섰다. 그런데 내 눈에만 대로로 보였던 거다. 그것은 사실은 보리밭 사이의 좁다란 이랑에 지나지 않았다. 그 길을 얼마 동안 걸어갔지만 양편으로 아무것도 볼 수 없었다. 보리를 수확할 때가 다 된 듯했는데 적어도 12미터 정도로 자라 있었다. 한 시간 정도 걸으니 밭의 가장자리에 도달했는데, 밭은 높이가 적어도 40미터는 되는 울타리로 둘러싸여 있었다. 나무들은 너무도 높이 자라서 나로서는 고도를 도저히 측량할 수가 없었다. 한 밭에서 다른 밭으로 넘어가려면 네 계단으로 된 둑을 통과해야 했다. 나는 돌로 된 그 계단 하나하나를 도저히 넘어설 수가 없었다. 계단 하나의 높이가 1미터 80센티는 되고 제일 꼭대기 계단은 6미터 이상이 었기 때문이다. 울타리에 틈이 없는지 찾아보다가 그때 옆에 있는 밭에서 한 인간이 밭 사이의 둑 쪽으로 다가오는 것을 보았다. 그의 체구는 아까 바다에서 보트를 쫓아갔던 인간과 비슷해 보였다. 그의 키는 교회에 솟아 있는 첨탑만큼 컸고 한 걸음의 폭은 10미터는 되었다. 너무나 놀라고 겁에 질려서 보리밭 속으로 들어가 숨었다. 거기에서 숨어서 보니 그 인간은 둑 위에 올라서서 오른쪽에 있는 밭을 향해서 누군가를 소리쳐 부르는데 그 소리는 영국에서 사람들이 확성기에 대고 소리치는 것보다 몇 배는 더 컸다. 그 소리가 공중에서 울렸기 때문에 나는 천둥 소리가 들리는 게 아닌가 생각했다. 그가 그렇게 소리치자 그와 체구가 비슷한 거인들 일곱 명이 낫을 손에 들고서 그가 있는 쪽으로 왔다. 낫의 길이는 영국에 있는 보통 낫의 여섯 배는 되어 보였다. 그 인간들은 처음에 그들을 불렀던 인간보다 옷차림이 허름한 것으로 보아서 아마도 하인들이나 되는 듯했다. 처음의 인간이 무엇이라고 말을 하자 하인들로 보이는 그 인간들이 보리를 베러 나 있는 쪽으로 다가왔다. 나는 될 수 있는 대로 그들과 멀리 떨어지려고 했다. 그렇지만 움직이는 것이 매우 힘들어졌다. 보릿대 사이의 간격이 30센티미터도 되지 않아서 그 사이로 빠져나가는 것이 힘들었기 때문이다. 어쨌든 도망쳐 나갔다. 그러다가 보리가 비바람을 맞아서 쓰러진 곳에 이르렀는데 거기서는 한 걸음도 더 나아갈 수가 없었다. 보릿대가 너무 엉켜서 도저히 빠져나갈 수가 없었고 땅에 떨어진 보리이삭의 수염이 내 옷을 뚫고 들어와서 살을 찔러댔다. 보리를 베는 사람들은 나의 뒤쪽으로 1백 미터도 안 되는 지점까지 다가온 것을 그들의 소리로 미루어 짐작할 수 있었다. 나는 이제 완전히 지쳤기 때문에 자포자기하여 바닥에 드러누워서 나의 인생이 끝나는 것을 기다렸다. 과부가 될 내 아내와 고아가 될 자식들을 생각하니 눈물이 났다. 친구들이나 친척들의 만류를 뿌리치고서 항해를 시도했던 나의 어리석음을 한탄했다. 그렇게 무서운 와중에서도 릴리푸트에서 살던 일이 생각났다. 그곳 사람들은 나를 이 세상에서 가장 경이로운 생물로 보아주었다. 그곳에서 나는 한 손으로 한 나라의 함대를 끌고 갈 수 있었고 몇만 명이 증언한다고 해도 그 후손들은 전혀 믿지 않을 여러 가지 일을 했고 나에 대한 사실이 그 나라의 역사에 영원히 기록될 것이다. 릴리푸트 사람 하나가 영국인들 속에 있다면 아주 우습게 보일 것처럼, 내가 현재 이 나라에서 앞으로 얼마나 가소롭게 보일 것인지 생각하면 괴롭기 짝이 없었다. 그렇지만 그런 건 내가 당할 고난 가운데 가장 하찮은 것이라는 생각이 들었다. 왜냐하면 인간이란 덩치가 클수록 사납고 잔인한 것이 보통인데, 이 거대한 야만인 중 하나에게 잡히자마자 그들의 한입 고깃덩어리로 끝날 것이 당연해 보였기 때문이다. 어떤 것이 크다거나 작다는 것은 단지 인간의 생각 나름이라고 하는 일부 철학자들의 말은 지당한 것이다. 예를 들어 릴리푸트 사람들도 그들보다 훨씬 더 작은 인간들을 어디에선가 만날 수 있을 것이고 현재 내가 맞닥뜨린 이 거대한 인간들도 우리가 알지 못하는 어디에선가 그들보다 훨씬 큰 인간들을 만나게 될지 누가 알겠는가.

겁에 질린 상태에서도 나도 모르게 이런 생각을 했는데, 일꾼들 중 하나가 내가 있는 곳에서 10미터 이내로 다가왔다. 그가 한 걸음만 더 옮기면 나는 그의 발에 밟혀죽거나 그의 낫에 두 동강이 날 것 같았다. 그래서 그가 다시 걸음을 옮기려고 할 때 나는 겁에 질려서 최대한 크게 고함을 질렀다. 그러자 그 거대한 인간은 발걸음을 멈추고서 자기 발밑 쪽을 얼마 동안 바라보더니 땅바닥에 누운 나를 발견했다. 그는 신중하게 무엇을 생각하는 것 같았는데, 그것은 영국에서 우리가 족제비 같은 것을 잡으려고 할 때 그것에 물리지 않으려고 조심하면서 잡으려는 것 같은 행동으로 보였다. 마침내 그 인간은 결단을 내려서 엄지손가락과 집게손가락으로 나의 허리 부분을 잡고는 나의 생김새를 자세히 보려고 그의 눈에서 3미터 되는 곳까지 나를 들어올렸다. 나는 그가 무엇을 하려는지 의도를 알아차렸기 때문에 그가 나를 18미터 정도의 높이로 들어올렸지만 몸부림을 치지는 않기로 마음먹었다. 내가 그의 손가락 사이에서 빠져나가지 않도록 그가 내 옆구리를 몹시 아프게 잡았지만 꾹 참았다. 나는 다만 두 손을 모아 빌면서 애절한 목소리로 살려달라는 소리만을 했다. 우리가 징그러운 동물을 내던지는 것처럼 그가 언제 나를 내동댕이쳐버릴지 알 수 없었기 때문이다. 그런데 내가 운이 좋은 것인지, 아니면 나의 애절한 목소리와 몸짓이 그 인간의 마음에 들었는지 모르지만 여하튼 그 인간은 나를 기묘한 표정으로 바라보다가는, 내가 분명하게 말을 하는 것을 보고 비록 그것이 무슨 말인지 알아듣지는 못했지만 아주 놀란 것처럼 보였다. 그때 나는 눈물을 흘리면서 고개를 허리 쪽으로 돌렸다. 그가 손가락의 힘으로 얼마나 나를 아프게 하는지를 알리려고 애썼다. 이제 그 인간도 나의 의도를 알아차린 모양이었다. 자기 옷자락을 들어올려서 거기에 나를 살며시 놓고는 자기 주인한테로 급히 갔다. 그 주인은 내가 밭에서 처음 보았던 그 인간이었다.

그 농부는 일꾼의 설명을 듣고는(내가 짐작하기에 그렇게 보였다) 영국의 지팡이만 한 보릿짚을 갖고서는 그것으로 나의 윗도리 옷자락을 들어올렸다. 그는 옷자락이 내 몸에 붙어 있는 껍질이라고 생각했던 모양이었다. 다음에 그는 내 얼굴을 더 자세히 보기 위해서 입김을 불어서는 나의 머리카락을 한쪽으로 제쳤다. 그러더니 주위에 있던 일꾼들을 불러서 나와 같은 조그만 생물을 밭에서 본 적이 있느냐고 물어보았다(내가 나중에 들은 이야기다). 그리고 나서 엎드려서는 나를 살며시 땅에 내려놓았다. 나는 일어나서는 앞뒤로 천천히 걸어보았다. 내가 다른 곳으로 도망할 의사가 없다는 점을 그들에게 알리려고 했다. 그 인간들은 나를 자세히 관찰하려고 내 주위에 빙 둘러앉았다. 나는 모자를 벗어서 농부들에게 정중하게 인사를 해 보였다. 그리고는 무릎을 꿇고서 금화가 든 지갑을 주머니에서 꺼내어 큰 소리로 몇 마디를 하면서 주인 농부에게 갖다 바쳤다. 주인 농부는 그것을 손바닥에 받아서는 자세히 보려고 자기 눈에 바싹 갖다 댔다. 다음에 그는 주머니에서 꺼낸 핀으로 지갑 안을 이리저리 조사해보았지만 그것이 도대체 무엇인지를 알지 못하는 것 같았다. 그래서 나는 손짓발짓으로 그가 손을 땅바닥에 놓도록 하고는 지갑 속에 있는 모든 주화를 꺼내어 그의 손바닥에 쏟아놓았다. 지갑 안에는 이삼십 개의 주화 외에도 스페인 금화가 여섯 개 있었다. 농부는 새끼손가락에 침을 묻혀서는 가장 큰 주화를 들어서 살펴보고 다른 주화를 또 하나 살펴보았지만 그것이 무슨 물건인지 모르는 듯했다. 그는 나에게 그 주화를 지갑에 다시 넣은 다음에 다시 나의 주머니에 넣도록 손짓으로 표시했다. 나는 여러 번 그것을 바치겠다는 표시를 했지만 결국은 그가 하라는 대로 하는 것이 낫다고 여기게 되었다.

이제 농부는 내가 이성을 가진 존재라는 사실을 인식한 듯했다. 그는 나에게 여러 번 말을 붙였는데 나의 귀에 그의 목소리는 천둥소리처럼 울려퍼졌다. 그렇지만 말소리는 분명했다. 나는 가능한 한 큰 소리로 여러 나라 말로 대답했고 그는 자기 귀를 나에게서 2미터 떨어진 곳까지 갖다댔지만 전혀 알아듣지 못했다. 피차 간에 무슨 말인지 도무지 통하지 않았다. 그 농부는 일꾼들에게 일을 하라고 지시하고는 호주머니에서 손수건을 꺼내어서 두 겹으로 접어서 자기 왼손 바닥에 펼쳐놓고 손바닥을 땅에 대고는 나에게 그리 올라가라고 손짓했다. 나는 그가 하라는 대로 할 수밖에 없었고, 손바닥의 두께가 30센티미터도 되지 않았기 때문에 쉽게 올라갈 수 있었다. 다음에 떨어지지 않으려고 그 손수건 위에 누워서 몸을 쭉 뻗었다. 농부는 안전하게 할 생각에 손수건으로 나의 몸을 싸가지고 그의 집으로 데리고 갔다. 집에 도착하자마자 아내에게 나를 보여주었다. 그렇지만 그녀는 영국의 여자들이 두꺼비나 거미를 보면

겁을 집어먹듯이 소리를 지르면서 도망쳐버렸다. 그렇지만 나중에 나의 행동을 관찰하고 남편이 손짓하는 대로 내가 잘 따르는 것을 보고는 안심하게 되었고 나에게 다정하게 대해주었다.

　정오 때가 되어서 하인이 음식을 갖고 왔다. 간단하게 빵과 고기 만으로 된 음식인데 지름이 대략 5미터인 접시에 담겨 있었다. 식 사를 같이 하는 사람들은 그 농부와 아내, 세 자녀, 그리고 농부의 늙은 어머니였다. 모두가 자리를 잡은 다음에 그 농부는 나를 식탁 위에 올려놓았는데 식탁의 높이는 9미터나 되었다. 나는 겁에 질려서, 떨어지지 않으려고 될 수 있는 한 식탁의 중심부로 가 있었다. 농부의 아내는 고기 한 조각을 조그맣게 썰고 접시에서 빵을 조금 집어서는 나의 앞에 놓아주었다. 그래서 나는 고개를 깊이 숙여 고맙다고 인사를 하고는 포크와 나이프를 주머니에서 꺼내어서 먹기 시작했다. 식구들은 내가 먹는 것을 보고는 모두 즐거워했다. 농부의 아내는 하녀에게 작은 잔을 가져오도록 했는데 용량이 10리터 정도는 되어보였다. 그녀는 거기에 음료를 가득 부었고 나는 두 손으로 그것을 힘들게 들어올리고는 큰 소리로 농부의 아내의 건강을 기원하는 건배 소리를 영어로 했다. 그러자 사람들이 모두 웃어댔는데 그 소리가 얼마나 큰지 귀가 멍멍해질 정도였다. 그 음료는 사과주 같은 것이었는데 맛이 괜찮았다. 다음에 나의 주인(이제 앞으로 '주인'이라고 칭하겠다)은 나를 그의 접시 있는 곳으로 오라고 손짓했다. 그런데 정신이 없던 터라 식탁 위를 걸어가다가 빵 조각에 발이 걸려 넘어지고 말았다. 그렇지만 다친 곳은 없었다. 나는 금방 일어섰고 모두가 걱정하는 것 같아, 그때 예의를 지키려고 겨드랑이 아래 끼고 있던 모자를 흔들어대고 만세 소리를 내면서 손을 들어 보임으로써 내가 다친 데가 없다는 사실을 알렸다. 그런데 주인 있는 곳으로 걸어갈 때 주인 옆에 앉은 열 살배기 장난꾸러기 막내아들이 나의 발을 잡고는 공중으로 높이 들어버렸기 때문에 나는 질겁을 했다. 그러자 그의 아버지가 바로 나를 잡아챘고, 아이의 왼쪽 귀를 한 대 때리고는 식탁에서 물러나라고 소리질렀다. 때리는 힘이 얼마나 센지 영국의 어떤 사람이라도 맞았다면 그대로 바닥에 쓰러졌을 정도였다. 그런데 나는 그 아이가 나에게 반감을 가질 것이 두려웠고 아이들이란 천성적으로 참새나 토끼나 고양이 새끼나 강아지 등 무엇을 갖고 장난을 치기를 좋아한다는 사실을 아는지라 그 자리에서 주인에게 무릎을 꿇고는 그 아이를 가리키면서 용서해주기를 바란다는 시늉을 해보였다. 아이의 아버지는 나의 요청을 들어주었고 그 아이를 다시 자리에 앉게 했다. 나는 그 아이에게 가서 손에 입을 맞추었고 주인은 그 아이가 나를 쓰다듬어주도록 했다.

식사를 하는 도중에 주인아주머니의 애완용 고양이가 그녀의 무릎에 뛰어올라갔다. 양말 직조공 열 명이 작업을 하는 것 같은 소리가 들려서 뒤를 돌아보았더니 그 고양이가 내는 가르릉거리는 소리였다. 주인아주머니가 먹이를 주면서 쓰다듬어주는 동안에 그 머리와 앞발을 살펴보니 고양이의 크기는 영국 소보다 세 배는 되었다. 나는 그 고양이에게서 20미터 정도 떨어져 있기는 했지만 언제 뛰어나와서 발톱으로 나를 잡아버릴지 몰라서 벌벌 떨었다. 주인아주머니가 고양이를 꽉 잡고 있었지만 무서운 건 매일반이었다. 그렇지만 다행히도 위험한 일은 발생하지 않았다. 주인이 일부러 나를 고양이 앞 3미터 되는 곳까지 갖다 놓아도 고양이는 나를 본 척도하지 않았다. 사나운 짐승 앞에서 도망치는 모습을 보이거나 겁을 집어먹는 기색을 보이면 그 짐승에게 더 심한 공격을 받게 된다는 사실을 아는지라 나는 대담한 행동을 보이기로 작정했다. 일부러 고양이 앞 50센티미터 되는 곳까지 나아갔고 그 앞에서 이리저리 왔다 갔다 했다. 그러자 오히려 고양이 편에서 겁을 집어먹은 것을 알 수 있었다. 그 집에서 기르는 개 서너 마리가 방에 들어왔을 때도 나는 별로 무서워하지 않았다. 그중 한 마리는 마스티프 종이고 덩치가 코끼리의 네 배는 되었으며 다른 한 마리는 그레이하운드 종인데 마스티프 종보다 키는 약간 더 컸지만 덩치는 더 작았다.

식사가 끝날 무렵에 보모가 한 살배기 아기를 안고 들어왔다. 아기는 나를 보자마자 나의 귀청이 터질 것 같은 소리로 울어대기 시작했다. 나를 장난감처럼 갖고 놀려고 떼를 쓴 거다. 보모는 아기를 달래려고 나를 집어서 아기에게 갖다 주었다. 아기는 나의 허리를 쥐고서는 내 머리를 자기 입속으로 가져갔다. 내가 입속에서 목이 터져라고 소리를 질렀더니 아기가 겁이 나서는 나를 떨어뜨렸다. 보모가 치마로 나를 받아주지 않았더라면 나는 어딘가 부러졌을 거다. 보모는 장난감을 흔들어 보이며 아기를 달랬다. 속이 빈 커다란 그릇 속에 큰 돌멩이를 집어넣은 것인데 밧줄로 아기의 허리에 매달아두었다. 그렇지만 아기가 계속해서 울어댔기 때문에 보모는 이제 젖을 물려주었다. 그 거대한 유방의 모양처럼 혐오감을 준 것은 지금까지 본 일이 없다고 실토를 해야겠다. 독자들에게 그 크기나 생김새나 색상에 대해서 어떻게 설명해야 할지 모르겠다. 높이는 1미터 80센티 정도로 솟구쳐 있었고 둘레는 5미터는 되었다. 젖꼭지는 내 머리통의 반은 되었고 젖꼭지와 유방에는 반점과 주근깨가 덕지덕지 붙어 있어서 아주 흉측해 보였다. 보모는 젖을 먹이려고 편안히 앉았는데 내가 식탁 가까운 곳에 있었기 때문에 아주 자세히 볼 수 있었다. 나는 그때 영국 여인들의 하얀 피부에 대해서 생각해보았다. 그들은 우리가 언뜻 보기에는 매우 아름다워 보이지만, 그것은 그녀들이 우리와 체구가 비슷하고 확대경을 통해서 보지 않기 때문이다. 즉 확대경으로 자세히 뜯어본다면 아무리 아름답고 부드러운 피부도 거칠고 흉하게 보일 것이다.

내가 또 생각한 것은 릴리푸트에 있을 때 그 소인간들의 피부색이 이 세상에서 가장 아름답게 보인 점이다. 나는 그 문제에 대해서 박식한 어떤 사람과 얘기를 해보았는데, 그 사람 말에 따르면 그들이 나를 나의 손바닥에서 가까이 보았을 때보다 멀리 떨어져 보았을 때가 나의 피부가 더 희고 부드럽게 보인다는 것이다. 그들이 처음으로 나를 가까이서 봤을 때는 충격적이었다고 했다. 나의 피부에 큰 구멍이 있었고 수염을 깎고 남은 털은 멧돼지의 거친 털보다 열 배는 더 두꺼웠으며 나의 얼굴은 아주 보기 흉한 색깔이었다고 그는 말해주었다. 그렇지만 나는 대부분의 영국 남자들과 마찬가지로 피부가 흰 상태였고 장기간 여행을 했음에도 피부가 거의 타지 않았다는 사실을 언급해야겠다. 그리고 그 친구는 궁정에 있는 여자들에 대해서 얘기할 때 어떤 여자는 주근깨가 많고 어떤 여자는 입이 너무 크고 어떤 여자는 코가 너무 커서 보기 싫다는 등의 말을 했지만 나에게는 전혀 그런 차이점이 보이지 않았다. 그러한 사실이 당연한 이치기는 하지만 독자들이 이 거대한 사람들이 괴상망측한 용모를 지녔다고 생각할까 봐 일러두는 것이다. 사실은 그들은 잘생겼다고 볼 수 있는 인종이었다. 그중에서도 나의 주인의 용모는, 비록 농부이기는 했지만 내가 멀리 떨어져서 볼 때는 아주 잘생긴 편이었다.

식사가 끝나고 나서 주인은 농사일을 하는 일꾼들에게로 갔다. 가기 전에 그의 아내에게 나를 잘 돌보아주라고 당부하는 것으로 보였다. 나는 피곤했고 졸음이 밀려왔다. 주인아주머니는 그것을 알아차리고는 자신의 침대에 나를 누이고서 깨끗한 손수건을 덮어주었다. 그렇지만 그 손수건은 나에게는 가장 큰 배의 돛보다 더 크고 거칠어 보였다.

약 두 시간 동안 잠들어 있으면서 고향에서 아내와 아이들과 함께 있는 꿈을 꿨다. 깨어나서 나 자신이 홀로 거대한 방 안에 있는 것을 알고는 적막감이 밀려왔다. 길이는 90미터, 높이는 60미터 정도 되는 방 안에서 20미터 정도 되는 크기의 침대에 누워 있었다. 주인아주머니는 무슨 일을 보러 가면서 문을 잠가놓았다. 침대의 높이는 바닥에서 8미터는 되었다. 나는 뒤가 마려웠기 때문에 바닥으로 내려가야 했다. 그렇지만 감히 큰 소리로 사람들을 부를 수가 없었다. 불렀다고 하더라도 내가 있는 곳에서 그 사람들이 있는 곳까지 내 소리가 들리지 않았을 거다. 내가 그런 상황에 있는 동안에 쥐 두 마리가 커튼을 타고서 침대로 기어 올라와서는 이리저리 냄새를 맡으면서 돌아다녔다. 그중 한 마리가 내 얼굴에 거의 닿을 정도까지 다가왔다. 나는 깜짝 놀라서 벌떡 일어났고 나를 방어하려고 칼을 빼들었다. 그 소름끼치는 짐승들은 나의 양옆에서 공격해왔고 그중 한 놈이 앞발로 나의 옷을 낚아챘다. 그렇지만 내가 칼로 그 녀석의 배를 찔러서 나는 아무런 해도 입지 않았다. 그놈은 내 발밑으로 쓰러졌고 다른 한 놈은 부리나케 도망가려고 했다. 그놈을 뒤에서 칼로 찔러서 부상을 입혀 피를 질질 흘리면서 도망가도록 만들어놓았다. 싸움이 끝난 후에 나는 한숨을 돌리면서 침대 위를 이리저리 돌아다녔다. 그 쥐들은 덩치가 커다란 개만큼 컸지만 그보다 훨씬 더 날쌔고 사나워 보였다. 그래서 내가 잠들기 전에 칼집이 있는 허리띠를 풀어놓고 잤더라면 나는 틀림없이 그놈들한테 갈가리 찢겨 먹이가 됐을 거다. 죽어가는 쥐가 침대에서 피를 흘렸

는데 그것을 침대 밑으로 치우는 일이 끔찍스러웠다. 아직도 숨이
끊어지지 않았기 때문에 칼로 목을 찔러서 완전히 죽여버렸다.

　나중에 주인아주머니가 방으로 들어왔는데 내 온몸이 피투성이
가 된 것을 보고는 달려와서 나를 손으로 감쌌다. 나는 죽은 쥐를
손으로 가리키고는 웃어 보이면서 내가 아무런 해도 당하지 않았다
는 사실을 알렸다. 그러자 그녀는 기뻐하면서 하녀를 불러서 죽은
쥐를 밖으로 버리라고 일렀다. 그러고 나서 나를 탁자 위에 놓았다.
나는 피가 묻은 칼을 보여주고 나서 윗도리로 피를 닦고는 칼집에
넣었다. 나는 아무도 나 대신 해줄 수 없는 생리 현상으로 인해서
고통을 받고 있었다. 바닥으로 내려가고 싶다는 표시를 아주머니에
게 해보였다. 그래서 바닥에 내려가기는 했지만 그것이 마려운 것
은 창피해서 어떻게 의사 표시를 하지 못하고 다만 문 쪽을 가리키

면서 절만 여러 번했다. 아주머니는 내가 무엇을 하려는지 겨우 알아차렸고 나를 손에 쥐고는 정원으로 가서 내려놓아주었다. 나는 거기서 2백 미터 정도 떨어진 곳까지 달려가면서 아주머니에게 나를 따라오지 말라는 표시를 했고 거기서 나뭇잎 두 장 사이에 몸을 숨기고서는 그 일을 해결했다.

내가 그런 구질구질한 것까지 일일이 언급하는 것에 대해서 독자들의 이해를 구하고자 한다. 그러한 것이 보통 사람들에게는 아무 의미 없는 것으로 보일지 모르지만 심오한 생각을 갖고 있는 사람들에게는 상상력을 증대시키는 데 도움이 될 것이다. 그것이 이 여행기를 세상에 내놓는 목적이다. 그래서 나는 가식적인 표현이나 문체의 현란함 등에 대해서는 전혀 신경 쓰지 않고 오직 사실을 정확히 전달하는 데만 노력했다. 나의 방랑 생활 중에서 겪은 모든 기억들이 너무나도 강렬한 것이었고 나의 머릿속에 깊이 새겨졌기 때문에 중요한 사건 하나하나를 생략할 수가 없었다. 그렇지만 자세한 검토 과정을 거치면서 처음의 원고에 있던 것 중에서 많은 부분을 삭제했다. 독자들에게 지루하고 시시해 보이는 것들은 대부분 생략한 것이다.

2장

농부의 딸에 대해서 묘사한다. 저자를 읍내 장터로 데리고 가고 다음에는 그 나라 수도로 데리고 간다. 그 여정에 대해서 서술한다.

주인에게는 아홉 살난 딸이 있는데, 나이에 비해서 성숙했고 바느질에 능했으며 인형에 옷 입히는 솜씨 같은 게 좋았다. 아주머니와 그 딸은 인형의 침대를 개조하여 내가 잠잘 곳을 만들어주었다. 그들은 인형 침대를 서랍 속에 넣어두었고 쥐들이 침입할까 봐 그 서랍을 다시 공중에 매달아둔 선반 위에 올려놓았다. 그들과 같이 지내는 동안에 그곳이 내내 나의 잠자리가 되었다. 그렇지만 내가 그들의 말을 배우기 시작하고 나의 의사를 전달할 수 있게 됨에 따라서 나의 잠자리는 점점 더 사용하기 편리하게 개조되었다. 그 어린 소녀는 손재주가 좋았기 때문에, 내가 옷을 입고 벗는 것을 한번 보더니만 나에게 자기가 직접 옷을 입혀주기도 하고 벗겨주기도 했다. 그렇지만 내가 혼자 옷을 입고 벗는 것을 그녀가 허락할 때에는 그녀에게 수고를 끼치지 않았다. 그녀는 부드러운 천을 구해서는 나에게 셔츠 일곱 장과 기타 내의를 만들어주었다. 그렇지만 그런 부드러운 천도 나에게는 곡식 부대보다 더 거칠었다. 그녀는 그 옷을 항상 자기가 직접 빨아주었다. 그리고 그녀는 나에게 말을 가르쳐주는 선생이었다. 내가 어떤 물건을 손으로 가리키면 그녀는 자기 나라 말로 어떻게 부르는지 알려주었다. 그래서 나는 며칠 만에 어떤 물건이든지 내가 원하는 것을 요구할 수 있게 되었다. 그녀는 심성이 착했고 나이에 비해서는 작은 편이어서 키가 12미터도 되지 않았다. 그녀는 나에게 그릴드리그라는 이름을 지어주었고 식구들도 나를 그렇게 불렀으며 나중에는 그 나라 사람들 모두가 나를 그렇게 불렀다. 그것은 '작은 인간'을 의미하는 말이다. 내가 그 나라에서 무사히 지낼 수 있었던 건 그녀의 덕이 컸다. 내가 그 나라에 있는 동안에 우리는 한 번도 떨어진 적이 없었다. 나는 그녀를 '작은 보모'를 뜻하는 글럼달클리치라고 불렀다. 그녀는 모든 정성을 다해서 나를 돌보아주었다. 내가 이런 말을 언급하는 걸 생략한다면 배은망덕한 사람이 될 거다. 내게 그녀의 은혜에 보답할 능력이 있었으면 하고 간절히 바라지만 오히려 나의 의도와는 관계없이 그녀가 나로 인해서 욕을 먹지는 않았는지 매우 걱정되었다.

나의 주인이 밭에서 이상한 동물을 발견했다는 소문은 금방 동네에 퍼졌고 이야깃거리가 되었다. 소문이 어떻게 났는고 하니, 그 나라에 길이가 약 1미터 80센티미터 되는 스플락너그라는 동물이 있는데, 나의 크기가 그 동물만 하지만 신체의 모든 부분이 완전히 인간처럼 생겼고 행동도 인간을 모방하고 있으며 말을 할 줄도 아는데, 벌써 그 나라 말을 몇 마디 배웠고 두 발로 똑바로 서서 걸어 다니며 성격이 유순해서 누가 오라고 하면 오고 하라는 대로 하며, 세상에서 가장 부드러운 팔다리를 지녔고 얼굴은 세 살난 예쁜 아이보다도 곱게 생겼다는 것이었다. 우리 집 바로 옆에 살면서 나의 주인과 친한 사이이기도 한 어느 농부가 그 소문을 듣고서 그게 진짜인지 확인하려고 우리 집으로 찾아왔으며 주인은 나를 불러내어 탁자 위에 올려놓았다. 거기서 나는 주인이 하라는 대로 걸어다니기도 하고 칼을 뺐다가 도로 꼽기도 했으며 주인의 친구에게 절을 하고서는 나의 보모가 가르쳐준 그 나라 말로 잘 오셨다는 인사말을 하기도 했다. 그 사람은 나이가 들었고 시력이 약해서 나를 잘 보려고 안경을 썼는데, 나는 그 모양을 보고는 웃음을 터뜨리지 않을 수가 없었다. 왜냐하면 그의 눈알이 유리창 사이로 비쳐 들어오는 둥근 달 모양으로 보였기 때문이다. 우리 집 식구들은 내가 웃는 이유를 알아차리고는 모두 함께 웃었다. 그러자 그 노인이 당황해하면서 화를 내는 것이었다.

그는 돈에 아주 인색한 것으로 정평이 난 사람이었는데, 불행히도 나의 주인에게 고약스러운 제안을 함으로써 그러한 사실을 입증했다. 그는 나의 주인이 나를 장날에 읍으로 데리고 가서 구경거리를 만들어 돈벌이를 하면 좋을 것이라는 말을 했던 거다. 장이 열리는 읍은 우리 집에서 35킬로미터 떨어진 곳이고 말을 타고서 반시간이 걸리는 거리였다. 나의 주인과 그 노인이 나를 가리키면서 장시간 수군대는 것을 보고는 그들이 무언가 나쁜 음모를 꾸민다는 느낌을 받았고 그래서 두려움이 몰려왔다. 다음날 나의 소녀 보모인 글럼달클리치가 모든 것을 말해주었다. 교묘하게 그의 어머니에게 질문을 하여 모든 것을 실토하도록 만든 거다. 글럼달클리치는 내가 가여워 보였는지 나를 가슴에 안고 울기 시작했다. 거칠고 난폭한 사람들이 나를 손으로 짓눌러 죽여버리거나 나의 팔이나 다리를 부러뜨려버릴지 모른다는 걱정을 했다. 그리고 내가 점잖고 명예를 소중하게 생각한다는 점을 알기 때문에 내가 사람들 앞에서 구경거리로 전시되고서 돈벌이에 이용된다는 것에 대해서 내가 아주 창피스럽게 생각할거라고 말하는 것이었다. 그리고 그녀는 자기 부모들이 작년에 새끼 양을 자기한테 준다고 약속해놓고서는 그것이 살이 찌자 도살업자에게 팔아버린 일을 상기하면서, 이번에도 나를 자기에게 준다고 해놓고서 약속을 지키지 않는다고 분노했다. 그렇지만 나는 보모만큼 걱정하지는 않았다. 내가 언젠가는 자유의 몸이 될 것이며 어느 땐가는 기회를 얻을 거라고 여겼던 거다. 구경거리가 되어서 이리저리 끌려 다니는 것에 대해서도 별로 개의치 않았다. 왜냐하면 그 나라에서 나는 완전히 이방인이고, 내가 영국으로 돌아간다고 하더라도 그런 망측스런 일을 당한 것에 대해서 비난을 당하지 않을 것이고, 설사 영국의 왕이라고 할지라도 나와 같은 처지에서는 그 꼴을 면치 못했을 것이라고 생각했기 때문이다.

나의 주인은 그 이웃의 권유에 따라서 다음 장날에 나를 상자에 넣고는 말에 태워서 읍내로 데리고 갔다. 주인의 어린 딸인 나의 보모도 같은 말에 타고 갔다. 내가 들어 있는 상자는 사방이 꽉 막혔고 단지 내가 출입할 수 있는 작은 문만 있었으며 공기가 들어오도록 송곳으로 몇 군데 구멍을 내놓았다. 나의 보호자인 소녀는 그녀의 인형 침대 이불을 상자 속에 넣어서 내가 그 위에 눕도록 만들어 주었다. 그렇지만 반시간밖에 걸리지 않는 그 여행 도중에 몹시 흔들려서 고생이 말이 아니었다. 말은 한 걸음에 12미터 정도씩 걸었는데 속보로 갈 때는 발을 높이 쳐들어서 마치 배가 강한 폭풍을 만난 것처럼 심하게 흔들렸다. 이윽고 읍에 도착하여 나의 주인은 자기가 잘 들르는 여관 앞에서 말을 세웠다. 그러고는 그 여관 주인과 상의하여 필요한 준비를 하도록 했고 광고할 사람을 하나 고용하여 이상한 동물을 전시한다고 온 읍내에 선전하도록 했다. 내가 그 나라에 사는 스플락너그만 한 동물인데 신체의 모든 부분이 인간처럼 생겼고 말도 몇 마디 할 수 있으며 여러 가지 재주를 부릴 수 있다는 광고를 하도록 했다.

나는 그 여관의 가장 큰 방에 있는 탁자 위에 놓이게 되었다. 그 방의 크기는 가로, 세로가 각각 90미터 정도 되었다. 나의 아홉 살짜리 보모는 탁자 바로 옆에 낮은 의자를 놓고는 그 위에 서서 나를 돌보아주면서 내가 할 행동을 알려주었다. 나의 주인은 나를 보려고 사람들이 너무 많이 몰리면 안 되기 때문에 한 번에 30명씩만 입장시켰다. 나는 보모가 지시하는 대로 탁자 위를 이리저리 걸어 다넜다. 보모는 내가 알아들을 수 있는 범위 안에서 나에게 질문을 던졌고 그러면 나는 가능한 한 큰소리로 대답했다. 나는 관객들을 향해서 잘 왔다고 말했으며 내가 배운 기타 다른 인사말을 했다. 나는 글럼달클리치가 준 잔에 술을 가득 부어서 관객들의 건강을 비는 건배를 했다. 칼을 빼들고서 영국에서 검투사들이 하는 방식으로 휘둘러댔다. 나의 보모가 밀짚을 하나 주자 그것을 창으로 삼아서 내가 어릴 때 배웠던 창술을 보여주었다. 그렇게 해서 열두 차례나 관중에게 전시되었고 열두 차례 모두 똑같은 연기를 했으며 결국 기진맥진하게 되었다. 더구나 나를 구경하고 돌아간 사람들이 굉장한 구경거리라고 선전을 하는 바람에 사람들이 여관 문을 부수고 들어올 정도가 되었다. 나의 주인은 돈벌이가 되는 물건이 다칠까봐 나의 보모 말고는 아무도 나에게 손대지 못하게 했다. 그리고 탁자 주위에 의자를 빙 둘러놓아서 아무도 손을 뻗어서 나를 만지지 못하게 했다. 그렇지만 한 말썽꾸러기 소년이 개암나무 열매를 나에게 집어던져서 하마터면 맞을 뻔했다. 그것은 호박 덩어리만 했고 아주 강하게 날아왔는데 내 머리에 맞았더라면 머리가 터져버렸을 거다. 결국 그 나쁜 녀석은 나의 주인에게 얻어맞고는 그곳에서 쫓겨났다.

주인은 다음 장날에도 나를 구경시키겠다는 광고를 냈고 이제 내가 좀 더 편안하게 여행할 수 있도록 여러 가지 준비를 했다. 왜냐하면 내가 맨 처음 전시에서 여덟 시간을 계속해서 연기를 하는 동안 너무 지쳐서 일어서지도 못하고 말도 한마디 할 수 없을 정도가 되었기 때문이다. 내가 기운을 회복하는 데는 사흘이 걸렸다. 그렇지만 그동안에도 집에서 편안하게 쉴 수가 없었다. 나의 소문을 듣고는 그 일대 1백50킬로미터 내에서 사람들이 나를 보려고 우리 집으로 몰려들었기 때문이다. 그 나라는 인구가 매우 많았다. 나의 주인은 집에서 나를 구경시킬 때는 구경꾼이 단 한 사람이라고 하더라도 만원인 경우와 같은 요금을 받았다. 그래서 읍내에 가지 않고 집에 있더라도 안식일인 수요일을 제외하고는 매일 쉴 수가 없었다.

이제 주인은 나를 이용해서 큰 돈을 벌 수 있을 거라는 사실을 알고는 나를 그 나라의 대도시로 데리고 가려고 마음먹었다. 기나긴 여행에 필요한 모든 준비를 하고서는 그의 아내와 작별을 했다. 그리하여 내가 그 집에 온 지 대충 두 달 후인 1703년 8월 17일에 우리는 그 나라 수도를 향해 출발했다. 수도는 그 나라 중심부에 있는데, 우리 집에서 약 5천 킬로미터 떨어졌다. 주인은 말을 타고 갔고 딸인 글럼달클리치도 같은 말에 태웠다. 글럼달클리치는 허리에 찬 상자 안에 나를 넣고는 그 상자를 안고 갔다. 상자 안에는 가장 부드러운 천을 사면에 붙이고 인형 침대를 놓았고 푹신한 요를 깔아놓았으며 그 밖에도 필요한 물건을 갖다놓아서 나를 최대한 편안하게 해주려고 만들었다. 우리와 동행했던 다른 사람은 우리 집에서 일하는 소년 하나뿐이었는데, 그는 짐을 실은 말을 타고서 우리 바로 뒤에서 따라왔다.

주인은 수도로 가는 도중에도 사람이 많은 곳에서는 나를 구경시켰고 구경꾼이 있을 것으로 보이는 마을이나 부잣집이 있다고 소문난 곳이 있으면 1백 킬로가 넘는 곳이라도 일부러 찾아다녔다. 그렇게 해서 우리는 하루에 1백20킬로미터나 1백30킬로미터 정도를 돌아다녔다. 글럼달클리치는 나를 편안하게 해주려고 자기가 말이 너무 빨리 걸어서 피곤하다고 해서 조금은 편한 여행을 할 수 있었다. 그녀는 내가 부탁하면 나를 상자에서 꺼내어서 바람을 쐬고 바깥세상을 구경하도록 했다. 우리는 나일 강이나 갠지스 강보다도 훨씬 넓고 깊은 강을 대여섯 개 건넜다. 영국의 템스 강만 한 작은 강은 없었다. 우리는 10주 동안을 그렇게 다녔고 주인은 여러 마을과 개인 집 외에도 열여덟 군데나 되는 읍내에서 나를 구경거리로 내놓았다.

10월 26일에 우리는 수도에 도착했다. 그곳은 로브럴그러드라고 불렸는데 그것은 '우주의 영광'이라는 뜻이었다. 주인은 궁궐에서 얼마 떨어지지 않은, 도시 중심부에 있는 한 여관에 짐을 풀었고 늘 해온 대로 나의 신체적인 특징과 재주를 언급하여 광고 전단을 내붙였다. 그리고 가로세로가 1백 미터가 넘는 넓은 방을 빌려서 공연장으로 삼았다. 내가 연기를 할 무대로 지름이 18미터 정도 되는 둥근 탁자를 마련해놓았고 탁자 가장자리에 높이가 1미터 정도 되도록 울타리를 둘러놓아서 내가 떨어지지 않게 만들었다. 나는 하루에 열 번씩 공연을 했고 나의 연기를 보는 사람마다 만족했다. 나는 이제 그 나라 말을 상당히 잘하게 되었고 나한테 그 사람들이 하는 말을 대부분 알아들을 수 있었다. 그리고 그 나라 글자를 이미 익혀놓아서 그 나라 글의 의미를 알 수도 있게 되었다. 집에 있을 때나 여행 중일 때 글럼달클리치가 항상 나의 가정교사 노릇을 해주었기 때문이다. 그리고 그녀는 작은 책을 호주머니에 넣고 다녔는데 그것은 소녀들을 위한 교양서로서 그들의 종교에 대한 설명도 들어 있었다. 그녀는 그 책을 갖고서 나에게 단어도 설명해주고 글도 가르쳐주었다.

3장

저자가 궁궐로 불려간다. 왕비가 저자를 주인인 농부에게서 사서 왕에게 바친다. 저자가 왕의 학자들과 논쟁을 벌인다. 대궐 안에 저자를 위한 거처가 마련되고 저자는 왕비의 총애를 받는다. 저자가 자기 조국을 위해서 변호한다. 그리고 왕비의 난쟁이와 다툰다.

나는 주인에게 쉴 새 없이 혹사당했기 때문에 몇 주 가지 않아서 몸 상태가 아주 악화되었다. 주인은 돈을 벌수록 더 탐욕스러워졌다. 나는 식욕까지 잃어버릴 정도가 되었고 몸에는 뼈만 앙상하게 남았다. 나의 주인은 내가 곧 죽을 것이라고 보고는 죽기 전에 조금이라도 돈을 벌려고 최대한 나를 이용하려고 마음먹었다. 그러는 동안에 궁중의 한 관리가 왕비와 고관 부인들을 즐겁게 해주도록 나를 궁궐 안으로 데리고 오라고 지시했다. 고관대작의 부인들 중 몇 사람은 이미 나를 본 적이 있었고 나의 귀여운 모양과 행동에 대해서 왕비에게 전해주었던 거다. 내가 가자 왕비와 그 일행은 나를 보고는 아주 즐거워했다. 나는 왕비 앞에서 무릎을 꿇고서는 발에 입을 맞추게 해달라고 요청했다. 그러자 마음이 자비로운 왕비는 나를 탁자 위에 올려놓은 후에 새끼손가락을 내밀어주었다. 나는 그 손가락을 양팔로 껴안고는 손가락 끝에 최대한 예의 바르게 입술을 갖다 대었다. 왕비는 나의 조국과 그 나라에 오게 된 경위에 대해서 질문을 했고 나는 그 나라 말로 간략하게 대답했다. 왕비는 내가 궁궐에서 살고 싶지 않은지 물어보았다. 나는 탁자 바닥에 이

마가 닿을 정도로 절을 하고서는, 비록 내가 현재 나의 주인의 종이기는 하지만, 가능하다면 왕비에게 봉사하는 것을 최고의 영광으로 알겠다고 답변했다. 그러자 왕비는 나의 주인에게 값을 후하게 쳐줄 테니 나를 팔지 않겠느냐고 물어보았다. 나의 주인은 내가 앞으로 한 달도 못 살고 죽을 것이라고 생각했기 때문에 나를 팔아버리는 데 조금도 주저하지 않았고 그 대가로 금화 천 개를 요구했다. 그 돈은 즉시 지불되었다. 그 금화 한 개의 크기는 포르투갈 금화 8백 개를 합쳐놓은 것만 했다. 그렇지만 그 나라에서 금값이 비싸다는 점을 고려한다고 해도 그 돈은 아주 큰 금액이라고는 볼 수 없었다. 이제 나는 왕비에게, 내가 이제 왕비의 사람이 되었으며 종이 되었으니 한 가지 부탁을 들어달라고 요청했는데, 그것은 글럼달클리치가 항상 나를 다정하게 돌보아주었고 나에 대해서 아주 잘 알고 있으니 그녀도 함께 고용해서 나의 보모와 개인 교사 일을 맡게 해줄 수 없겠느냐는 것이었다. 왕비는 나의 간청을 들어주었고 나의 주인도 허락했다. 그는 자기 딸이 궁궐에서 일하게 되는 게 기뻤던 거다. 글럼달클리치도 아주 좋아했다. 이제 지금까지의 나의 주인은 물러가면서 나에게 궁궐에서 잘 지내라고 작별인사를 했다. 나는 거기에 대해서 시큰둥한 표정으로 고개를 약간 숙이고서 인사했을 뿐이었다.

왕비는 나의 냉담한 표정을 알아차리고는, 그 농부가 떠나자 그 까닭을 물었다. 그래서 내가 이렇게 대답해주었다.

"저는 그 사람이 저를 밭에서 우연히 발견했을 때 저를 죽여버리지 않은 것 외에는 아무 은혜도 입은 것이 없사옵고 그 은혜도 이 나라를 돌아다니면서 돈벌이를 해준 것으로 갚고도 남았사옵니다.

그리고 제가 지금까지 해온 고생은 저보다 열 배나 강한 동물도 죽여버렸을 것이옵니다. 쉴 새 없이 무자비한 군중 앞에서 연기를 해야 하는 고역 때문에 저는 몸이 완전히 망가졌사옵니다. 제 생명이 길 것이라고 생각했다면 왕비마마께서는 저를 싼값에 살 수 없으셨을 것이옵니다. 이제 위대하고 자비로우시며 온 세상의 광채이시고 사랑이시며 모든 신하들의 기쁨이시고 불사조이신 왕비마마의 보호를 받게 되었사오니 저는 걱정이 없어졌사옵니다. 왕비마마 옆에 있는 것만으로도 이제 힘이 솟구치옵니다."

그런 식으로 말을 했는데 격식에 어긋날까 두려워 안절부절못했다. 후반부는 그 나라의 독특한 방식에 따라서 말을 한 것인데 글럼달클리치가 궁정으로 나를 데려가는 동안에 가르쳐준 것이었다.

왕비는 내가 원래 말이 서툴다는 것을 고려하고서는 나처럼 작은 동물이 그 같은 판단력과 지혜가 있다는 것에 놀랐다. 나를 직접 손으로 안고서는 그때 마침 왕비의 처소에 행차한 왕에게 데리고 갔다. 위엄 있는 용모를 한 국왕은 나를 언뜻 보더니 언제부터 왕비가 스플락너그(나와 체구가 비슷한 동물)를 좋아하게 됐느냐고 물었다. 내가 왕비의 오른손 손바닥에 납작하게 엎드린 걸 보고는 그 동물로 착각한 거다. 풍부한 유머 감각을 지닌 왕비는 나를 책상 위에 살며시 놓고서는 내게 국왕에게 자초지종을 설명하라고 했다. 그래서 간략하게 이야기를 했다. 그때 글럼달클리치가 나의 모습이 안 보이는 것을 참지 못하고서 입실 허가를 얻어서 들어와서는 내가 그녀의 집에 도착한 이후로 일어난 일에 대해서 자세하게 국왕에게 얘기했다. 왕은 학식이 풍부한 사람이었는데, 특히 철학이나 수학 방면에 탁월한 식견을 지녔다. 그는 내가 말을 하기 전에는, 내가 똑바로 서서 걸어다니는 것을 보고는 어떤 발명가가 만든 기계일 것이라고 생각했다. 그 나라에서는 기계 기술이 발달되었던 거다. 그런데 내 목소리를 듣고 내가 말하는 것이 아주 이성적이라는 사실을 알고는 크게 놀라워했다. 그렇지만 그는 내가 그 나라에 오게 된 경위에 대해서는 믿으려 하지 않았다. 나에게 말을 가르쳐준 글럼달클리치와 그녀의 아버지가 나를 비싸게 팔려고 꾸며낸 이야기라고 생각했다. 국왕은 그러한 생각을 품고서는 나에게 이런저런 질문을 했는데 나는 조리 있게 답변했다. 물론 나의 발음은 외국인의 발음이고 그 나라 말을 완벽하게 알지 못했으며 농부의 집에서 배운 말이기 때문에 상류 사회의 말투로는 어울리지 않았지만 내 의사를 올바로 전달하기에는 충분했다.

왕은 궁궐에 일주일에 한 번씩 들르게 되어 있는 학자 세 사람을 불러오게 했다. 그 학자들은 나를 자세히 관찰해보고서 자기들의 의견을 내놓았는데, 그 의견이 제각기 달랐다. 단지 내가 정상적인 자연 법칙에 따라서 만들어진 존재가 아니라는 것에는 의견이 일치했다. 왜냐하면 내게 동작이 민첩하다든가, 나무 위를 기어 올라간다든가, 땅으로 구멍을 파고서 들어간다든가 하는 생명 유지 능력이 없다고 보았기 때문이다. 그들은 나의 치아를 면밀히 조사해보고 나서는 내가 육식 동물이라는 것에 의견을 모았다. 그렇지만 내가 네 발 달린 짐승들을 잡아먹고 살기에는 너무 작고 들쥐 같은 동물은 나보다 너무 빨라서 내가 어떻게 살아남을 수 있었는지 묘하게 생각했다. 그들은 내가 달팽이나 다른 작은 곤충을 잡아먹고 살 수도 있을 거라고 일단 생각했지만 그것도 나의 생김새로 볼 때 여의치 않았을 거라고 보았다. 한 학자는 내가 태아이거나 유산된 아

C E Brock
April 1894

이일지도 모른다고 보았다. 그렇지만 다른 두 사람은, 나의 팔다리가 완전히 성숙한 상태고 나의 수염을 깎은 얼굴을 확대경을 통해서 살펴볼 때 내가 여러 해 동안 살아왔다는 것은 의심할 수 없다고 보았다. 그들은 내가 난쟁이라는 점에 대해서도 인정하려 하지 않았다. 왜냐하면 나는 다른 난쟁이와 비교도 되지 않을 정도로 작았기 때문이다. 왕비가 총애하는 난쟁이가 그 나라에서 가장 작은 사람인데 그도 키가 9미터나 되었던 거다. 이런저런 토론 끝에 그들이 내린 결론은 내가 자연의 변종이라는 것이었다. 그것은 현대 유럽의 철학과 일치하는 것이었다. 현대의 철학자들은 아리스토텔레스의 추종자들이 그들의 무지를 드러내지 않기 위해서 고안한 '불가사의한 원인'에 대한 해답을 경멸하여, 모든 곤란한 문제에 이러한 놀라운 해법을 발견했는데 그것이 인간 지식의 발전에 지대한 영향을 주기도 했던 것이다.

그들이 그런 결론에 도달한 후에 나는 나의 말도 좀 들어달라고 그들에게 간청했다. 나는 그들에게 내가 나와 비슷한 체구를 가진 몇백만 명이 사는 나라에서 왔고 그 나라에서는 나무나 집이나 기타 모든 것들이 동일한 비율로 작으며, 따라서 그 거인의 나라에서 그들이 하는 것과 똑같이 나는 나의 나라에서 식량을 확보하고 나 자신을 방어하는 일을 할 수 있다고 일러주었다. 그렇게 해서 충분한 답변이 되었을 것이라고 생각했다. 그렇지만 그 학자들은 나의 말을 무시하면서 나의 주인이 나를 잘 훈련시켜놓았다고 말했다. 국왕은 그 학자들보다도 속이 깊은 사람이어서, 학자들을 일단 물러가도록 하고 나의 옛 주인을 불러오게 했다. 그는 다행히 아직 수도를 떠나지 않았다. 왕은 먼저 농부를 혼자서 심문했고 다음에는 나와 농부의 딸을 대질심문했으며 그리고 나서는 우리가 그에게 말한 것이 모두 사실일지도 모른다는 생각을 하게 되었다. 왕은 왕비더러 나를 특별히 잘 보살피라는 지시를 했고 글럼달클리치와 내가 애정이 깊은 것을 알고는 그녀더러 나를 계속해서 돌보아주도록 했다. 궁궐 안에 글럼달클리치가 살 편안한 거처를 만들어주도록 했으며 그녀의 교육을 책임질 개인 교사와 의복을 맡아줄 시녀 한 사람, 그리고 잡무를 해줄 시녀 두 사람이 임명되었다. 그런데 나를 돌보아주는 일은 전적으로 글럼달클리치에게 맡겨졌다. 왕비는 글럼달클리치와 내가 상의해서 정한 바에 따라서 나의 방으로 쓸 수 있는 상자를 만들어주도록 궁궐 안에 있는 목수에게 지시했다. 그 목수는 재간이 많은 사람인데 나의 지시에 따라서 3주 만에 나무로 된 방을 만들어주었다. 그 방은 가로, 세로가 각각 5미터, 높이 3미터 50센티 정도 되었으며 출입문과 창, 그리고 작은 방 두 개가 따로 있어서 영국에서 흔히 볼 수 있는 침실처럼 생겼다. 천장은 나무판 두 개로 되었고 돌쩌귀가 달려있어서 떼어냈다 붙였다 할 수 있게 했으며, 거기를 통해서 왕비 소속의 가구공이 만든 침대를 넣었다 꺼냈다 할 수 있었다. 글럼달클리치는 매일 나의 침대를 꺼내어서 햇빛을 쪼인 다음에 밤에는 제자리에 도로 집어넣고는 천장을 닫아주었다. 작은 물건을 잘 만드는 어떤 사람이 상아와 비슷해 보이는 재료를 사용하여 등받이와 팔걸이가 달려 있는 의자 두 개와, 나의 소지품을 넣을 수 있는 서랍이 달린 테이블 두 개를 만들어주었다. 내 방의 사방 벽과 바닥과 천장에는 빈틈없이 솜을 대어놓아서 나를 운반하는 사람이 부주의해서 나를 떨어뜨렸을 때 내가 다치지 않도록 만들었고 내가 마차에 탔을 때는 충격을 입지 않게 했다. 나는 밤에 쥐가 들어오지 못하도록 문에 채울 자물쇠를 만들어 달라고 요청했다. 그 방면에 전문가인 사람이 그것을 만들려고 여러 번 시도한 끝에 그 나라에서는 가장 작은 자물쇠를 만들어냈다. 영국에서도 나는 어느 집 대문에서 그것보다는 큰 자물쇠를 보았다. 자물쇠의 열쇠를 글럼달클리치에 맡기면 잃어버릴 수도 있을 것 같아서 내가 보관하기로 했다. 또한 왕비는 그 나라에서 가장 엷은 비단을 구해서 나의 옷을 만들어주도록 했는데, 영국의 담요보다 크게 두껍지는 않았지만 습관이 들 때까지는 좀 불편했다. 그 옷은 그 나라의 고유 양식으로 되어 있었는데, 페르시아풍으로 보이기도 했고 중국식으로 보이기도 했는데 아주 품위가 있었다.

왕비는 나와 같이 있기를 아주 좋아해서 내가 없으면 식사도 할 수 없을 정도가 되었다. 그래서 왕비가 식사하는 식탁 위에서 왕비 왼쪽 팔꿈치 옆에 나의 식탁을 놓았고 앉을 의자도 놓게 되었다. 글럼달클리치는 나의 식탁 가까이에서 나를 보살폈다. 내가 식사를 할 그릇과 기타 필요한 기구가 준비되었는데, 그것은 왕비의 것에 비한다면 내가 런던의 장난감 가게에서 본 것보다 크지 않았다. 나의 어린 보모는 그 그릇들을 은제 상자에 넣어서 호주머니에 보관하다가 식사 때는 내주었고 설거지는 항상 자기가 직접 했다. 식사 때 왕비와 같이 식사하는 사람은 두 왕녀뿐이었다. 언니는 열여섯 살이고 동생은 열세 살이었다. 왕비는 고기 한 조각을 나의 접시에 놓아주곤 했는데, 나는 그것을 직접 잘라서 먹었다. 내가 그렇게 귀엽게 먹는 것을 보는 것이 왕비에게는 커다란 즐거움이었다. 왕비는 식사량이 적은 편이기는 했지만 한입에 먹는 분량이 영국에서 열두 사람이 한 끼에 먹는 식사량과 맞먹었다. 나는 처음에는 그것을 보고 구역질이 날 정도로 혐오감을 느꼈다. 왕비는 커다란 칠면조보다 아홉 배는 되는 종달새의 날개를 뼈째로 씹어 먹기도 하고 영국에서 가장 큰 빵을 두 개 합쳐놓은 것만 한 빵 덩어리를 한 입에 넣었으며 영국의 가장 큰 술통보다 더 큰 황금 잔으로 음료를 마셨다. 왕비가 쓰는 나이프는 크기가 영국에서 가장 큰 낫보다 두 배는 컸다. 스푼이나 포크, 그릇 등도 동일한 비율로 컸다. 글럼달클리치는 호기심이 생겨서 나를 대동하고서 궁궐 안의 다른 식탁을 구경하러 다녔는데 나는 그러한 거대한 나이프와 포크 등이 세워져 있는 것을 보고는 질겁해버렸다.

앞에서도 언급했지만 매주 수요일은 그 나라의 안식일인데 그날은 왕과 왕비가 왕자, 왕녀들과 함께 국왕의 처소에서 식사를 하는 것이 보통이었다. 이제 나는 왕의 총애를 받는 터이므로 그 가족 간의 식사 때 나의 작은 의자와 식탁이 왕의 왼편으로 소금 그릇 앞에 놓였다. 왕은 나와 대화하는 것을 즐거워하여 유럽의 풍습이나 종교, 법률, 정치, 학문 같은 것에 대해서 질문을 했고 나는 내가 아는 최대한으로 열심히 답변했다. 왕은 머리가 좋고 판단력도 좋은 사람이었고 내가 하는 말에 논평을 해주곤 했다. 내가 나의 사랑하는 조국, 즉 영국의 무역 행태, 다른 나라와의 전쟁, 종교상의 분열, 정치상의 당쟁 등에 대해서 얘기할 때면 왕은 편견 때문인지 그런 것에 대해서 멸시하는 것으로 보였다. 그는 오른손으로 나를 잡고 왼손으로 부드럽게 어루만져주면서 한바탕 웃음을 터뜨리고 나서는, 내가 휘그당 파인지 토리당 파인지를 물었다. 그러고 나서는 거대한 함선의 돛대만 한 지팡이로 뒤에 있는 총리대신을 가리키면서, 나와 같은 작은 벌레만 한 것도 인간의 흉내를 낼 수 있으니 인간이란 게 얼마나 하찮은 존재인가 하고 말했다.

왕은 총리대신에게 이런 말도 했다.

"이런 조그만 사람들이 사는 나라에서도 그 나름대로 명예를 나타내는 칭호나 작위가 있을 것이고 작은 둥지나 소굴을 지어서 집이나 도시라고 부를 것이고 자기를 과시하고 서로 연애하고 싸우고 속이고 배신하고 할 거 아니오."

나는, 예술의 본고장이며 명예와 진실이 살아 있는 나라고 유럽의 중재자며 세계의 으뜸가는 나라인 나의 조국이 그렇게 무시당하는 것을 보고는 열을 받지 않을 수가 없었다.

그렇지만 그런 악담을 듣더라도 화를 낼 수 있는 처지는 아니었다. 그리고 냉정한 마음으로 생각해보니 내가 실지로 악담을 듣고 있는지 아닌지 의심이 되었다. 이제 몇 달 동안 그 나라 사람들을 대해왔고 사람들과 대화를 나누는 데도 익숙해지고 내가 본 모든 것들이 비례적으로 크기가 거대하다는 것을 알게 되어, 내가 처음에 그들의 모습에서 느꼈던 공포감이 거의 사라졌다. 그래서 내가 그 당시에 영국의 궁중인들이 화려한 의상을 입고 폼을 재고 지껄이는 모습을 보게 된다면 이 거인의 나라 왕과 고관대작들이 나를 보는 것과 마찬가지로 나도 그 영국인들을 보고서 웃지 않을 수가 없었을 거다. 그리고 왕비가 가끔씩 나를 손바닥에 올려놓은 상태에서 종종 거울을 들여다보았는데 우리 두 사람의 모습이 거울에 나타났을 때 왕비의 모습에 비해서 나의 모습이 그렇게 작아 보이는 게 우스꽝스럽지 않을 수가 없었다. 그래서 나는 나 자신이 원래의 모습에서 크기가 줄어들어버리지나 않았는지 의심이 들기도 했다.

왕비가 총애하는 난쟁이만큼 나를 괴롭히고 화나게 하는 존재는 없었다. 그의 키는 9미터도 못 되었고 그 나라에서 가장 작은 사람이었지만 그보다 훨씬 작은 나를 대할 때면 아주 거만해져서, 왕비의 거실에서 내가 궁중의 귀부인들과 이야기할 때면 거드름을 피우면서 나의 앞으로 걸어 다니며 자기가 대단한 인물인 척했고 내가 조그만 존재라는 점에 관해서 반드시 무언가 한두 마디 뱉는 것이었다. 나도 그에 지기 싫었기 때문에 "어이 친구, 나하고 씨름 한번 할까" 하는 식으로 농담을 해서 복수를 해주곤 했다. 어느 날 식사를 하는 중이었는데, 이 친구가 내가 평소에 한 짓에 화가 나 있었는지 왕비의 의자에 올라가서는 갑자기 방심한 상태로 있는 내 허리를 움켜쥐고는 크림이 든 커다란 그릇 속에 집어넣고서 부리나케 도망쳐버렸다. 나는 완전히 거꾸로 머리부터 떨어졌다. 내가 수영을 잘하지 못했더라면 큰일날 뻔했다. 그때 글럼달클리치는 멀리 떨어져 있었고 왕비는 너무 놀라서 어떻게 처리해야 할지 몰랐다. 잠시 후에 나의 어린 보모가 달려와서 나를 꺼내주었다. 그렇지만 이미 크림을 잔뜩 삼킨 뒤였다. 글럼달클리치는 나를 침대에서 쉬게 했다. 그래도 큰 피해는 입지 않았으며 입고 있던 옷만 못 쓰게 되었을 뿐이었다. 난쟁이는 매를 죽도록 맞았을 뿐 아니라 나를 집어넣었던 사발 속의 크림을 다 마시는 벌을 받았다. 그리고 이제 다시는 왕비의 총애를 받지도 못하게 되었다. 왜냐하면 왕비는 그를 다른 귀부인에게 주어버렸기 때문이다. 그래서 나는 이제 더는 그 난쟁이를 보지 못하게 되었고 그것은 아주 반가운 일이었다. 그런 고약한 사람들이 언제 또다시 극단적인 행동을 할지 모르기 때문이다.

난쟁이는 전에도 나에게 고약한 장난을 한 적이 있었다. 왕비는 그것을 보고는 처음에는 웃었지만 결국 화가 났고 그래서 내가 중재를 하지 않았더라면 그 난쟁이는 궁궐에서 쫓겨났을 게다. 어떻게 된 일인고 하니, 왕비가 골이 든 뼈에서 골을 파먹고 나서는 그릇에 세워놓았다. 난쟁이는 나를 골탕 먹일 기회를 노리다가는 글럼달클리치가 찬장 있는 곳으로 간 사이에 나를 집어들고 양다리를 모아서는 그 뼈의 구멍 깊숙이 처박았던 거다. 나는 거기서 한참 동안 꼼짝 못하는 상태로 우스꽝스럽게 박혀 있었다. 체면상 큰 소리를 지르지 못했고 거의 일 분이 지나고 나서야 내가 무슨 일을 당했는지 누가 알아차리게 되었다. 그런데 왕족들은 뜨거운 음식을 먹지는 않기 때문에 화상은 입지 않았고 단지 바지와 양말만 엉망이되어버렸다. 난쟁이는 내가 사정을 하여 매만 맞고 다른 벌은 받지 않았다.

왕비는 내가 겁이 많다고 나를 놀리는 일이 많았고 다른 영국 사람들도 나처럼 겁이 많냐고 묻곤 했다. 어떤 사정이 있었는고 하니, 그 나라에는 여름에 파리들이 들끓었다. 그 곳은 곤충들은 크기가 영국의 종달새만 했는데 식사할 때 나의 귀 언저리에서 쉴 새 없이 웅웅거리면서 나를 불안에 떨도록 만들었다. 내가 먹는 음식에 내려앉아서 똥을 누거나 알을 낳기도 했다. 그런 것들이 나의 눈에는 훤히 보였지만 그 나라 사람들은 나의 눈만큼 예리하지 않아서 잘 볼 수가 없었다. 때때로 파리들은 나의 이마나 코에 올라앉아서는 콕 쏘아대거나 고약스러운 냄새를 풍겼다. 과학자들은 파리가 천장에 붙어 있을 수 있는 이유가 끈적끈적한 물질 때문이라고 하는데, 나는 그러한 물질을 잘 볼 수 있었다. 이 역겨운 곤충에게서 나를 보호하느라 많은 고생을 해야 했고 그것들이 얼굴에 가까이 올 때는 깜짝 놀라지 않을 수 없었다. 난쟁이는 나를 놀라게 하려고 파리

를 여러 마리 잡아가지고는 내 얼굴 바로 앞에서 갑자기 풀어놓아
서 나를 골탕 먹이기 일쑤였다. 그럴 때 나는 공중으로 날아다니는
파리들을 칼을 빼내어서 죽여버리곤 했다. 나의 칼 다루는 솜씨가
놀랍다고 모두들 칭찬해주었다.

또 하나 기억에 남는 일이 있었는데, 어느 날 아침에 글럼달클리
치가 매일 그러하듯이 내가 바람을 쐬도록 나를 상자에 넣은 채로

창가에 놓아두었다. 영국에서 새장을 창밖의 못에다가 걸어두는 것처럼 하지는 않았다. 나는 창문을 하나 열고서는 식탁에 앉아서 아침 식사로 케이크를 먹었는데, 스무 마리가 넘는 벌들이 케이크의 단 냄새를 맡고는 내 방 안으로 날아들었다. 그들이 내는 웅웅 소리로 귀가 멍멍해질 정도였다. 어떤 녀석들은 케이크를 조각내어서 가져갔고 어떤 녀석들은 나의 얼굴 주위로 날아다니면서 웅웅거리는 소리로 정신을 빼놓았고 그 날카로운 침으로 금방 쏠 것 같아 보여 나는 극도의 공포감에 빠지게 되었다. 그렇지만 용기를 내어 칼을 빼들고서는 날아다니는 벌들에게 대항했다. 그중에서 네 마리를 죽여버렸고 나머지는 모두 도망갔다. 그래서 이제 창을 닫아버렸다. 벌들은 크기가 메추리만 했다. 침을 빼보니 길이가 4센티미터는 되었고 바늘처럼 날카로워 보였다. 그 침을 소중히 보관해놓았는데, 나중에 유럽의 여러 곳에서 다른 진기한 물건과 함께 전시했고 영국에 돌아가서는 그중 세 개를 과학 연구에 기여하는 그레샴 대학에 기증했고 나머지 하나는 내가 직접 보관했다.

4장

그 나라에 관해서 설명하며 현대의 지도를 수정하자고 제안한다. 그리고 궁궐과 수도에 관해서 설명한다. 저자가 여행한 방식에 대해서 언급한다. 그리고 그 나라에서 가장 큰 사원에 대해서 서술한다.

이제는 이 나라에 관해서 내가 아는 범위 내에서 간략하게 설명하려고 한다. 내가 여행한 곳은 수도인 로브럴그러드를 중심으로 하여 3천 킬로미터 이내의 거리다. 왜냐하면 나를 대동하고 다닌 왕비는 국왕의 행차에 동반할 때 그 거리 이상으로는 가지 않았고 국왕이 국경 지대를 순방하고 돌아올 때까지 한곳에 머물러 있었기 때문이다. 그 왕이 지배하는 영토는 길이가 1만 킬로미터에 걸쳐 있었고 폭은 5천 내지 8천 킬로미터나 되었다. 그런 것으로 볼 때 유럽의 지리학자들이 일본과 캘리포니아 사이에는 바다밖에 없다고 간주하는 것은 큰 오류라고 나는 생각한다. 왜냐하면 타타르 대륙과 맞먹는 육지가 있어야 균형이 맞는다고 보기 때문이다. 따라서 지리학자들이 지도나 해도를 개정하여 이 거인들이 사는 대륙을 아메리카의 북서부 쪽에 붙여놓아야 할 것이다. 그 일을 하는 데는 내가 기꺼이 협력해줄 수도 있다.

그 왕국은 반도로 되어 있으며 동북부는 높다란 산맥으로 끝났다. 그 산맥에는 정상에 화산들이 있기 때문에 그 너머로 간다는 것은 생각할 수 없는 일이었다. 그래서 아무리 학식이 깊은 사람도 그 너머에 어떤 인간들이 사는지, 그리고 도대체 인간들이 살고 있기나 한지 알 수가 없었다. 나머지 3면은 바다로 둘러싸였다. 그런데 이 나라에는 항구가 없고 해안 지대는 울퉁불퉁한 바위들이 너무나 많으며 바다는 너무 거칠어서 어떤 배도 바다 멀리 나갈 엄두를 낼 수가 없다. 그래서 이곳 사람들은 다른 세계와 완전히 접촉이 끊어져 있었다. 그런데 큰 강에는 배가 많이 다녔고 물고기가 가득했다. 그렇지만 이 나라 사람들은 좀처럼 물고기를 잡지 않았는데 이유는 물고기의 크기가 유럽의 것들과 같아서 그들에게는 아무런 가치도 없기 때문이다. 그런 점으로 미루어볼 때 그런 거대한 식물이나 동물이 생기게 된 것은 오직 그 대륙에만 제한된 것이 분명했다. 왜 그렇게 되었는지는 학자들에게 맡기기로 한다. 그런데 이따금씩 고래가 해안으로 밀려오면 잡아먹는다. 그런 고래를 본 적이 있는데 너무나 커서 한 사람이 고래 한 마리를 메어 나르기가 힘들 정도였다. 때때로 고래를 바구니에 담아서 수도인 로브럴그러드로 싣고 가기도 했다. 나는 국왕의 식탁에 고래 고기가 올라온 것을 본 일이 있다. 진귀한 요리로 알려져 있지만 왕이 그것을 좋아하는 것 같지는 않았다. 내 생각으로는 고래 고기가 너무 커서 왕이 역겨워하는 걸로 보였다. 그런데 나는 그린란드에서 그보다도 큰 고래를 본 적이 있다.

그 나라에는 인구가 많았다. 도시가 51개나 되었고 성벽을 두른 읍이 1백 개나 되었으며 그 외 수많은 마을들이 있었다. 독자의 호기심을 만족시키는 데는 수도인 로브럴그러드만 설명하면 족할 거다. 수도는 한가운데로 강이 흐르고 강의 양쪽으로 거의 동일한 면적을 갖는 두 구역으로 나뉘어 있다. 모두 8만 채 이상의 집이 있고 길이는 86킬로미터였고 폭은 72킬로미터였다. 그것은 국왕의 명으로 만들어진 지도를 보고서 내가 직접 측정한 것이다. 그 지도를 나를 위해서 펼쳐 보였는데 지도의 길이는 30미터나 되었다. 나는 맨발로 지도 주위를 걸어다니면서 비교적 정확하게 수도의 실제 크기를 잴 수 있었다.

왕의 궁궐은 질서정연하게 건물이 세워진 것은 아니었고 여러 건물이 뭉쳐서 하나의 궁전을 이루었는데 주위는 대략 11킬로미터쯤 되었다. 궁궐 안의 방은 높이가 70미터쯤 되었고 가로와 세로의 길이도 그러한 비율로 컸다. 나와 글럼달클리치에게는 마차를 한 대 내주었는데, 글럼달클리치의 개인 교사와 함께 셋이서 시내 구경을 하거나 쇼핑을 하는 때가 많았다. 나는 상자 속에 들어 있는 채로 항상 그녀들과 함께 다녔는데 나의 보모는 내가 원할 때마다 나를 꺼내어 손에 들고 내가 사람들이나 길거리를 볼 수 있도록 해주었다. 우리가 탄 마차는 영국 국회의사당 홀만큼 컸지만 높이는 그리 높지 않았다. 어느 날에는 개인 교사가 마부에게 몇 군데 가게 앞에 마차를 세우게 했는데 거지들이 마차 옆에 몰려들었다. 나는 그때 끔찍한 광경을 보게 되었다. 유방에 종양이 생긴 여자가 있었는데 그것이 묘하게 부풀어오르고 커다란 구멍이 나 있었다. 그중에서 한두 개의 구멍은 내가 그 속으로 들어가서 몸을 감출 수도 있을 정도로 컸다. 영국의 가마니보다 더 큰 혹이 다섯 개나 목에 달린 남자도 있었고 길이가 6미터나 되는 목발을 양편에 짚은 남자도 있었다. 그런데 무엇보다도 역겨운 것은 그 사람들의 옷에 기어다니는 이였다. 나는 영국에서 현미경으로 보는 것보다 더 뚜렷하게 이를 맨눈으로 볼 수 있었는데 그 벌레의 다리나 돼지처럼 입을 먹이에 처박은 모습을 보았던 거다. 내가 생전 처음으로 보는 거대한 이였는데, 너무 역겨워서 구역질이 날 정도였지만 해부 기구가 있었더라면 호기심에서 그중 한 마리를 해부해보고도 싶었는데 불행히도 해부 기구는 배에 놔두고 온 상태였다.

왕비는 내가 편리하게 여행할 수 있도록 큰 상자 외에 더 작은 상자를 만들어주도록 했다. 가로세로가 3미터 50센티에 높이는 3미터 정도 되었다. 처음의 상자는 글럼달클리치의 무릎에 놓기에 너무 컸고 마차 속에서는 너무 거추장스러웠기 때문이다. 맨 처음 상자를 만들었던 사람이 만들었는데 내가 직접 설계와 제작을 지시했다. 이 여행용 작은 방은 네 벽면 중에서 세 면은 한가운데에 창이 나 있고 긴 여행 도중에 사고가 나는 것을 막으려고 창의 외부에 철사로 창살을 대었다. 나머지 한쪽 벽은 창은 없었고 대신 쇠붙이를 두 개 붙여놓았다. 그것은 내가 말을 타고 다니고 싶을 때 나를 운반해주는 사람이 내가 든 상자를 허리에 단단히 묶어두려는 것이었다. 글럼달클리치가 몸이 불편할 때면 다른 믿을 수 있는 하인 하나가 그 일을 맡았다. 그렇게 해서 나는 왕이나 왕비의 행차에 동반하기도 하고 정원을 보고 싶을 때 구경하고 궁정의 귀부인들이나 대신들을 방문했다. 나는 이제 고관들 사이에서 잘 알려졌고 그들은 내가 자기네들의 거처에 방문하는 것을 좋아했다. 그 이유는 내가 잘나서가 아니고 내가 왕과 왕비의 총애를 받기 때문일 거다. 왕의 행차 시 여행을 하는 도중에 마차 안에 있는 것에 싫증이 나면 말을 탄 하인에게 내가 들어 있는 상자를 몸에 묶고는 그 앞에 있는 방석에 놓아주게 했다. 그러면 나는 세 창문을 통해서 그 나라를 구경할 수 있었다. 나의 작은 방에는 침대도 있었고 바닥에 나사로 고정시킨 의자 두 개와 탁자도 있었다. 이동 중에는 나의 방이 크게 출렁거렸지만 바다에서의 항해에 익숙했기 때문에 크게 어지럽지는 않았다.

내가 시내 구경을 하고 싶을 때면 그 여행용 작은 방으로 이동하는데, 글럼달클리치가 작은 방을 무릎에 놓고 가마에 올라타면 네 남자가 가마를 운반했고 왕비의 종자인 두 남자가 수행했다. 시민들은 나에 관한 얘기를 많이 들었기 때문에 호기심으로 가마 주위로 몰려들었다. 그러면 글럼달클리치는 친절하게도 가마꾼들에게 길을 멈추도록 하고는 사람들이 나를 잘 볼 수 있도록 나를 손바닥에 올려놓았다.

나는 그 나라의 가장 유명한 사원과 특히 가장 높다고 알려진 그 사원의 탑을 아주 보고 싶었다. 그러던 어느 날에 나의 보모가 그곳에 데려다주었다. 그렇지만 큰 감명을 받은 건 아니었다. 탑의 꼭대기까지 1천 미터를 넘지 않았기 때문이다. 그것은 그 나라의 모든 물체의 크기를 고려했을 때 그리 대단한 것은 못 되었다. 그런데 한 가지 인정하지 않을 수 없는 건, 그 사원이 탑의 높이에서는 대단한 것이 아니라고 할지라도 아름다움과 튼튼함은 자랑할 만하다는 점이다. 벽의 두께는 30미터나 되었고 잘라낸 돌로 만들어졌는데 돌 하나의 길이가 12미터나 되었다. 사원 안에는 여러 신들과 왕의 조각상을 등신대보다 크게 만들어 세워놓았다. 내가 방문했을 때 마침 그중 한 조각상에서 새끼손가락 일부가 떨어져 나와서 다른 부서진 조각 속에 묻혀 있었다. 그것을 주워서 길이를 재어보았더니 길이가 20센티미터였다. 글럼달클리치는 그것을 손수건에 싸서는 가져갔다. 그 나이의 아이들이 그러하듯이 그녀도 이것저것 물건을 모으는 걸 좋아했다.

궁궐 안 왕의 주방은 멋지게 지어졌는데 천장은 둥근 형태였고 높이가 1백80미터나 되었다. 가장 큰 솥 하나의 높이가 1백10미터 나 되고 지름은 40미터였다. 그리고 주방 안에 있는 거대한 주전자 나 단지나 고깃덩어리나 기타 여러 가지 것에 대해서 내가 언급한 다고 하더라도 아무도 나의 말을 믿지 않을 거다. 대부분의 사람들 은 내가 너무 과장한다고 생각할 것이다. 그래서 일부러 그런 비판 을 피하려고 나는 오히려 그 반대쪽으로 치우치지 않았나 모르겠 다. 나의 책이 브로브딩낙의 말로 번역되어 그 나라 사람들이 읽게 된다면 그 나라의 왕이나 국민들은 내가 사실을 너무 왜곡하고 작 게 묘사하여 자기들을 모욕했다고 생각할 수도 있을 게다.

왕이 궁궐 안의 마구간에 6백 마리 이상의 말을 넣어두는 일은 드물었다. 말은 키가 13미터 내지 18미터 정도였다. 왕이 어떤 행사 로 외출할 때는 기마병 5백 명이 호위하게 된다. 그 광경은 내가 본 것 중에서 왕의 군대가 전투 대형을 취했을 때를 제외하고는 가장 장엄한 광경이었다. 그 군대에 대해서는 다음 기회에 이야기하기로 한다.

5장

저자에게 닥친 몇 가지 위험에 대해서 설명한다. 죄인을 사형시키는 것에 대해서 묘사한다. 저자가 배 타는 기술을 보여준다.

내가 체구가 작았기 때문에 여러 가지로 우습고 골치 아픈 일을 겪지만 않았더라면 그 나라에서 얼마든지 행복하게 살아나갈 수 있었을 거다. 그중에서 몇 가지에 대해 이야기해보기로 하겠다. 글럼달클리치는 나를 그 조그만 상자에 넣어서 궁궐 안 여러 곳으로 데리고 다녔다. 어떤 때는 정원에서 나를 상자에서 꺼내고는 손에 들고 있거나 아니면 땅에 내려놓아서 내가 걸어다닐 수 있게 해주었다. 난쟁이가 아직 궁궐에서 떠나기 전의 일이었는데, 어느 날 그 녀석이 우리를 따라서 정원에 왔다. 그때 나의 어린 보모가 나를 땅에 내려놓아 그녀와 같이 있었는데 바로 옆에 작은 사과나무가 있었다. 나는 그 난쟁이를 작은 사과나무에 비교하여 약을 올리는 말을 했다. 그랬더니 그 고약한 녀석은 기회를 노리다가는 내가 사과나무 밑을 걸어갈 때 내 머리 바로 위에서 사과나무를 흔들어댔고 열 개가 넘는 사과가 나의 주위로 떨어졌다. 사과 하나가 영국의 커다란 술통만 했다. 몸을 피하려고 하는 순간에 그중 하나가 나의 등을 쳤고 나는 땅에 쓰러졌다. 그렇지만 크게 다치지는 않았고 난쟁이는 내가 간청을 하여 벌을 받지 않았다. 내가 먼저 약을 올렸기 때문이다.

그리고 어느 날엔가는 글럼달클리치가 나를 부드러운 풀밭에 내려놓고는 혼자 두고 자기는 개인 교사와 함께 다른 곳으로 산책을 나갔다. 그사이에 갑자기 우박이 세차게 쏟아지기 시작했는데, 나는 우박에 맞아서 땅바닥에 쓰러졌다. 쓰러져 있는 동안에도 우박은 사정없이 나에게 떨어졌다. 마치 테니스공에 강하게 얻어맞는 것 같았다. 겨우겨우 기어서 화단의 모퉁이로 피난했다. 그렇지만 머리부터 발끝까지 온통 멍이 들어서 그날부터 한 열흘 동안은 밖에 나다니지도 못했다. 그것이 그리 놀랄 만한 일도 아니었다. 왜냐하면 그 나라에서는 자연이 동일한 비율로 크기를 만들어놓아서 우박 하나의 크기가 유럽의 우박보다 1천8백 배는 컸기 때문이다. 내가 직접 그 크기와 무게를 재어보았기 때문에 그것은 확실한 수치라고 볼 수 있다.

그런데 그와 동일한 정원에서 그보다도 큰 위험에 빠진 적도 있었다. 나는 무언가 혼자 연구하려고 나를 혼자 있게 해달라고 글럼달클리치에게 부탁하는 일이 있었는데, 한번은 그녀가 나를 안전한 곳에 놓았다고 믿고는 개인 교사와 그외 다른 여자들과 함께 나에게서 멀리 떨어진 곳에 가 있었다. 그때는 내가 들어가는 상자도 가지고 나오지 않은 상태였다. 내가 소리를 질러도 들리지 않을 정도로 보모가 멀리 가 있는 상태에서, 정원사가 기르는 스파니엘 종 개 한 마리가 우연히 정원에 들어왔다가는 내가 누워 있는 근처를 돌아다녔다. 개는 나의 냄새를 맡고서는 나에게 달려와서는 나를 입에 물고 꼬리를 흔들어대면서 주인에게 달려가서는 나를 바닥에 내려놓았다. 다행히 그 개는 훈련을 잘 받은 개였기 때문에 나를 물고

가기는 했지만 다친 데는 없었고 옷이 찢어지지도 않았다. 정원사는 나를 잘 알았고 나에게 잘해주었던 사람이었기 때문에 몹시 놀라워했다. 그가 나를 두 손으로 들어올리고는 내가 아무 일 없는지 물어보았다. 나는 너무 혼이 났고 숨이 찼기 때문에 한마디도 할 수 없었다. 한참 후에 내가 정신을 가다듬자 정원사는 나를 글럼달클리치에게 데려다주었다. 그 무렵에 그녀는 나를 놓아두었던 장소로 되돌아와 있었다. 내가 보이지도 않고 불러도 대답이 없어서 한참 동안 어찌할 바를 몰랐다고 했다. 그녀는 정원사가 개를 잘못 관리했다고 나무랐다. 그런데 그 사건은 그대로 덮여졌고 궁궐에서는 아무도 모른 채로 지나가버렸다. 왜냐하면 글럼달클리치는 왕비의 노여움을 사지 않을까 걱정을 했고 나로서도 그런 이야기가 퍼지는 것이 좋을 일이 없었기 때문이었다.

그 사건으로 인해서 글럼달클리치는 앞으로는 절대로 집 밖에서는 나를 혼자 놔두지 않기로 결심하게 되었다. 사실 그녀가 그런 결심을 하게 되지 않을까 나는 오래전부터 걱정해왔다. 그래서 나 혼자 있을 때 생긴 세세한 잘못된 사건에 대해서 그녀에게 숨겨왔던 거다. 한번은 정원 위를 날아다니던 독수리가 갑자기 나를 향해서 내려왔다. 그때 내가 칼을 빼들고서 한편으로는 싸우고 한편으로는 달아나지 않았더라면 나는 그 독수리에게 잡혀갔을 거다. 또 한번은 두더지가 파낸지 얼마 되지 않은 흙덩이 위를 걸어다니다가 흙구덩이 속으로 목까지 빠져버렸다. 글럼달클리치에게는 나의 옷이 더러워지게 된 원인에 대해서 구차한 변명을 늘어놓아야 했다. 또 한번은 그리운 고향에 대한 생각을 하면서 넋을 잃고 걸어 다니다가 달팽이 껍질에 걸려 넘어져 오른쪽 정강이를 삔 일도 있었다.

다행스런 일인지 어쩐 일인지 알 수 없지만 내가 혼자서 산책을 할 때 작은 새들은 나를 전혀 두려워하지 않았다. 그리고 나에게서 1미터도 떨어지지 않은 곳에서 이리저리 뛰어다니면서 아주 자연스럽게 벌레나 다른 먹이를 찾았다. 어느 날에는 개똥지빠귀 한 마리가 글럼달클리치가 나에게 아침식사로 주었던 빵 한 조각을 내 손에서 대담하게 낚아채 간 일도 있었다. 내가 그 녀석을 잡으려고 했더니 오히려 나에게 달려들어서 내 손을 찍으려고 했다. 그래서 나는 감히 가까이 가지 못했고 그랬더니 그 녀석은 다른 새들과 함께 태연히 다른 먹이를 찾았다. 어느 날 나는 굵은 막대기를 홍방울새에게 던져서 그 새를 쓰러뜨렸다. 그래서 양손으로 새의 모가지를 잡고서 글럼달클리치에게 의기양양하게 달려갔다. 그런데 그 새는 다만 기절을 한 상태였고 정신을 찾자 달아나려고 했다. 나는 새의 발톱에 걸리지 않도록 하면서 팔을 있는 대로 뻗어서 새를 잡았는데 그 새가 나를 날개로 수없이 때렸기 때문에 하마터면 놓칠 뻔했다. 그런데 하인 하나가 나를 도와서 새의 목을 비틀어버렸다. 그날 저녁에 왕비의 명으로 그 새의 고기는 나의 식탁에 올랐다. 내가 기억하기로 그 새는 영국에 있는 백조보다 약간 더 커 보였다.

왕비의 시녀들은 글럼달클리치에게 자기들의 처소로 나와 함께 오라고 부탁한 일이 많았는데 나를 구경도 하고 나를 데리고 놀기도 하려는 것이었다. 그녀들은 자주 나를 완전히 발가벗겨서는 품에 껴안았다. 나는 그것이 아주 역겨웠다. 왜냐하면 그녀들의 몸에서 고약한 냄새가 났기 때문이다. 이런 얘기를 한다고 해서 그녀들을 깎아내리려는 의도는 없다. 사실 그녀들은 내가 공경할 만한 대상이었다. 그런데 나의 감각이 나의 신체가 작은 것에 비례해서 아주 예민했던 거다. 그 지체 높은 여자들은 서로에게나 애인에게는 체취로 불쾌감을 주지 않았을 것이다. 그리고 알고 보면 그녀들이 향수를 사용했을 경우보다는 그냥 맨몸의 체취가 더 참을 만했다. 향수 냄새를 맡을 때면 나는 정신을 잃어버릴 정도로 역겨웠다. 이 것과 관련해서 할 말은 내가 릴리푸트에서 겪은 일이다. 어느 무더 운 날에 내가 상당히 많은 운동을 했는데, 나의 친한 친구가 나에게 서 지독한 냄새가 난다고 알려주는 것이었다. 내가 영국의 다른 남 성들보다 더 냄새가 나는 사람은 아니다. 그런데 그 작은 인간들의 후각은 내가 현재 이 거인들을 대할 때의 후각처럼 나에 대해서 예 민했던 게다. 나의 여주인인 왕비와 글럼달클리치에 대해서는 공정 한 평가를 해주어야 한다. 그녀들의 몸의 냄새는 영국의 귀부인 못 지않게 향기로웠다.

글럼달클리치가 나를 데리고서 왕비의 시녀들을 찾아갈 때 내가 불안하게 느끼게 되는 때는, 그녀들이 내게 아무런 존재 가치가 없 는 것처럼 대하는 경우였다. 즉 그녀들은 내가 보는 앞에서 옷을 전 부 벗고서는 알몸을 드러내고서 옷을 갈아입었다. 나는 그러는 동 안에 화장대 위에 올라서 있어서 그녀들의 나신을 훤히 바라다볼 수 있었는데, 그것은 나에게 전혀 성적인 욕구를 느끼게 하는 것이 아니었고 공포감과 혐오감 외에는 아무런 감정도 일으키지 않았다. 그녀들의 피부는 가까이서 보면 아주 거칠고 울퉁불퉁했으며 여기 저기로 접시만 한 넓이의 반점이 박혔고 노끈보다도 더 굵은 털이 달려 있었다. 그러니 그녀들의 몸의 다른 부분에 대해서는 언급할 필요도 없는 거다. 그리고 그녀들은 내가 바로 옆에 있는데도 전혀 거리끼지 않고 소변을 보았다. 그 양이 엄청났는데, 큰 술통 세 개를 합쳐놓은 것보다도 더 큰 통에 엄청난 양을 쏟아내었다. 시녀 중에서 가장 예쁘고 나이는 열여섯 살이었던 여자가 가끔씩 나를 자기 젖꼭지에 걸터앉히는 장난을 하곤 했다. 그리고 그녀는 다른 짓궂은 장난도 했는데 그것을 이 책에서 자세히 언급하지 못하는 점을 아쉽게 생각한다. 그런데 나는 그녀의 그런 행동이 너무나도 역겨워서 글럼달클리치에게 다시는 그 시녀를 만나지 않도록 구실을 만들어달라고 요청하기도 했다.

어느 날 글럼달클리치의 개인 교사의 조카가 찾아와서는 사형 집행이 벌어지는데 같이 가서 보자고 청했다. 그 사람의 친한 친구를 죽인 죄인을 사형시키는 일이었다. 글럼달클리치는 원래 마음이 부드러운 소녀였기 때문에 갈 마음이 내키지 않았지만 호기심에서 개인 교사와 함께 가보기로 했다. 아주 굉장한 광경이 벌어질 것이라고 여겼던 것이다. 우리는 모두 함께 갔는데, 사형 집행을 위해서 세워놓은 처형대에 놓인 의자에 죄인이 묶여 있다가는 12미터 정도의 칼에 그의 목이 대번에 잘려나갔다. 그의 동맥과 정맥에서 엄청난 양의 피가 공중으로 솟구쳐 올라갔는데, 베르사유 궁전에 있는 큰 분수도 그것에는 비교가 되지 않을 정도였다. 그리고 그의 잘린 머리가 마룻바닥에 떨어질 때 얼마나 크게 튀었던지 내가 1천5백 미터 이상 떨어져 있었는데도 깜짝 놀라지 않을 수 없었다.

왕비는 내가 항해에 관한 이야기를 할 때면 항상 관심 있게 들었고 내가 울적해 보일 때는 갖가지로 위로해주려고 했는데, 어느 날은 내가 돛이나 노를 다룰 줄 아느냐고 물어보면서, 배를 저으면서 운동을 하는 게 나의 건강에 좋지 않겠느냐고 떠보는 것이었다. 나는 그런 것을 잘 다룰 줄 안다고 대답했다. 나의 본래 직업은 선상 의사였지만 비상시에는 보통 선원처럼 일을 해야 했다. 그런데 배를 타고 노를 젓는다는 게 어떻게 그 나라에서 가능할지 짐작할 수가 없었다. 거기에서는 제일 작은 배라도 유럽의 큰 전함의 크기와 맞먹었기 때문이다. 그런데 왕비는 내가 보트 한 척을 설계해놓는다면 왕실 직속 인부에게 시켜서 배를 만들고 그것을 띄울 장소도 만들어주겠다는 것이었다. 그 인부는 재주가 좋은 사람이었다. 내가 설계한 대로 열흘 만에 모든 장비가 갖추어지고 유럽인 여덟 명은 태울 수 있는 유람선을 완성했다. 배가 완성되자 왕비는 너무 즐거워서 그것을 치마폭에 싸서는 왕에게로 달려갔다. 왕은 조그만 물통에 물을 채워서 거기에 배를 띄워서는 배가 제대로 작동하는지 나에게 실험해보라고 했다. 그렇지만 그 물통은 너무 좁아서 노를 마음대로 저을 수가 없었다. 왕비는 그에 대비해서 생각해놓은 게 있었다. 인부를 시켜서 길이 1백 미터, 폭 15미터, 깊이 2미터 50센티 되는 나무 물통을 만들도록 했던 것이다. 그 물통의 바닥에는 마개를 열고 닫는 구멍이 있어서 물이 더러워지면 빼낼 수 있도록 되어 있었다. 이제 나는 기분전환을 하려고, 그리고 왕비와 시녀들을 즐겁게 해주려고 자주 거기에서 배를 타고 놀았다. 그녀들은 내가 솜씨 좋게 노를 젓는 것을 보고는 아주 즐거워했다. 때때로 돛을 달아 올렸는데 그럴 때면 나는 돛을 조정만 하면 되었다. 시녀들이 부채를 부쳐서 바람을 내주었기 때문이다. 시녀들이 지치면 남자들이 입으로 불어서 바람을 일으켜주었고 나는 돛을 조종했다. 그 일이 끝나면 글럼달클리치는 보트를 그녀의 방에 가져가서 못에 걸어 말렸다.

그렇게 하는 동안에 한번은 사고가 일어나서 하마터면 죽을 뻔했다. 나의 배를 긴 물통 속에 놓은 후에, 글럼달클리치와 함께 있던 개인 교사가 나를 배에 태워주려고 나를 들어올렸는데 내가 그녀의 손가락 사이로 미끄러져서 12미터 아래의 마룻바닥에 떨어지려 했던 것이다. 그런데 천만다행으로 내가 그녀의 윗도리에 꽂혀 있던 큰 핀에 걸려서 멈추게 되었다. 핀의 머리 부분이 내가 입은 셔츠와 허리띠 사이에 꽂혀서 나는 허공에 매달렸다가 달려온 글럼달클리치에게 구조되었다.

또 한번은 사흘에 한 번씩 물통의 물을 갈아주는 일을 맡은 하인이 자신도 모르게 커다란 개구리 한 마리를 물통 속에 들어가게 한 사건이 발생했다. 그 개구리는 내가 보트에 탈 때까지는 숨어 있었는데 나중에 보트를 자기 휴식처로 생각하고는 기어 올라왔다. 그때 보트가 한쪽으로 기울어져서 뒤집히지 않도록 하기 위해서 나의 몸무게를 최대한 반대 방향으로 실어 균형을 잡지 않으면 안 되었다. 개구리는 배 안으로 들어오더니 배 길이의 절반씩 펄쩍 뛰어다니고 나의 머리 위를 뛰어오르면서 나의 얼굴과 옷에 그 더러운 점액을 묻혀댔다. 개구리의 몸체가 너무도 커서 굉장히 추악스런 동물로 보였다. 나는 나 혼자서 처리하겠다고 글럼달클리치에게 말하고 나서는 노를 갖고서 한참 동안 그놈의 몸뚱이를 쳐댔다. 그랬더니 결국 녀석은 보트 밖으로 튀어 나가버렸다.

내가 그 나라에서 당했던 가장 커다란 위험은 식사 담당관이 기르던 원숭이에게서 당한 것이었다. 어느 날엔가 글럼달클리치가 그녀의 방에 나를 놔두고서는 방 열쇠를 잠그고서 볼일을 보러 밖으로 나갔다. 그런데 날이 매우 따뜻했기 때문에 방의 창문이 열려 있었다. 그리고 내가 이용하는 커다란 상자의 문과 창도 열려 있었는데, 나는 작은 상자보다는 그 큰 상자가 크고 편리했기 때문에 보통은 그 안에 들어가 있었다. 책상 앞에서 무엇을 궁리하는데 무엇인가가 방 안으로 들어와서 이리저리 뛰어다니는 소리를 들을 수 있었다. 겁이 잔뜩 났고 의자에 앉은 채로 밖을 바라다보았다. 그때 그 원숭이를 보았다. 녀석은 이리저리 뛰어다니면서 장난을 하다가는 결국은 내가 들어 있는 상자까지 와서 문과 창을 통해 나의 방을 들여다보면서 아주 신기한 듯 바라보았다. 나는 그 상자의 구석으로 피했지만 원숭이는 계속해서 이쪽저쪽으로 나를 들여다보았다. 나는 겁에 질린 채로 꼼짝 않았다. 원숭이는 얼마 동안 히죽히죽 웃으면서 들여다보더니 결국은 나를 잡으려고 앞발을 나 있는 곳으로 뻗었다. 나는 잡히지 않으려고 피했지만 결국 녀석은 나의 윗도리를 잡았고 나를 밖으로 끌어냈다. 녀석은 오른쪽 앞발로 나를 잡고서는 유모가 아기에게 젖을 먹일 때 하는 것처럼 나를 껴안았다. 나는 유럽에서 원숭이가 그처럼 새끼를 껴안는 것을 본 일이 있었다. 내가 빠져나가려고 몸부림쳤더니 녀석은 나를 더욱 세게 껴안았고 그래서 가만히 있는 것이 상책이라고 여기게 되었다. 녀석은 다른 쪽 앞발로 내 얼굴을 부드럽게 쓰다듬어주었는데, 나를 자기와 같은 종족으로 아는 듯했다. 녀석이 나를 갖고 노는 동안에 누군가가 방 문을 여는 소리가 나서 멈칫 하더니 자기가 들어왔던 창문으로 뛰어올라가서는 창살과 홈통을 잡고 나를 안은 채로 옆 건물의 지붕으로 올라갔다. 그러는 동안에 나는 글럼달클리치의 비명 소리를 들었다. 그녀는 거의 미친 상태가 되어 있었다. 내가 있던 주변은 큰 소동이 벌어졌다. 하인들이 사다리를 가지러 달려갔고 몇백 명이 지켜보는데, 원숭이는 건물의 용마루에 걸터앉아서 나를 아기처럼 안은 상태에서 자기 주머니에서 무슨 먹을 것을 꺼내더니 나의 입에 넣어주었다. 내가 먹지 않으려고 하자 나를 툭툭 쳤다. 그것을 보고 아래서 지켜보던 사람들은 웃음을 터뜨리지 않을 수 없었다. 그들을 나무랄 수는 없었다. 나를 제외하고는 모든 사람들에게 너무나 우스꽝스럽게 보였기 때문이다. 어떤 사람들은 원숭이를 내려오게 하려고 돌을 집어던졌다. 그런데 그 방법은 금지되었다. 내 머리가 박살날지도 모르기 때문이다.

사다리가 놓이고 몇몇 사람이 기어 올라왔다. 원숭이는 그것을 보고는 이제 자기가 포위되었다는 사실을 인식했고 세 발만으로는 빨리 달릴 수 없다는 것을 알았는지 나를 용마루에 떨어뜨려놓고는 도망쳤다. 나는 그 자리에 꼼짝 않고 있어야 했다. 높이가 땅에서 1백50미터나 되었고 잘못하다가는 바람에 날려갈지도 모를 일이고 현기증이 나서 굴러 떨어질지도 모를 일이었다. 결국은 글럼달클리치의 하인 중 한 사람이 기어 올라와서 나를 바지 주머니에 넣고서는 안전하게 아래로 데리고 갔다.

나는 원숭이가 나를 꽉 껴안는 통에 온몸에 멍이 들어서 2주 동안 누워 있어야 했다. 왕과 왕비는 매일 사람을 보내서 나의 안부를 물었고 왕비는 여러 번 직접 문병해주었다. 그 원숭이 녀석은 죽여버렸고 앞으로 다시는 그런 짐승을 궁궐에서 기르지 못하도록 하라는 명령이 떨어졌다.

내가 건강을 찾은 다음에 그동안에 친절을 베풀어준 것에 대해서 고맙다는 말을 하려고 왕을 찾아갔는데, 왕이 그 사건에 대해서 이것저것 물으면서 나를 놀려댔다. 내가 원숭이에게 안겨 있는 동안에 무엇을 생각했는지, 원숭이가 준 음식이 맛이 좋았는지, 그것을 어떻게 먹었는지, 지붕 위의 좋은 경치가 입맛을 돋우었는지 등을 묻는 것이었다. 그리고 나의 조국인 영국에서 그런 일이 일어났더라면 어떻게 했겠는지에 대해서도 물었다. 나는, 유럽에는 원숭이라는 동물이 원래는 없고 단지 외국에서 들여온 것뿐인데 그놈들의 크기가 작기 때문에 그것들이 나를 공격하더라도 한 번에 열 마리 정도는 당해낼 수 있다고 했다. 그리고 나를 갖고 놀았던 그 코끼리만 한 원숭이가 나의 방에서 앞발을 내밀었을 때 내가 칼을 사용했더라면(이 말을 하면서 칼자루를 손으로 툭 쳤다) 원숭이에게 잡히지 않았을 것이라고 했다. 나는 거기에 있는 사람들이 나의 용기를 의심할까 봐 그 말을 할 때 단호한 어조로 말했다. 그렇지만 나의 말은 웃음밖에 자아내지 못했다. 왕의 주위에 있던 사람들이 왕에 대한 경의 때문에 참으려고 했지만 저절로 웃음이 터져나왔던 것이다. 그래서 나는, 사람은 자기와는 비교도 되지 않는 작은 생물이 아무리 진지하게 말을 하려고 해도 그것을 무시한다는 사실을 알게 되었다.

나는 여러 가지로 재미있는 화젯거리를 궁궐에 만들어냈다. 그리고 글럼달클리치는 나를 아주 사랑하기는 했지만 장난기가 많아서인지 내가 왕비를 웃기게 할 만한 일이 발생하면 그것을 그대로 말해주었다. 어느 날에 그녀는 몸이 개운하지를 못해서 바람을 쐬려고 개인 교사와 함께 도시에서 한 시간쯤 거리에 있는 50킬로 떨어진 곳으로 갔다. 그녀들은 들판에 작은 오솔길이 나있는 곳에서 멈추었다. 글럼달클리치가 나의 여행용 상자를 내려놓아주었고 나는 밖으로 나와서 산책을 했다. 그런데 그 좁은 오솔길에 쇠똥이 하나 있었다. 나는 그것을 뛰어넘어서 나의 도약을 시험해보려고 했다.

힘껏 달려서 넘어보려 했지만 넘지 못했고, 결국 소똥 한가운데 떨어져서 무릎까지 빠지고 말았다. 힘들게 빠져나오지 않을 수 없었다. 하인 한 사람이 손수건으로 닦아주기는 했지만 더러운 똥으로 범벅이 되었다. 글럼달클리치는 궁궐로 되돌아갈 때까지 나를 상자 안에 가두어두었다. 왕비는 곧 그 소식을 전해 들었고 모든 사람들이 그 이야기로 인해서 한참 동안 재미있어 했다.

6장

저자가 왕과 왕비를 즐겁게 하기 위해서 몇 가지 도구를 만든다. 저자가
악기 다루는 솜씨를 보인다. 왕이 유럽의 정세에 관해서 질문하며 저자가
답해준다. 그것에 대해서 국왕이 논평을 한다.

나는 일주일에 한두 번씩 아침에 국왕을 찾아갔는데 그런 때면
이발사가 왕의 면도를 해주는 것을 볼 수 있었다. 처음 볼 때는 정
말 겁이 났다. 면도칼이 유럽의 큰 낫보다 두 배는 컸기 때문이다.
왕은 그 나라의 관습에 따라서 일주일에 두 번 면도를 했다. 나는
언젠가는 이발사에게 부탁해서, 면도를 하고 난 다음에 비누 거품
을 얻었는데, 거기에서 가장 큰 수염 40개에서 50개쯤을 골라냈다.
그 다음에는 반들반들한 목재를 하나 구해가지고 그것을 깎아서 빗
의 등을 만들었고 글럼달클리치에게 아주 가는 바늘을 하나 달라고
해서는 나무에 동일한 간격으로 구멍을 팠다. 다음에 칼로 수염 하
나를 다듬어서는 끝을 가늘게 만들었고 구멍에 박아넣어서 쓸 만한
빗을 만들었다. 그것이 아주 유용한 물건이 되었다. 왜냐하면 전부
터 쓰던 빗은 이가 빠져서 거의 쓸모없었기 때문이다. 그리고 나에
게 쓸 만한 정교한 빗을 만들어줄 사람이 그 나라엔 없었다.

그것뿐이 아니고 나는 한가한 시간을 이용해서 이런저런 물건을
만들어내는 취미를 가졌다. 한번은 왕비의 시녀에게 부탁해서, 왕
비의 머리를 빗을 때 머리카락을 모아달라고 부탁했다. 머리카락이

상당히 모이자 나와 친하게 지내던 목수와 상의해서는 의자의 형태를 두 개 만들어달라고 부탁했다. 그는 나를 위해서 이런저런 일을 해주도록 지시를 받고 있었다. 의자의 크기는 내가 사는 상자 안의 의자보다 크지는 않도록 했고 등받이가 있는 부분에 가는 송곳으로 구멍을 연달아서 파달라고 했다. 그 구멍으로 가장 튼튼한 머리카락을 끼워 넣어서 등 받침이 있는 의자를 만들었다. 그것을 완성하자 왕비에게 선물로 바쳤다. 왕비는 그것을 진열장에 전시하고서는 사람들에게 구경시켜주었다. 모든 사람들이 그것을 보고는 감탄해 마지않았다. 왕비는 나에게 그 의자에 앉아보라고 했지만, 나는, 한때 왕비의 머리에 달려 있던 그 소중한 머리카락에 내 신체의 가장 더러운 부분을 대느니 차라리 죽음을 선택하겠다고 하면서 거절했다. 나는 이런저런 물건을 만드는 데 소질이 있었기 때문에, 왕비의 머리카락을 이용해서 작은 지갑도 하나 만들었고 거기에 금색으로 왕비의 이름을 새긴 다음에, 왕비의 허가를 얻어서 글럼달클리치에게 주었다. 그것은 실제로 이용하려는 것이라기보다는 장식용이었다. 너무 약해서 주화의 무게를 견디기에는 적절치 않았던 게다. 그래서 글럼달클리치는 자기가 좋아하는 장난감 외에는 다른 것은 넣지 않았다.

왕은 음악을 좋아했는데 그래서 궁궐에서 자주 음악회를 열었다. 왕은 나도 이따금씩 함께 데리고 갔고 내가 들어 있는 상자를 탁자위에 놓고서는 음악 감상을 할 수 있도록 했다. 그런데 소리가 너무커서 무슨 소리인지 분간할 수도 없었다. 영국의 육군 군악대의 모든 북과 나팔을 나의 귀에 바짝 대고 한꺼번에 울려댄다고 하더라도 그 소리에는 미치지 못할 거다. 그래서 나는 연주자들이 있는 곳에서 될 수 있는 한 멀리 떨어져서 나의 상자를 갖다놓도록 부탁했고 문과 창을 모두 닫고는 음악 소리를 들어보았는데 그제야 어느 정도 들을 만했고 실제로 그 소리가 나쁘지는 않았다.

나는 어릴 때 스피넷이라고 부르는, 피아노 비슷한 악기를 조금 배운 일이 있었다. 글럼달클리치가 스피넷처럼 생긴 악기를 자기 방 안에 갖고 있었고 선생이 일주일에 한 번씩 와서 가르쳐주었다. 나는 그 악기로 영국의 곡을 연주하여 왕과 왕비를 즐겁게 해주고 싶은 생각이 났지만 아주 어려운 일이었다. 그 악기는 길이가 18미터에 이르고 건반 하나의 넓이가 30센티나 되었기 때문이다. 그러니 내가 팔을 힘껏 뻗어보아도 건반은 다섯 개 이상 닿을 수가 없었고 그것을 누르려면 온힘을 다해서 내리쳐야 하는데 너무 힘들었다. 그래서 이런 방법을 고안했다. 즉 곤봉만 한 크기의 막대기를 두 개 준비하여 그것의 한쪽 끝은 반대쪽보다 굵게 만들었고 그곳을 쥐가죽으로 감았다. 그것으로 건반을 치면 손도 다치지 않고 음질도 곱게 낼 수 있을 것이기 때문이다. 악기 앞에는 건반보다 1백20센티 낮게 길쭉한 벤치를 놓게 했고 내가 거기에 올라섰다. 거기에서 이쪽저쪽으로 힘껏 달려가면서 두 곤봉으로 건반을 두들겨서 무도곡을 연주했다. 왕과 왕비는 매우 즐거워했다. 그렇지만 그것은 내가 평생 한 것 중에서 가장 격렬한 운동이었다. 그리고 건반은 16개 이상 칠 수 없었고 다른 연주자들이 하는 것처럼 고음부와 저음부를 동시에 두드릴 수도 없었다. 그것이 내 연주에서 가장 커다란 결함이 되었다.

앞에서도 언급했듯이 왕은 아주 명석한 사람이었고 나를 자주 그에게 오게 했다. 그럴 때 나는 상자 속에 들어 있는 채로 왕의 방으

로 운반되어 테이블 위에 놓였다. 다음에 왕은 나의 상자에서 의자를 하나 꺼내고는 캐비닛 위에 내가 왕에게서 3미터 정도 떨어져서 앉게 했다. 그렇게 하면 왕의 얼굴과 거의 같은 높이에서 왕을 바라다볼 수 있었다. 그런 상태에서 왕과 여러 번 대화를 나누었다.

나는 어느 날 주제넘은 말을 했다.

"전하께서 유럽이나 기타 다른 나라들에 대해서 멸시하는 태도를 보이시는데 그것은 전하의 넓으신 마음에는 어울리지 않는 것이옵니다. 이성의 힘은 신체의 크기에 비례하는 것도 아니오며 저희 나라 영국에서는 키가 큰 사람이 더 미련한 경우가 많사옵니다. 동물 중에서도 벌이나 개미가 다른 체구가 큰 동물보다 더 부지런하고 영리하다고 알려졌사옵니다. 전하께서는 저를 하찮은 존재라고 생각하시지만 언젠가는 전하께 저도 큰일을 해드릴 수 있는 기회가 올 것이옵니다."

왕은 내 얘기를 듣고는 이제 그전보다 나를 더 중시하기 시작했다. 그는 영국의 정치에 관해서 나에게 자세한 설명을 해보라고 했다. 왕이 그 나라의 관습에 따라서 통치하기는 하지만 나의 말을 들어보고 나서 본받을 만한 게 있다면 참고하겠다는 것이다.

그때 내가 데모스테네스나 키케로와 같은 훌륭한 웅변술이 있었으면 하고 얼마나 바랐는지 독자들은 짐작할 수도 있을 거다. 그랬더라면 나의 사랑하는 조국에 관해서 미사여구를 동원하여 자랑할 수 있었을 것이다.

나는 우리 영국의 영토가 두 섬으로 구성되고 세 왕국으로 이루어져 하나로 통치되는데, 미국에도 식민지가 있다고 말해주면서 설명을 하기 시작했다. 영국 땅의 비옥함이나 기후의 온화함에 관해서도 설명했다. 다음에 영국의 의회에 관해서 얘기해주었고, 그것은 양 원으로 구성되었는데, 상원은 유래가 깊은 귀족들로 이루어진다고 알려주었다. 그리고 나서 이렇게 나의 설명이 이어졌다.

"상원의원들의 학술과 무술 교육을 위한 여러 가지 제도가 마련되어 있사옵니다. 그들은 왕과 국가를 위한 자문 역할도 하기 때문에 그러한 자격을 갖추도록 되어 있사옵니다. 그들은 입법을 하는 사람들이고 최고법원을 구성하며 국왕과 국가를 지킬 전사가 될 자질을 키우게 되옵니다. 그들은 영국의 방패가 되고 우리 조상들의 훌륭한 이름에 부끄럽지 않은 후계자들이오며 아무도 그 이름을 더럽히는 일은 없사옵니다. 그리고 주교라는 직함을 가진 일부 사람들이 상원의원이 되는데 그 사람들은 종교에 관여하고 일반인들의 종교 교육을 담당하는 사람들을 지도하는 임무를 띠고 있사옵니다. 상원의원이 되는 주교들은 뛰어난 학식과 품위를 갖춘 사람 중에서 선발되옵니다. 그 사람들은 모든 성직자와 일반 국민의 정신적인 지주로서 추앙받사옵니다. 상원에 이어 하원이 있사온데, 그 구성원은 모두 자질을 갖춘 사람들이오며, 국민이 자유로운 투표를 통해서 선출한 사람들이옵니다. 상원과 하원이 유럽에서 가장 권위 있는 의회를 구성하오며 의회에서 모든 법이 제정되옵니다."

그 다음에 여러 심판소에 관해서 설명했다. 거기에서는 자격을 갖춘 사람들이 일반 사람들의 권리나 재산권의 분쟁을 조정하기도 하고 나쁜 자들을 처벌하기도 하며 죄 없는 사람들을 보호하기도 한다고 일러주었다. 그리고 영국의 재무 관할 당국의 효율적인 운영에 관해서, 그리고 육군과 해군의 용맹스러움과 공적에 관해서도 말해주었다. 각 종교의 교파에 속하는 사람들이 몇 명이나 되는지,

그리고 각 정당에 속하는 사람이 몇 명이나 되는지 알려줌으로써 영국의 인구가 얼마나 된다는 사실을 설명했다. 영국의 스포츠나 오락 등에 관해서도 말해주었다. 그리고 영국에서 과거 1백 년에 걸쳐서 일어났던, 역사적인 사실을 설명했다.

그러한 대화는 다섯 차례 나누었는데 매번 여러 시간 이어졌다. 왕은 모든 이야기를 주의 깊게 들었으며 내가 말하는 것을 기록해 가면서 나에게 질문하고 싶은 것도 체크해놓았다.

나의 긴 이야기가 끝났을 때 왕은 여섯 번째 대화에서, 자기가 적어놓은 것을 참조하면서, 의심되는 점에 대해서 질문하고 이의를 제기했다. 젊은 귀족들이 심신을 단련하는 데 어떤 방법을 사용하는지, 그리고 교육받기 적합한 인생의 초기에 그들이 무엇을 하고 지내는지 물었다. 그리고 상원의원의 가문이 끊기는 경우에 그들을 보충하려고 어떤 방법을 이용하는지, 새로운 사람을 상원의원으로 격상시키는 경우에 어떤 방법을 취하는지, 그러한 격상의 과정에서 국왕의 사사로운 감정이나 궁정의 어떤 관리에게 바치는 뇌물의 액수나 자기의 파벌을 강화하려는 음모 등이 작용하지는 않는지, 재판을 담당하는 귀족은 국민을 공정하게 판결할 수 있어야 하는데 그들이 나라의 법에 대해서 얼마나 알며 어떤 과정으로 그것을 배우며 그리고 그들이 탐욕이나 편견에 물들지 않고서 재판을 할 수 있는지, 성직자인 상원의원들은 그들의 종교에 관한 학식이나 모범적인 행동으로 인해서 그 자리에 올라가는지, 그들이 신분이 낮은 성직자였을 때 어떤 귀족 휘하의 성직자로 있었기 때문에 상원의원이 된 다음에도 그 귀족을 추종하는 일이 없는지 등에 대해서 묻는 것이었다.

왕은 다음과 같은 것에 대해서도 물었다. 하원의원들은 어떻게 해서 선출되는지, 돈을 많이 가진 자가 그 지방에서 가장 훌륭한 인재를 제치고서 돈으로 당선되는 일은 없는지, 하원의원이 되려면 돈이 많이 들고 당선되기도 힘들고 집안이 파산할 수도 있고 월급도 없고 연금도 없다고 했는데 그들이 왜 하원의원이 되려고 기를 쓰는지 물었다. 그처럼 의원이 되려고 열을 내는 사람들이 일단 당선되면 대중의 이익은 접어두고 왕의 비위에 영합하는 데 안달이 나고 부패한 관리들과 결탁하여 선거로 인해 들어갔던 돈이나 노고를 되찾으려고 혈안이 되지는 않는지도 알려고 했다. 왕은 그러한 문제에 관해서 나에게 계속 질문을 해대었고 이의를 제기했기 때문에 여기에 그것에 관해서 일일이 서술한다는 게 현명하지는 않을 것이다.

내가 이야기한 영국의 재판에 관해서 왕은 더 자세히 알려고 했다. 그에 대한 답을 나는 잘 해줄 수 있었다. 왜냐하면 내가 한때 오랜 소송 사건으로 인해서 거의 파산할 정도까지 갔었기 때문이다. 결국 승소했지만 막대한 돈이 들어갔다. 왕은 판결을 하는 데 시간은 얼마나 걸리는지, 그리고 비용은 어느 정도 드는지 물었다. 원고와 피고는 재판에서 공정하게 자기 의견을 말할 자유가 있는지, 판결에서 종교상 파벌이나 정당이 관여하지 않는지, 변호사는 교육을 충분히 받은 사람인지, 재판관은 법을 자기 임의대로 해석할 수 있을 터인데 그들이 그러한 법을 만드는 데 관여하는지, 재판관이 판결을 할 때 판례를 이용하는 일은 없는지, 재판관들은 부유한 사람인지 가난한 사람인지, 재판관들이 어떠한 보수를 받는지 등에 대해서도 물었다.

왕은 영국의 국가 재정에 대해서도 물었다. 영국의 세수입이 연간 5백만 파운드에서 6백만 파운드 정도 된다고 하더니 지출에 대해서 얘기할 때는 그 배는 되는 것으로 얘기하는데, 따라서 나의 계산이 엉터리가 아닌가 하고 이의를 다는 것이었다. 왕은 내가 말하는 영국의 재정 상태를 잘 알아서 자기 나라에서 도움이 되는 점을 발견하기를 바랐기 때문에 이 점에 관해서는 특히 더 따졌다. 내가 말한 것이 사실이라면 영국이 개인과 마찬가지로 파산할 수도 있다는 결론인데 어떻게 그런 일이 일어날 수 있는지 알 수 없다는 것이었다. 왕은 영국 국가의 채권자는 누구며 그에게 갚을 돈을 어떻게 구하는지 물었다. 왕은 막대한 돈이 들어가는 전쟁에 관한 얘기를 듣고는 크게 놀라면서, 그것이 사실이라면 영국이나 다른 나라 사람들이 전쟁을 좋아하는, 아주 고약한 사람들일 것이라고 했다. 무역을 하거나 조약을 체결하거나 바다를 방어하는 일이 아니라면 바다 밖으로 나갈 일이 뭐가 있겠냐고 했다. 왕은 우리가 평화로운 시절에도 군대를 둔다는 사실을 알고는 놀랐다. 우리가 자유롭게 뽑은 대표자들에 의해서 통치되고 우리의 합의에 따라서 통치된다면 우리가 누구를 두려워해야 하며 누구와 전쟁을 해야 하는지 도무지 상상이 되지 않는다는 것이었다. 그리고 영국인들이 개인의 집을 지키려고 부랑자 같은 사람들 대여섯 명을 모집하여 적은 보수를 준다는 데 대해서는, 그런 일은 가족들끼리 하는 것이 낫지 않겠느냐며, 그런 부랑자들이 주인의 목을 베어서 백 배는 더 이익을 챙길 수도 있지 않겠느냐고 반문하는 것이었다.

왕은 또한 영국인이 사회에 대해서 반대되는 사상을 갖고 있을 때 그것을 바꾸라고 강요하는 이유가 무엇인지를 물었다. 그러한 사람들은 자기 혼자서만 그것을 간직하면 된다는 것이었다. 어떤 정부라고 할지라도 어느 개인의 사상을 바꾸도록 하는 것은 독재라는 것이다. 각자가 자기 방에 독약을 보관하는 것은 자유고 다만 그것을 다른 사람에게 강심제라고 팔지만 않으면 된다는 것이었다.

내가 영국의 귀족들이나 돈많은 사람들의 오락에 대해서 설명할 때 도박도 그중 하나라고 말해주었는데, 왕은 이것에 관해서도 질문했다. 그러한 사람들이 언제부터 도박을 시작하고 언제 그만두게 되는지 물었다. 도박을 하는 데 얼마나 시간을 낭비하는지, 도박으로 파산하는 일은 없는지, 못된 인간들이 도박술로 큰 재산을 모아서는 귀족들조차도 부하로 삼고서 사악한 도박꾼으로 만들고 결국은 그 귀족들이 심신을 단련하는 일은 완전히 접어버리고 도박 기술을 배워서 다른 사람들의 돈을 갈취하는 일은 없는지 알고 싶어했다.

내가 영국에서 과거 백 년 동안에 일어난 일에 대해서 이야기하자 왕은 크게 놀랐고, 그것이 음모, 반역, 학살, 혁명, 추방 등의 연속이며 위선, 배신, 탐욕, 당쟁, 증오, 질투 등으로 얼룩진 것이라고 논평해주었다.

왕을 다음에 다시 만났을 때 그는 내가 여태껏 말해왔던 것에 대해서 요약하고 자기가 나에게 했던 질문과 나의 답변을 비교 분석해보았다. 그러고 나서 나를 자기 손에 올려놓고는 부드럽게 어루만지면서 이런 말을 했다.

"나의 조그만 친구여, 자네는 자네 조국에 대해서 칭찬을 했네. 고관이 될 조건은 사악한 마음씨라는 점을 입증해주었네. 법을 악용하는 데 능력이 있는 사람이 재판관이 된다는 사실도 입증해주었네. 자네 나라에서는 어떤 제도가 시작은 훌륭했지만 결국에는 부패로 인해서 빛이 바랜 걸로 보이네. 자네가 말한 것으로 볼 때 어떤 사람이 어떤 지위를 얻는 데는 그 방면의 학식으로 얻는 것 같지도 않고, 귀족들은 훌륭한 인격 덕분에 귀족이 되는 것 같지도 않고, 성직자들은 신앙심이나 학식으로 인해서 진급하는 것 같지도 않고, 군인은 국가에 대한 충성심으로 진급하는 것 같지도 않고, 재판관은 훌륭한 판결을 했다고 승진하는 것 같지도 않고, 의회의 의원들은 애국심으로써 그 자리로 올라가는 것 같지도 않네. 자네는 여러 해 동안 이곳저곳으로 떠돌아다니면서 보냈으니 자네 나라의 악에 물들지 않았으면 하네. 내가 자네 이야기를 들어보고 판단한 바로는, 자네 나라의 인간들은 자연이 이제껏 이 지구상에서 기어다닐 수 있게 만들어준 벌레들 중에서도 가장 고약한 벌레들이라고 결론내릴 수밖에 없네."

7장

저자의 애국심에 관해서 언급한다. 저자가 왕에게 좋은 제안을 하지만 거절당한다. 왕이 정치에 관해서 무지하다는 사실을 보인다. 그 나라의 학문이 아주 불완전하고 제한되어 있다는 점이 드러난다. 그 나라의 법률과 군대에 관해서 언급한다.

내가 앞에서 언급한 얘기들을 감추지 않고서 드러내는 이유는 나 자신이 진실을 사랑하기 때문이다. 나는 왕의 말에 노여움을 표했지만 아무런 소용도 없었다. 내가 화를 내봐야 우스갯거리밖에 되지 않았기 때문이다. 그래서 내가 가장 사랑하는 조국이 놀림을 당하는 동안에 나는 참을 수밖에는 없었다. 그렇게 된 게 정말 유감스러운 일이다. 그런데 그 왕은 호기심이 매우 강해서 내가 아는 모든 것에 대해서 말하지 않을 수 없었고 그의 호기심을 충족시켜주지 않는다면 나는 그의 은혜에 배신하는 일이 될 것이다. 그런데 나 자신에 대한 변명으로서 이런 말은 할 수 있다. 즉 나는 왕의 정곡을 찌르는 질문을 교묘한 방식으로 회피했고 왕의 질문에 대해서 좋은 답변만을 한 것이다. 왜냐하면 나는 항상 조국에 대한 애국심을 품고 있었고 가능한 한 내 조국 편을 들었던 게다. 나는 내 조국의 정치상 허점이나 결함은 될 수 있는 대로 숨겼고 장점이나 아름다움을 될 수 있으면 돋보이게 하려 했다. 그러한 시도가 결국에는 실패로 끝나기는 했지만 왕과 나눈 대화에서 내가 가장 힘들어한 것이 그 부분이었다.

그런데 그 나라는 다른 세계와는 동떨어져 있어서 그 왕은 다른 나라의 생활 방식이나 관습에 대해서는 전혀 무지하다는 사실을 참조해야 할 것이다. 그와 같은 지식이 없기 때문에 항상 편견이 생기는 것이다. 유럽인들은 그러한 편견이 거의 없다. 그러니 그처럼 동떨어진 나라의 왕이 갖고 있는 사상이 모든 인류가 지녀야 하는 것으로 강요된다면 그것은 재앙이 될 수도 있을 게다.

내가 말한 것에 대해서 독자들에게 확인해주려고 다음과 같은 이야기를 삽입하고자 한다. 나로서는 국왕의 나에 대한 호감을 증대시키려고, 3, 4백 년 전에 발명된 일종의 화약 제조에 관한 얘기를 왕에게 했다. 그 화약 덩어리에 작은 불꽃이 떨어지면 순식간에 전체에 불이 붙으면서 천둥 소리보다도 더 큰 소리와 함께 요란한 진동을 일으키면서 공중으로 솟구쳐 오른다. 쇠로 만든 원통 속에 화약을 적절히 넣고 불을 붙이면 쇳덩어리를 커다란 힘과 속도로 튀게 만들어서 어느 것으로든 그것을 막을 수가 없게 된다. 그런 식으로 발사된 가장 큰 포탄은 한순간에 군대의 병력을 파멸시켜버릴 수 있고 튼튼한 성벽도 무너뜨려버리며 전함을 바다에 침몰시킬 수 있다. 그것이 폭발하면 보도를 파헤치고 집이 산산조각이 나며 사방으로 날아가는 파편에 맞아서 근처에 있는 사람들의 몸이 찢어진다. 나는 그러한 화약의 성분에 대해서 알았는데, 값싸고 손쉽게 구할 수도 있는 것이다. 나는 그것을 배합하는 방법도 알고 그 나라 사람들을 지휘해서 화약이 들어가는 커다란 원통을 만들게 할 수도 있었다. 길이가 60미터 이상까지는 될 필요가 없었다. 그러한 원통을 20개나 30개쯤 만들어서 거기에 화약을 넣으면 그 나라에 있는 가장 튼튼한 성벽도 순식간에 부술 수 있을 것이며 수도의 시민들이 왕의 통치에 불만을 품고서 반란을 일으킨다면 수도를 몽땅 파괴해버릴 수도 있다. 나는 왕에게 내가 받은 은혜에 보답하려고 그러한 제안을 국왕에게 했다.

내가 그런 무서운 장치에 관해서 설명하고 그런 것을 만들자고 제안했을 때 왕은 겁에 질린 것처럼 보였다. 나와 같은 힘없고 땅바닥에서 기어다니는 벌레(그는 나를 때때로 '벌레'라고 일컫기도 했다)가 어떻게 그러한 잔인한 생각을 할 수 있는지, 내가 언급한 그러한 무시무시한 장면을 그렇게 태연하게 말할 수 있는지 도저히 이해되지 않는다는 것이었다. 그러한 화약은 인류와는 원수인 어떤 악마가 최초에 만들었을 것이 틀림없다고 했다. 인위적인 것이든 자연적인 것이든 어떤 발명은 좋은 경우가 많기는 하지만, 그 화약에 대한 비밀을 알게 되느니 차라리 왕국의 절반을 포기하는 것을 택하겠다고 했다. 그리고 나의 목숨이 아깝다면 그런 말은 다시는 입 밖에 꺼내지 말라고 했다.

그것은 사실 편협한 사고의 결과였다. 온 국민의 존경과 사랑을 받을 자질을 갖추고 있고 심오한 학식과 지혜를 갖추었으며 뛰어난 통치력으로 모든 국민의 추앙을 받는 군주가 유럽인들은 전혀 갖지 못할 사소한 우려로 인해서 그 나라의 국민의 생명과 재산을 보전할 수 있는 기회를 날려버린 것이다. 내가 이렇게 말한다고 해서 왕의 미덕을 격하할 의도는 전혀 없다. 영국인의 눈으로는 그의 인품이 별볼일 없어 보일 것이라는 점에 대해서도 나는 안다. 그렇지만 왕의 그러한 결함은 무지에서 생겨난 것이고, 유럽의 여러 나라와는 달리 그 나라에서는 정치를 학문으로 완성시켜놓지 않았기 때문이라고 나는 생각한다. 지금도 기억하는데, 어느 날 왕과 대화하는 도중에 우리 영국에는 정치에 관해서 쓴 책이 몇천 권이나 있다고 말했더니 그 왕은 영국 사람들이 머리가 아주 나쁘다고 얘기하는 것이었다. 정치에서의 음모나 술수에 관해서 자기는 그런 것들을 멸시하고 증오한다고 했다. 그 왕은 통치에 관한 지식을 아주 좁은 범위, 즉 상식이나 이성, 정의나 관용, 재판의 신속한 판결 등에 국한했다. 그리고 이전에는 하나의 보리 이삭이 자라던 땅에 보리 이삭 두 개가 자라게 할 수 있는 기술을 발명한 사람이 있다면 그러한 사람이 모든 정치꾼들을 합한 사람보다 더 중요한 사람이며 인류에게 봉사할 수 있는 사람이라는 것이 그의 지론이었다.

그 나라의 학문은 아주 불완전한 것으로, 윤리와 역사, 시문학, 수학으로 이루어졌다. 그렇지만 그런 분야에서는 그들이 아주 뛰어나다는 점을 인정해야겠다. 그런데 마지막으로 언급한 수학은 오직 생활에 필요한 경우, 즉 농업이나 기계 기술의 발전에만 이용되었다. 그러니 유럽인들에게는 그것이 보잘것없는 것으로 보일 것이다. 어떤 추상적 관념이라든가 초월적인 존재 같은 것에 대해서는 그들에게 납득시킬 수가 없었다.

그 나라의 알파벳은 22개로 이루어졌는데 그 나라의 모든 법조문이 22개의 단어를 초과하지 못하도록 되어 있었다. 그리고 실지로 긴 법조문은 거의 없었다. 모두 간단한 말로 표기되었는데, 그들은 법조문에 대해서 한 가지 이상의 해석을 붙일 만큼 명석한 두뇌도 갖지 못했다. 사실 어떤 법조문에 상상적인 해설을 덧붙인다는 것은 그들로서는 이해하기 힘든 일이다. 재판의 판결에 있어서 어떤 특이한 사실이 없었기 때문에 그 방면에서 그들의 재주를 보일 여지가 거의 없었다.

그들에게는 중국인들처럼 아주 오랜 옛날부터 인쇄술이 있었다. 그런데 도서관은 큰 것이 별로 없었다. 가장 큰 왕립도서관도 장서의 수가 1천 권을 넘지 못했다. 책은 길이가 4백 미터 되는 긴 실내에 놓여 있었는데 나는 아무 책이든지 볼 수 있는 권리가 있었다. 내가 책을 볼 수 있도록 높이가 8미터 되는 사다리 같은 것을 만들어서 글럼달클리치의 방에 설치해주었다. 내가 읽고 싶은 책이 있으면 책을 벽에 기대어놓은 다음에 사다리의 제일 높은 곳에 올라가서 얼굴을 책이 있는 곳으로 돌리고는 한쪽 상단에서 시작하여 사다리를 걸어다니면서 읽어나갔다. 그러다가 내 눈의 높이보다 낮은 곳에 이르면 사다리 밑으로 내려가서 읽고 그런 식으로 해서 바닥에 이를 때까지 읽어나갔다. 다음에 다시 위로 올라가서 다음 페이지를 읽고 책장을 넘겼다. 책장을 넘기는 일은 두 손으로 비교적 쉽게 할 수 있었다. 책장의 두께가 판지 정도로 가장 큰 책장도 길이가 6미터 이상은 되지 않았기 때문이다.

그들의 글은 호쾌하고 유려했다. 그렇지만 화려한 면은 없었다. 왜냐하면 그들은 쓸데없는 미사여구를 쓰거나 이리저리 표현을 바꾸는 것을 기피했기 때문이다. 나는 그들의 책을 여러 권 읽었고 특히 역사나 윤리에 관한 책을 탐독했다. 그 가운데서도 오래된 작은 책 한 권을 좋아했다. 그것은 글럼달클리치의 방에 항상 놓여 있었고 원래는 그녀의 개인 교사의 것이었다. 그 개인 교사는 점잖은 중년 여자였는데 윤리나 신앙에 관한 책을 좋아했다. 그 책은 인간의 약점에 관해서 언급했고 일부 사람들을 제외하고는 널리 알려지지 않았다. 그런데 나는 그 책의 저자가 하고자 하는 말에 대해서 관심이 있었다. 그 책에서는 유럽의 윤리가들이 흔히 다루는 모든 주제에 관해서 언급했고, 인간이 얼마나 왜소하고 무력한 동물인지, 인간이 냉혹한 기후나 사나운 맹수에게서 자기를 방어하기에 얼마나 무능한 동물인지에 관해서 말했다. 인간은 어떤 동물에게는 힘에서, 또 다른 동물에게는 속도에서, 또 어떤 동물에게는 부지런함에서 뒤진다고 했다. 그리고 지금의 쇠퇴해가는 세상에서 자연도 더불어 퇴화해, 옛날에 비해서 지금은 조그만 인간밖에 나오지 못하게 되었다고 평했다. 또한 그 책의 저자는 인간은 원래는 지금보다 훨씬 컸으며 이전 시대에는 거인 같은 인간들이 살았다고 일컬었다. 그것은 역사책 같은 것에서 입증할 뿐 아니라 지금의 인간보다 훨씬 큰 뼈나 두개골이 그 나라의 이곳저곳에서 출토되는 것으로 보아서도 알 수 있다고 했다. 인간은 원래는 지금보다 더 크게 만들어졌어야 하고, 지붕에서 기와가 떨어진다든가, 누가 던지는 돌에 맞는다거나, 얕은 시냇물에 빠진다거나 하는 경우에 목숨이 위태해지지 않도록 되어 있어야 한다고 주장했다. 저자는 그런 식으로 해서 인간이 일상생활을 하는 데 필요한 교훈을 여러 가지 도출해놓았는데 여기에 그것에 관해서 일일이 나열할 필요는 없을 것이다. 나로서는 인간과 자연 사이의 투쟁에서 얼마나 많은 교훈, 아니 불만거리가 나타났는지 곰곰 생각해보지 않을 수 없었다. 그리고 그러한 투쟁이 있다는 것은 그 거인들에게나 우리 같은 보통 사람들에게나 별로 바람직하지 않다고 보았다.

그들의 군대는 보병 17만 6천 명과 기병 3만 2천 명으로 이루어졌다. 그들을 진짜 군대라고 부를 수 있는지 모르겠다. 왜냐하면 군인들이 여러 도시의 상인들과 시골 농부들로 구성되었고 아무런 보수도 없이 귀족이나 상위 계층의 지휘를 받았기 때문이다. 그런데 군인들의 훈련은 완벽해 보였고 기강도 엄했다. 그것이 크게 내세울 일은 아닌 듯했다. 농부들은 지주의 지휘 하에 있고, 시민들은 이탈리아 베니스에서처럼 투표로 선출한 대표자들의 지휘 하에 있기 때문에 그럴 수밖에 없는 것이다.

로브럴그러드의 군인들이 30제곱킬로미터나 되는 넓은 벌판에 소집되어서 훈련을 받는 모습을 나는 여러 번 보았다. 실지로는 그 숫자가 다 합해도 보병 2만 5천, 기병 6천은 넘지 않았지만 그들이 차지하는 땅이 너무 넓었기 때문에 나로서는 그들의 숫자가 얼마나 되는지 짐작할 수가 없었다. 큰 말에 탄 기병의 높이가 27미터는 되었다. 그들 기병 전부가 한 사람의 명령 하에 일시에 칼을 빼들고서 휘두르는 장면을 나는 볼 수 있었다. 그처럼 장엄하고 경이로운 광경은 다른 곳에서는 도저히 상상할 수 없는 것이었다. 마치 하늘에서 몇천 개의 번갯불이 한 번에 번쩍이는 것처럼 보였다.

사실 다른 나라에서 누가 쳐들어올 염려도 없는데 그 나라가 어떻게 해서 군대를 두게 되었고 군사 훈련을 실시하는지 궁금하지 않을 수 없었다. 그런데 사람들과 얘기를 나눠보고 역사책을 읽어가면서 그에 대한 의문이 풀리게 되었다. 그들 나라 사람들도 다른 모든 인간이 걸리는 병, 즉 귀족들은 서로가 권력을 얻으려고 하고 국민은 자유를 확보하려고 하며 왕은 절대적인 통치력을 가지려고 하는 투쟁을 끊임없이 해왔던 게다. 그러한 투쟁이 나라의 법에 의해서 어느 정도는 해결된다고 하더라도 세 계층은 법을 어기는 일이 많았기 때문에 여러 번 내란이 발생했다. 가장 최근의 내란은 현재의 왕의 조부가 협상으로써 종식시켰다. 그때부터 본격적인 군대가 창설되었고 그 이후로 본연의 임무를 충실히 수행해오게 된 것이다.

8장

왕과 왕비가 변경 지역으로 행차하고 저자도 같이 간다. 저자가 그 나라를 떠나는 데 대해서 서술한다. 저자는 결국 영국으로 귀국한다.

나는 자유의 몸이 되어야 한다는 생각을 항상 품고 있었다. 그렇지만 어떤 방법으로 그렇게 할 수 있는지, 조금이라도 성공할 가능성이 있는 계획을 어떻게 수립해야 할 것인지에 대해서는 감을 잡을 수가 없었다. 내가 타고 왔던 배는 그 나라가 보이는 곳까지 왔던 역사상 첫 배였다. 그래서 왕은, 또 다른 배가 언제라도 나타난다면 그것을 선원들과 함께 실어서 수도로 운반해 오라는 명을 내려놓았다. 왕은 내가 나와 같은 크기의 여자를 아내로 얻어서 나의 종족을 번식시키기를 바랐다. 그렇지만 길들여진 새처럼 되어 새장 같은 곳에서 살고 이곳저곳 부잣집 사람들에게 팔려나가게 될 후손을 남기느니 차라리 죽음을 택했을 거다. 하기야 나는 아주 좋은 대우를 받기는 했다. 위대한 왕과 왕비의 총애를 받았으며 모든 궁정인들의 사랑을 받았지만 그것은 인간의 존엄성에 어울리지 않는 것이었다. 나는 집에 남기고 온 가족들을 한시도 잊을 수가 없었다. 나와 동등하게 얘기를 나눌 수 있는 사람들과 함께 있고 싶었고 개구리나 지렁이처럼 밟혀 죽을 걱정을 하지 않으면서 길거리나 들판을 이리저리 돌아다니고 싶었다. 그런데 나의 해방은 예상된 것보다 빨리 오게 되었고 또 그것도 아주 이상한 방식으로 이루어졌다. 그것에 대해서 지금부터 서술해보려고 한다.

내가 그 나라에서 2년을 지내고 나서 3년이 되어가는 무렵에, 왕과 왕비가 그 나라의 남해안으로 행차를 떠나게 되었는데, 그때 글럼달클리치와 나도 동행했다. 나는 다른 때와 마찬가지로 여행용 상자에 들어간 채로 갔는데, 그것은 앞에서도 언급했지만 가로세로가 3미터 50센티인 편리한 방이었다. 나는 그 방의 천장 네 모서리에 비단으로 만든 밧줄을 연결하여 공중에 뜬 침대를 만들어달라고 부탁했다. 그래서 이제 하인이 나의 방을 안고서 말을 타고 갈 때 충격이 감소되었고 여행 도중에 그 공중 침대에서 잠을 잘 수도 있었다. 공중 침대 바로 위의 천장에 가로세로 30센티 정도의 구멍을 내달라고 해서 더운 날씨에 공기가 들어오게 했다. 내가 안에서 그 구멍을 열고 닫을 수 있었다.

여행 목적지에 도착하자 플란플라스니크라는 도시 근처 왕의 별장에서 며칠 지내는 것이 좋겠다고 왕은 생각했다. 그 도시는 해안에서 30킬로 이내의 거리에 있었다. 글럼달클리치와 나는 아주 지쳤다. 나는 약간 감기가 걸린 정도였지만 글럼달클리치는 너무 아파서 방 밖으로 나갈 수 없을 정도였다. 나는 바다가 아주 보고 싶었다. 왜냐하면 내가 앞으로 언젠가 그 나라에서 탈출하는 경우 바다를 이용하지 않고는 방법이 없을 것으로 보았기 때문이다. 그래서 실제로는 심하게 아프지 않았지만 아주 아픈 척하면서, 내가 친근하게 지내고 이따금씩 나를 돌봐주었던 소년과 함께 바닷바람을 쏘일 수 있도록 해달라고 글럼달클리치에게 부탁했다. 그녀는 마지못해서 허락하기는 했지만 소년에게 나를 잘 돌보도록 신신당부했고, 또한 마치 앞일을 예감이라도 한 듯이 눈물을 주룩주룩 흘렸는데 그것을 나는 평생 잊을 수가 없다. 소년은 내가 들어 있는 상자를 들고서는 별장 밖으로 나가서 해안의 바위 있는 곳으로 반 시간쯤 걸었다. 나는 그곳에서 내려달라고 소년에게 부탁했고 창문 하나를 열고서는 서글픈 심정으로 바다를 바라보았다. 그러다가는 정말로 몸이 찌뿌드드하여, 기운을 내려고 공중 침대에서 한숨 자고 싶다고 소년에게 말했다. 내가 공중 침대에 눕자 소년은 찬 공기가 들어가지 않도록 창문을 닫았다. 나는 이내 잠들어버렸다. 그때 어떤 일이 일어났는지 확실히는 모르겠지만, 아마도 소년은 내가 잠든 사이에 아무 일이 일어나지 않을 걸로 생각하고는 새알을 찾아다니려고 바위 근처를 돌아다녔을 것으로 추측된다. 그가 새알을 찾아다니다가 한두 개를 주워드는 것을 창틈으로 볼 수 있었기 때문이다. 그 일은 어찌되었든 나는 잠에서 갑자기 깨어났다. 상자를 운반할 때 이용하는 상자 꼭대기에 달린 고리를 무엇인가가 낚아챈 것을 느낄 수 있었다. 상자가 하늘 높이 올라가더니 빠른 속도로 이동하는 것을 감지했다. 처음에는 공중 침대에서 떨어질 뻔했지만 나중에는 큰 흔들림이 없었다. 여러 번 힘껏 소리를 질러보았지만 아무런 소용도 없었다. 창밖을 내다보니 보이는 건 하늘과 구름밖에 없었다. 그런데 머리 바로 위에서 날개를 퍼덕이는 소리가 들려 내가 지금 어떤 상태인지 알 수 있었다. 독수리 한 마리가 부리로 상자 고리를 물고는, 거북이를 바위 위로 떨어뜨려 껍질을 깨서 먹으려는 것처럼 내가 든 상자를 떨어뜨려서 나를 잡아먹으려는 상황이었던 거다. 독수리는 영리하고 후각이 예민해서 멀리 있는 잘 숨겨진 먹이도 쉽게 찾아내는데, 바로 아래 5센티 두께의 판자 속에

178

내가 들었다는 사실을 알지 못할 리 없었다.

얼마 있다가 날개 치는 소리가 커지는 것을 알 수 있었고 내가 들어 있는 상자가 심하게 흔들렸다. 그 독수리가 무엇에겐가 공격 받는 소리를 들었고 다음에는 수직으로 1분 이상이나 떨어지는 것을 느낄 수 있었다. 그 떨어지는 속도가 너무 빨라서 이제 죽는가 보다 생각했다. 그런데 첨벙 소리가 크게 들리면서 더는 떨어지지 않고 멈추었다. 그 소리는 나이아가라 폭포 소리보다 컸다. 그러고 나서 1분 정도 암흑에 휩싸여 있었다. 그러더니 상자가 위로 솟구쳤고 창 윗부분으로 빛이 스며들어오는 것을 볼 수 있었다. 그래서 내가 바다에 빠졌다는 것을 알게 되었다. 내가 들어 있는 상자는 나의 몸무게와 그 안에 들어 있는 가구, 그리고 튼튼하게 만들려고 사방에 박아놓은 철판의 무게로 인해서 물속으로 1미터 50센티가량 잠겨서 떠 있었다. 상자를 물고 날아가던 독수리는 먹이를 빼앗으려는 다른 독수리 두 마리의 추격을 받아서 자기를 방어하려는 순간에 나를 떨어뜨렸던 것이라고 나는 그때 생각했고 지금도 그렇게 생각한다. 상자의 바닥에 철판이 부착되어 있었기 때문에 물에 떨어질 때 상자가 깨지지 않았다. 상자의 모든 이음매는 단단히 밀폐되었고 문도 창문처럼 위아래로 열고 닫는 식이었기 때문에 방 안으로 물이 거의 들어오지 않았다. 나는 통풍이 되도록 지붕에 만들어놓은 판을 열고 공중 침대에서 내려왔다. 방에 공기가 없었기 때문에 숨이 막힐 정도였던 것이다.

그 당시에 나는 얼마나 글럼달클리치와 함께 있었으면 하고 바랐는지 모른다. 단 한 시간 사이에 우리는 너무 멀리 떨어졌다. 그리고 그러한 위태로움에 빠졌으면서도, 나의 보모를 생각했고, 그녀가 나를 잃고서 얼마나 슬퍼할지, 그리고 왕비의 노여움을 사서 그녀가 얼마나 혼나게 될지를 생각하니 두려움과 슬픔이 밀려왔다. 그런 지경에 빠진 나보다 더한 고난과 슬픔을 느껴본 사람이 있는지 나는 의심스럽다. 그리고 어느 순간에 내가 들어 있는 상자가 부서져버릴지, 또는 폭풍이나 파도에 뒤집혀버릴지 알 수 없는 일이었다. 유리창 하나만 깨지더라도 나는 죽을 수밖에 없었다. 유리창이 여행 도중에 사고가 생기는 것을 막으려고 창밖으로 엮어놓은 철망 덕분에 깨지지 않았던 것이다. 틈새에서 물이 조금씩 스며들어오는 것을 보고는, 비록 새는 양이 많지는 않았지만 막느라 최선을 다했다. 상자의 지붕을 들어올릴 수는 없었다. 그렇게 할 수만 있었더라면 상자 위로 올라갔을 것이다. 그렇지만 그렇게 한다 한들 결국은 추위와 배고픔으로 죽는 것밖에 더 있겠는가. 그런 상황 속에서 이제 끝이로구나 하는 생각이 들었고, 죽을 테면 차라리 빨리 죽는 게 낫다고 생각하면서 네 시간 정도를 보냈다.

상자의 네 벽 중에서 창이 없는 쪽에 쇠붙이가 박혀서, 하인이 말에 타고서 상자를 안고 갈 때 거기에 고리를 연결하여 허리에 매고 간다는 사실은 이전에 언급한 바와 같다. 그러한 참담한 상태로 있는데, 그 쇠붙이가 박힌 쪽에서 무엇이 긁히는 소리가 들려왔다. 그리고 상자가 무엇에 의해서 끌려가는 것을 조금 느낄 수 있었다. 왜냐하면 이따금씩 끌어당기는 것이 감지되었고 파도가 유리창 꼭대기까지 솟구쳐서 나를 암흑 속으로 빠뜨렸기 때문이다. 그래서 어쩌면 내가 구조될지 모른다는 희망을 품었다. 그런데 어떻게 해서 지금의 그런 일이 발생하게 되었는지 짐작이 가지 않았다. 방바닥에 고정되어 있는 한 의자의 나사를 풀어 내가 조금 전에 열어놓은 천장 미닫이 바로 밑으로 옮겨서는 다시 고정시킨 다음에, 그 의자 위로 올라가서 입을 될 수 있는 한 그 미닫이에 가까이 대고는 내가 아는 모든 나라의 언어로 큰 소리로 구조를 요청했다. 그 다음에는 내가 항상 가지고 다니던 막대기 끝에다가 손수건을 달아매고서는 구멍 밖으로 들어올리고서 흔들어댔다. 혹시라도 그 근처에 보트나 선박이 있다면 상자 속에 사람 하나가 갇혀 있다는 사실을 알 수 있게 하려는 것이었다.

별짓을 다해봤지만 아무런 효과가 없었다. 그런데 상자가 어디로 끌려간다는 점은 감지할 수 있었다. 한 시간 남짓 지난 다음에, 창이 없는 쪽 벽면이 어떤 물체에 부딪히는 것을 알 수 있었다. 혹시 바위에 부딪힌 것이 아닌지 겁이 났는데, 내 몸이 전보다 심하게 흔들렸다. 그런데 상자의 지붕에서 밧줄이 고리에 끼면서 마찰하는 것 같은 소리가 들려왔다. 그러고 나서 서서히 나의 몸이 1미터 정도 들어올려진 것을 느낄 수 있었다. 나는 또다시 손수건을 흔들어댔고 목이 터져라 살려달라고 외쳤다. 그러자 누군가가 크게 외치는 소리가 들려왔고 그래서 말할 수 없는 희열을 느꼈다. 그러한 기쁨은 경험하지 않은 사람은 어떤 것인지 알 수가 없을 것이다. 조금 후에는 나의 머리 위쪽에서 쿵쿵 울리는 발소리가 들리더니 천장의 구멍을 통해서 누군가가 안에 누가 있으면 대답해보라고 말하는 듯한 소리가 들렸다. 나는 내가 영국인인데, 운이 없어서 지금 이렇게 되었다고 말하면서, 나를 제발 구해달라고 영어로 간청했다. 그 사람이 대답하기를, 이제 내가 들어 있는 상자를 그들이 선박에 매달아놓았으니 이제 나는 안전한 상태다, 이제 곧 누가 와서 상자를 톱으로 잘라내어서 나를 꺼내줄 수 있을 것이라고 했다. 나는 그럴 필요는 없으며, 아무라도 내가 들어 있는 상자의 고리에 손가락을 끼우고는 상자를 바다에서 들어올려 배로 가져가면 될 것 아니냐고 말했다. 그런데 내가 그처럼 터무니없는 말을 하는 것을 듣고는 어떤 사람은 내가 미친 사람이라고 했고 또 어떤 사람은 크게 웃었다. 왜냐하면 나와 같은 크기의 사람들 사이로 내가 와 있다는 사실을 전혀 알지 못했던 게다. 잠시 후에 누군가가 상자를 톱으로 잘라내었고 작은 사다리를 내려주었다. 내가 사다리를 가까스로 올라가자 선원들은 완전히 지쳐 있는 나를 배 안으로 옮겨주었다.

선원들은 모두가 놀라면서 나에게 이런저런 질문을 퍼부어댔다. 나는 그들 모두에게 일일이 대답할 기분이 아니었다. 나는 그렇게 많은 작은 인간들을 보고는 놀랐던 거다. 나의 눈은 오랫동안 거대한 인간들에 길들여져서 그들이 모두 조그만 인간들로밖에 보이지 않았다. 쉬롭셔 출신의 토머스 윌콕스 선장은 내 모습을 보고는 그의 방으로 데리고 가서 강심제를 주었고 그의 침대에서 누워 있게 했다. 나는 잠들기 전에 선장에게 내가 들어 있던 상자 안에는 소중한 몇 가지 물건, 즉 아주 잘 만들어진 침대 하나, 의자 두 개, 그리고 테이블과 케비닛이 있고 나의 방 사방 벽은 비단과 면으로 누벼져 있다고 말했다. 선장이 선원에게 시켜서 그 상자를 선장의 방으로 들고 오게 한다면 그것을 열어서 모든 물건을 보여주겠다고 말했다. 선장은 내가 그런 소리를 지껄이는 것을 보고는 내가 실성을 해서 헛소리를 하는 것으로 생각한 모양이었다. 그렇지만 내가 말한 대로 해주겠다고 말하고는 갑판으로 나가서 선원 몇 명을 내가 들어 있던 상자로 보내서는 물건을 모두 꺼냈고 벽에 누벼진 천도 뜯어냈다. 그런데 의자와 침대는 많이 망가져 있었다. 의자가 나사로 고정된 것도 모르고 선원들이 억지로 뜯어냈던 것이다. 그 큰 배에서 쓸 만한 판자는 모두 뜯어내고 물건을 모두 꺼내고는 나머지는 바다에 버려두었다. 선원들이 내가 들어 있던 상자를 무자비하게 망가뜨리는 것을 내가 보지 않은 게 다행스런 일이었다. 내가 보았더라면 옛날 일들이 생각나서 애통한 마음을 금할 길이 없었을 게다.

몇 시간 동안 잠을 자기는 했는데 그전에 살았던 곳에 관련된 꿈을 꾸었고 조금 전에 위험에서 벗어난 일들도 꿈속에 나타났다. 잠에서 깨어나 보니 몸이 많이 가뿐해져 있었다. 시간은 저녁 여덟 시경이었다. 선장은 내가 오랫동안 음식을 먹지 않은 것을 알았기 때문에 즉시 저녁을 가져오라고 지시했다. 내가 기운을 많이 회복하고 말도 조리 있게 하는 것을 보고 선장은 유쾌해졌다. 둘이 있게 되었을 때 선장은 내가 어떻게 해서 그 커다란 나무 상자 속에서 갇혀 바다에서 떠다니게 되었는지 물었다. 선장이 하는 말은, 그가 정오경에 망원경으로 살펴보는데 멀리 상자를 하나 발견했고, 그것을 처음에는 돛단배로 알았으며, 자기 배의 항로에서 멀리 떨어지지 않았기 때문에 살 물건이 있으면 사려고 그 작은 물체에 접근하기로 했다는 것이었다. 그런데 다가가 보니 자신의 생각이 틀린 걸 알았고 보트 하나를 보내서 정체를 알아보라고 했는데, 선원들이 겁을 먹고 돌아와서는 집 같은 것이 한 채 떠 있는 것을 보았다고 말하더라는 것이었다. 선장은 무슨 소리를 하느냐고 웃으면서, 튼튼한 밧줄을 가져오라 하고 자신이 직접 보트를 타고 접근했다고 했다. 상자 둘레를 노를 저어서 돌아보면서, 측면에는 유리창이 있는 것을 보았다고 했다. 상자의 네 면은 나무로 만들어졌는데, 그중 한

183

면에는 창이 없고 쇠붙이가 두 개 달린 것을 보았다고 했다. 그래서 그쪽으로 가서는 쇠붙이에 밧줄을 묶고 상자를 견인하도록 선원들에게 지시했다는 것이다. 배에 다다랐을 때 상자의 뚜껑에 달린 고리에 다른 밧줄을 매달아서 도르래를 이용해서 들어올리도록 했는데 모든 선원들이 달려들어도 1미터 이상은 들어올릴 수 없었다고 했다. 선장은 이어서, 내가 내민 막대기와 수건을 보고는 어떤 사람이 그 상자 안에 갇혀 있는 것을 알게 되었다고 말했다. 나는 선장과 선원들이 처음에 나를 발견했을 때 하늘에 날아다니던 거대한 새들을 보지 않았는지 물어보았다. 선장은 밖으로 나가서 선원들과 얘기를 해보고 돌아왔는데, 선원 중 한 사람이 독수리 세 마리가 북쪽 방향으로 날아가는 걸 보았다는 것이다. 그런데 그것이 보통 독수리보다 큰 것 같지 않더라고 말했다고 전했다. 나는 아마 독수리들이 멀리 떨어져 있었기 때문에 그렇게 보였을 것이라고 짐작했다. 선장은 내가 왜 그런 질문을 했는지 나의 의도를 알지 못했다. 그 다음에 나는 선장의 계산으로 우리가 육지에서 얼마나 멀리 떨어져 있는지를 물어보았다. 그는 아마도 최소한 5백 킬로미터 정도는 떨어져 있을 것이라고 대답했다. 나는 그것은 절반 정도는 틀린 계산인데, 왜냐하면 내가 살던 나라를 떠나 바다에 떨어지기까지 두 시간 이상은 지나지 않았을 것이기 때문이라고 말해주었다. 선장은 내 머리가 다시 돈 것이 아닌가 생각하고서는, 내가 쉴 선실을 마련해놓았으니 거기 가서 휴식을 취하라고 했다. 나는 이제 완전히 원기를 되찾았으며 정신이 멀쩡하다고 말했다. 선장은 갑자기 심각한 표정을 짓더니, 내가 혹시 엄청난 범죄를 저지른 사람이 아닌지 물었다. 즉 내가 범죄를 저질렀기 때문에, 흉악범이 아무것도 먹을 것도 없이 바닥에 구멍이 난 배에 태워져서 바다로 추방되는 일이 있는 것처럼, 내가 누구의 명에 의해서 그 상자에 갇혀서 버려진 것이 아닌가 하고 의심하는 것이었다. 그런 범죄인이라면 자기네가 나를 구해주는 것이 잘못된 일이기는 하지만, 우리가 앞으로 기항하게 되는 첫 번째 항구에 나를 상륙시켜주겠다고 말했다. 그는 계속해서 말하기를, 내가 나의 상자에 대해서 터무니없는 얘기를 하는 것을 듣고서 그러한 의심이 더해졌고 그 후에 저녁식사 시간에 내가 드러낸 이상스러운 표정이나 행동도 그러한 의심을 굳히게 했다는 것이었다.

나는 선장이 나의 말을 참을성 있게 들어달라고 하면서, 내가 영국을 떠났을 때부터 선장이 나를 발견한 때까지 발생했던 일에 대해서 차근차근 말해주었다. 진실은 항상 통하는 법이기 때문에, 학식과 상식이 있어 보이는 그 선장은 내 말이 진실이라는 점을 차츰 믿게 되었다. 나는 나의 말이 진실이라는 것을 더욱더 입증하려고 선원에게 내가 들어 있던 상자에서 꺼낸 캐비닛을 선장의 방으로 가져오게 하라고 요청했다. 내가 캐비닛 열쇠를 호주머니에 갖고 있었던 것이다. 선장이 보는 앞에서 캐비닛을 열고서는, 내가 그 거인의 나라에서 살면서 모아두었던 물건들을 보여주었다. 여왕의 손에서 깎은 손톱과 왕의 수염으로 만든 빗이 있었다. 또 길이가 30센티에서 1미터에 이르는 바늘도 있었고 커다란 벌침 4개, 여왕이 머리를 빗으면서 떨어져 나온 머리카락 몇 개, 그리고 금반지도 한 개 있었다. 그 반지는 여왕이 목걸이처럼 목에 걸고 다니라고 나에게 선물해준 소중한 물건이었다. 나는 그것을 나에게 베풀어준 감사의 표시로 선장에게 주겠다고 했지만 선장은 한사코 사양했다. 그리고 나는 한 여자의 엄지발가락에서 내가 직접 파낸 티눈을 보여주었다. 그 크기가 거의 사과만큼 컸고 아주 단단했기 때문에, 나중에 영국에 돌아가서는 그 속을 파내고 컵 모양으로 만든 다음에 은제로 된 접시에 놓아두었다. 그리고 당시에 내가 입고 있던 바지를 봐달라고 했다. 그것은 쥐 가죽으로 만든 옷이었다.

어떤 하인의 이빨을 뽑은 것이 하나 있었는데 그것은 선장이 겨우 가지게 할 수 있었다. 그가 그 물건을 대단한 호기심을 갖고서 바라보았기 때문에 갖고 싶어 한다고 알았던 거다. 선장은 그런 사소한 물건을 받으면서도 감사하다는 표시를 과하게 했다. 그것은 글럼달클리치의 하인에게서 빼낸 이빨인데, 이가 아프다고 해서 치과의사에게 갔는데 그 의사가 실수로 엉뚱한 이를 뽑아버렸다. 나는 그것을 깨끗이 닦아 캐비닛 속에 넣어두었다. 그것은 길이가 40센티 정도나 되었다.

이제 선장은 내 말이 모두 사실이라는 것을 알게 되었고, 그래서 영국에 가면 나의 이야기를 책으로 내면 어떻겠냐고 제안했다. 그에 대해 나는 영국에는 이미 여행에 관한 책이 많이 있으며 따라서 아주 특별한 것이 아니면 먹혀들지 않을 것이고, 대부분 그런 이야기에서는 저자가 진실이 아니라 거짓에 좌우되고 무식한 독자들을 즐겁게 하는 데만 열을 올린다고 답했다. 그리고 나의 이야기에는 일상적인 신변잡기밖에는 없고 대부분의 여행담에 있는 이상한 식물이나 나무나 새나 기타 동물들, 또는 미개인들이나 우상 숭배 같은 것들에 관한 재미있는 얘기는 없다고 했다. 그렇지만 선장이 나에게 그런 제안을 해준 것에 대해서는 감사하다고 했으며 한번 고려해보겠다고 말해주었다.

선장은 한 가지 궁금한 것이 있는데, 나의 말소리가 아주 컸는데 그것이 내가 살았던 나라의 왕이나 왕비가 귀가 먹어서 그런 게 아니냐고 물었다. 2년을 넘게 그렇게 크게 말하는 것이 습관이 되어서 나 역시 선장이나 선원들이 이상하게 보인다고 말했다. 그들의 말은 내게는 조그맣게 속삭이는 것 같았기 때문이다. 그렇지만 그들의 말이 잘 들리는 건 사실이었다. 그 거인의 나라에서는 내가 탁자 위에 올라서서 얘기할 때나 어떤 사람이 손바닥에 나를 놓고서 얘기할 때가 아니면 마치 길거리에 있는 사람이 교회의 높은 첨탑에 있는 사람에게 얘기하는 것처럼 큰 소리로 말을 해야만 했다. 나는 내가 받은 또 한 가지 묘한 느낌을 선장에게 얘기해주었다. 내가 애초에 배에 올라타서 선원들에게 둘러싸여 있을 때 나의 눈에는 그들이 내가 지금까지 보아온 것 중 가장 작은 동물로 보였던 점이었다. 그러고 보니 거인의 나라에 있을 때 나는 거울 속으로 내 모습을 볼 수가 없었다. 나의 눈이 큰 사물을 보는 데만 익숙해져서 거울로 나를 보면 내가 얼마나 초라한 존재인가를 실감하게 만들었기 때문이다. 선장은 말하기를, 저녁을 먹는 동안에 내가 모든 사물을 바라보면서 웃음이 터져 나오는 것을 간신히 참는 것을 자기는 보았다는 것이었다. 그는 내 머리가 좀 돈 것으로 알았다고 했다. 나는 동전 정도밖에 되지 않는 접시나, 한입도 되지 않는 돼지다리 고기나, 호두알만큼도 되지 않는 컵을 보았을 때 어떻게 내가 웃음을 참을 수 있겠냐고 반문했다. 나는 계속해서 배 안의 여러 물건과 음식을 가소로워 보이는 것으로 묘사했다. 내가 왕비와 함께 있을 때는 나에게 필요한 모든 물건은 나에게 맞도록 작게 만들어서 내가 이용할 수 있었지만 내가 사방에서 보이는 거대한 것들에 길들

여겼고 나 자신이 왜소한 것에 대해서는 사람들이 자기의 잘못은 인정하지 않듯이 무시해버렸던 거다. 선장은 이런 농담을 했다. 내가 든 상자를 독수리가 부리로 물고 가다가 높은 하늘에서 떨어뜨리는 것을 자기가 볼 수만 있었더라면 그 구경하는 값으로 1백 파운드라도 지불하겠다면서, 그것은 굉장한 구경거리였을 것이며, 사람들에게 선전해줄 가치가 다분히 있었을 거라고 했다.

그 배는 내가 타기 전에 베트남을 거쳐 영국으로 가고 있었는데, 도중에 북동쪽으로 밀려서는 북위 44도, 동경 143도 근처로 벗어났다. 내가 탄 지 이틀 만에 무역풍을 만났고 우리는 한참 동안 남쪽으로 항해하다가 뉴홀랜드(오스트레일리아)의 해안을 따라가면서 항로를 서남서로 유지했다. 다음에는 남남서로 돌렸고 희망봉을 돌게 되었다. 그런 항해에서 일어난 자질구레한 사건에 대해서는 생략하겠다. 배는 한두 군데 항구에서 정박하면서 식수와 음료수를 채우려고 보트를 내려보냈다. 그렇지만 영국의 다운즈에 도착할 때까지 나는 한 번도 배에서 내리지 않았다. 영국에 도착한 것은 내가 거인의 나라에서 탈출한 지 대충 9개월 후인 1706년 6월 3일이었다. 나는 뱃삯에 대한 저당으로 나의 물건을 놓고 가겠다고 말했는데 선장은 한푼도 받지 않겠다고 했다. 우리는 섭섭하게 이별하면서, 선장에게 레드리프에 있는 나의 집에 꼭 한번 찾아오라고 했고 선장은 그렇게 하겠다고 약속했다. 선장에게 5실링을 빌려서 말과 안내인을 고용했다.

고향으로 가는 도중에도 집이나 나무나 가축들이나 사람들이 작게 보였기 때문에 내가 이제 릴리푸트에 온 것이 아닌가 하는 생각이 들었다. 지나가는 사람들이 나의 발에 밟혀죽지 않을까 걱정되어 큰 소리로 내 앞에서 비켜나라고 소리치기도 했다. 그 소리가 건 방져 보여서 하마터면 사람들한테 얻어맞을 뻔한 일도 있었다.

집에 돌아오니 하인 하나가 문을 열어주었다. 문으로 들어가면서 머리가 문에 부딪힐 것이 염려되어 허리를 깊이 숙여야 했다. 아내가 나와서 나를 안으려고 했는데, 나는 아내의 무릎 아래까지 몸을 낮추었다. 그렇지 않으면 아내의 입이 나의 입과 닿지 못할 것으로 보였던 거다. 딸이 다가와서 무릎을 꿇고는 기도를 올렸는데 나는 딸이 일어나기 전까지는 그 모습을 볼 수가 없었다. 내가 오랫동안 거대한 물건만을 상대로 해서 머리나 시선을 똑바로 하거나 위쪽을 보는 데만 익숙했기 때문이다. 다음에는 한 손으로 딸의 허리를 잡고서 들어올리려 했다. 하인들과 집에 온 친구 둘을 나는 마치 내가 거인이고 그들이 난쟁이나 되는 것처럼 위에서 아래로 내려다보았다. 그리고 아내에게 "당신하고 딸이 너무 마른 걸 보니 그동안 제대로 먹지도 못했는가 보군" 하고 말했다. 나의 그런 행동이 너무 이상해서 선장이 처음에 나를 보았을 때처럼 모두들 내가 머리가 돌았다고 말했다. 습관의 힘이란 그처럼 무섭다는 걸 실감하게 되었다.

그렇지만 오래지 않아서 나와 식구들은 서로를 올바로 대할 수 있게 되었다. 아내는 다시는 배를 타지 말라고 신신당부했다. 그렇지만 나를 감싸고 있는 고약한 운명으로 인해서 나의 아내도 나를 막을 수가 없었다. 거기에 대해서 독자들은 앞으로 알게 될 것이다. 일단은 나의 파란만장한 항해의 2부를 끝내야겠다.

3부

라퓨타, 발니바비, 럭나그, 글럽더브드립, 일본 여행기

Parts Unknown

LANDOF
St James Bay
Robbin I.
Companys
JESSO
Land
Salmon
Stats I
Sea of
C. Canal
Corea
Laputa
BALNIBARBI
Sandai
Cabo
Discovered, A.D.1701
Lagado
Corpus
Toy
Jeso
Red Pt
Bosho Pt
Maldo-
nada
Barnevelts
Glubbdubdrib
Monsal.
Ongeluckig I.
LUGGNAGG
Bungo I.
South I.
Traldragdul
Demeris Straits
O I. Tanaxima
Sia
Glang
Clamegnig R.

I. Desertas

Urac
Timal

LUGGNAGG
and
BALNIBARBI,
with the Islands of
Laputa and Glubbdubdrib.

1장

저자가 세 번째 항해에 나서고 해적에게 사로잡힌다. 한 네덜란드인 때문에 바다로 추방당하고 라퓨타라는 희한한 나라에 도달한다.

·

집에 돌아온 지 열흘도 지나지 않았는데, 콘월 출신의 윌리엄 로빈슨이라는 선장이 나를 찾아왔다. 그는 호프웰이라는 3백 톤짜리 튼튼한 배의 선장이었다. 이전에 나는 그가 배의 4분의 1의 소유권을 가진 어떤 배에서 선장 직책에 있을 때 선상 의사로서 동부 지중해 연안 지방으로 항해한 일이 있었다. 그때 당시에 그는 나를 아랫사람으로서가 아니라 친형제처럼 대해주었다. 내가 귀가했다는 소식을 듣고는 우정의 표시로 나를 찾아온 것 같았다. 왜냐하면 단지 흔히 하는 이야기 외에 특별한 얘깃거리가 없었기 때문이다. 그런데 그는 몇 번 방문하는 동안에, 자기가 두 달 후에 동인도제도로 항해할 예정인데 자기 배의 선상 의사가 되지 않겠느냐고 제의했다. 내 밑에 조수 두 명을 둘 것이며 또 다른 선상 의사도 한 명 내 밑에 붙여줄 것이고 보수는 보통 선상 의사들의 두 배를 주겠으며, 내가 항해에 관해서 그와 맞먹는 지식을 갖고 있다는 사실을 알기 때문에, 내가 그 배를 공동으로 지휘하는 것처럼 간주하고서 나의 의견에는 최대한 따르겠으며 그와 관련된 어떤 계약서도 써주겠다는 것이었다.

그는 그 외에도 여러 좋은 조건을 제시했고, 그가 선량한 사람이라는 사실을 알았기 때문에 나는 그 제안을 거절할 수가 없었다. 거기에 더하여, 비록 내가 전에 많은 고생을 겪기는 했지만 다시 한번 넓은 세상으로 나가보고 싶다는 욕망이 간절한 상태였다. 그런데 아내의 승낙을 받아내기가 어려웠다. 내가 돈벌이를 해서 아이들에게 밝은 미래를 열어줄 수 있다는 등으로 설득해서 아내의 승낙을 얻어냈다.

우리는 1706년 8월 5일에 출발했고 1707년 4월 11일에 세인트조지[현재 인도의 마드라스] 항에 도착했다. 병에 걸린 선원들이 많았기

때문에 우리는 거기에서 3주 동안 정박하면서 휴식을 취했다. 거기에서 통킹으로 갔는데 선장은 그곳에서 다시 얼마 동안 정박하기로 작정했다. 구매하려던 물품이 아직 준비되지 않은 상태였고 짧은 시간 내에 그것이 준비되기를 기대할 수도 없었다. 그래서 돈벌이를 조금이라도 하려고 선장은 범선을 한 척 구입해서는 거기에 통킹 사람들이 멀리 떨어진 섬과 교역하는 물품을 싣게 했고 통킹 사람 세 명과 우리 선원 14명을 태웠으며 나를 그 범선의 선장으로 임명했고 모든 권한을 나에게 맡겼다. 선장 자신은 그동안에 통킹에 남아서 자기 일을 본다는 것이었다.

우리가 출발한 지 3일도 되지 않아서 심한 폭풍을 만났고 그래서 5일 동안 처음에는 북북동쪽으로, 그리고 다음에는 동쪽 방향으로 밀려갔다. 그 후에 날씨는 좀 좋아졌지만 그래도 서쪽에서 상당히 강한 바람이 불어댔다. 10일째 되는 날에 우리는 해적선 두 척에 쫓기게 되었다. 필사적으로 도망쳤지만 결국 잡히고 말았다. 우리의 배에는 물건이 가득 실려서 속도가 느렸고 또 우리는 무기도 전혀 없었다.

두 해적선의 해적들은 두목이 앞장서면서 거의 동시에 우리 배로 들이닥쳤다. 우리는 모두 얼굴을 갑판 바닥에 대고 엎드려 있어야 했고, 해적들은 밧줄로 우리의 팔을 뒤로 묶어놓고는 감시자 한 명만 남겨두고 모두 배 안의 물건을 뒤지러 갔다.

나는 해적들 중에서 네덜란드 사람이 있는 걸 알게 되었다. 그는 해적선 선장은 아니었지만 상당한 권한을 갖고 있는 듯했다. 나중에 그는 우리가 영국인이라는 걸 알고서는 네덜란드어로 욕을 해대더니, 두 명씩 등을 맞대서 묶게 하고는 바다에 집어넣겠다고 으름

장을 놓았다. 나는 네덜란드어를 조금 할 줄 알았기 때문에, 우리가 영국인이라는 사실을 알리고, 우리가 똑같은 기독교인들이며 두 나라가 선린 관계에 있는 나라라고 이야기하면서, 우리에게 최대한 온정을 베풀도록 두목에게 부탁해달라고 그 네덜란드 사람에게 간청했다. 그러자 그는 오히려 더욱 화를 내면서 협박을 되풀이했고 나중에 자기 두목에게 무슨 말을 했는데 그것은 일본어 같았다.

그 네덜란드인이 말을 건넨 사람은 두 배 중에서 더 큰 배의 선장으로서 일본 사람이었다. 그는 네덜란드어를 약간은 할 줄 알았지만 서툴렀다. 그는 나에게 네덜란드어로 이것저것 질문을 했다. 나의 말을 귀담아듣더니 우리를 죽이지는 않겠다고 했다. 나는 그에게 큰 절을 했고, 대신 그 네덜란드인한테는, 같은 기독교인들인데도 이교도보다도 못할 수 있느냐고 불평을 했다. 그렇지만 그런 불평을 한 것을 곧 후회하게 되었다. 그 악랄한 사람이 해적들의 두목인 선장들에게 나 혼자만 바다에 집어넣어버리자고 설득하려 했기 때문이다. 그렇지만 일단 죽이지 않기로 약속했기 때문에 그의 설득은 통하지 않았다. 그러자 그 사람은 대신 나에게 다른 벌을 주자고 우겼고 결국 그가 이겼다. 그런데 그 벌은 실은 죽음보다도 더 잔인한 것이었다. 나의 부하들은 반으로 분산되어 해적선으로 끌려갔다. 나에 대한 벌은 나를 작은 카누에 태우고서는 노와 돛과 4일 동안 먹을 식량을 주고는 바다 위로 표류시켜버리는 것이었다. 그런데 그 일본인 선장은 친절하게도 자기 몫의 식량을 일부 나에게 주어서 나의 식량이 두 배로 늘어났다. 그렇게 해서 카누에 옮겨 타게 되었는데, 그 고약한 네덜란드인은 갑판 위에 서서 나에게 온갖 욕지거리를 해댔다.

우리가 해적선을 만나기 대략 한 시간 전에 나는 우리 배의 위치를 측정해놓았는데, 그때 위도 46도, 경도 183도에 있다는 사실을 알았다. 해적선에서 상당히 떨어진 후 망원경으로 살펴보니 남동쪽에 섬이 여러 개 있는 걸 알 수 있었다. 그래서 그중에서 가장 가까운 섬에 도달하려고 돛을 올리고서는 바람을 이용했다. 그럭저럭해서 대략 세 시간 만에 섬에 도달할 수 있었다. 그 섬은 바위투성이였다. 그런데 새알이 많이 있었기 때문에 그것을 주워가지고는 나무를 모아서 불을 피웠고 새알을 구웠다. 식량은 될 수 있는 한 아껴야 했으므로 저녁식사로 새알만 먹었다. 그날 밤에는 바위 아래서 지냈다. 나뭇잎을 깔고 나니 꽤 편안하게 잘 수 있었다.

다음날에는 다른 섬으로 가보았고 그리고 거기서 또 세 번째 섬, 네 번째 섬으로 갔다. 어떤 때는 돛을 이용하고 어떤 때는 노를 저어서 갔다. 내가 겪은 고생을 일일이 열거하지는 않겠다. 닷새째 되는 날에는 그전 섬의 남동쪽에 있는 마지막 섬에 도착했다.

그 섬은 내가 애초에 예상한 것보다 훨씬 멀리 떨어져 있었다. 그래서 거기에 도착하는 데 최소한 다섯 시간은 걸렸다. 그 섬을 한 바퀴 돌고 나서 상륙하기 좋은 장소를 발견할 수 있었다. 작은 강어귀인데 그 넓이는 내가 탄 카누 길이의 세 배 정도 되었다. 그 섬도 온통 바위투성이였는데 단지 군데군데에 짧은 풀이나 약초가 자랐다. 음식을 조금 먹고서 기운을 차린 다음에 나머지 음식은 동굴 속에다 보관해놓았다. 그 섬에는 동굴이 많았다. 바위 근처에서 새알을 많이 주워 모았고 나뭇가지도 잔뜩 갖다 놓았다. 새알을 구우려는 거였다. 그러고 나서 식량을 보관해둔 동굴에서 잠을 자려고 했다. 바닥에 마른 풀이나 나뭇가지를 모아서 잠자리가 편하도록 만들었다. 그런데 좀처럼 잠이 오지 않았다. 몸이 피곤한 것보다는 불안한 마음에 잠이 안 왔다. 이처럼 황무지 같은 곳에서 내가 얼마나 버틸 수 있을지, 그리고 나의 종말이 얼마나 비참할지를 생각했다. 힘이 쭉 빠지고 낙심해서 자리에서 일어날 기운도 없었다. 결국 간신히 동굴에서 기어나와 보니 날은 이미 오래전에 밝아 있었다. 잠시 바위 사이를 걸어다녔다. 구름은 한 점도 없었고 태양빛은 너무 뜨거워서 얼굴을 똑바로 들고 있을 수도 없었다. 그러다가는 갑자기 햇빛이 가려졌다. 그런데 구름에 가려져서 발생하는 현상과는 달랐다. 고개를 돌려서 바라보니 거대한 물체가 태양과 나의 사이 공중에 나타나서 내가 있는 섬을 향해서 전진해 왔다. 그 거대한 물체는 3킬로미터 정도의 높이에서 날았고 6, 7분 동안 태양을 가리고 있었다. 그렇지만 그동안에 대기가 차가워지지도 않았고 하늘이 더 어두워지지도 않았다. 그냥 그늘에 서 있는 것과 별다를 게 없었다. 내가 서 있는 곳에 가까이 이르렀을 때 보니 바닥이 평평하고 미끈하며 아래에서 나오는 바닷빛을 반사하여 빛나는 단단한 물체였다. 내가 해안에서 대략 2백 미터 떨어진 곳의 높은 지대에 서 있었는데, 그 물체가 나에게서 1천5백 미터 정도 떨어진 곳에서 나와 거의 같은 고도로 내려오는 것이 보였다. 망원경으로 보았더니 물체의 가장자리에서 수많은 사람들이 왔다 갔다 하는 것을 분명히 볼 수 있었다. 그런데 그 사람들이 무엇을 하는지는 알 수가 없었다.

그 인간들을 보자 기쁨이 밀려왔으며 그 사람들이 이 황량한 땅에서 어떻게 해서든지 나를 구해줄 것이라고 희망을 품었다. 그렇지만 동시에 거대한 섬이 하늘에 떠 있고 거기에 인간들이 사는 모양을 보고는 얼마나 놀랐는지 모른다. 그 인간들은 그 섬을 자유자재로 위로 뜨게 하고 밑으로 내려오게 하며 어느 방향으로든 나가게 할 수 있는 것 같았다. 그렇지만 그 당시에는 그런 현상에 대해서 이것저것 따져볼 여유가 없었고 단지 그 섬이 잠시 동안 가만히 있었기 때문에 그게 앞으로 어떻게 나올 것인지를 기다려볼 수밖에 없었다. 그런데 그것이 나 있는 곳으로 좀 더 가까이 다가왔다. 그 측면은 몇 개의 층으로 이루어졌고 인간들이 계단을 이용해서 이 층에서 저 층으로 이동하는 것을 볼 수 있었다. 가장 낮은 층에서는 몇몇 사람이 긴 낚싯대로 고기를 잡고 있고 일부 사람들은 그 옆에서 구경하는 광경이 보였다. 나는 모자와 손수건을 그 섬을 향해서 흔들었다. 그것은 더 가까이 다가왔고 나는 큰 소리를 질러대며 구조를 요청했다. 좀 더 자세히 살펴보니 내가 서 있는 쪽에 여러 사람들이 모여서는 어떤 사람들은 나를 손가락으로 가리키는 걸 볼 수 있었다. 그들이 내가 외치는 소리에 대답하지는 않았지만 나를 발견한 건 분명해 보였다. 네댓 명의 인간들이 황급히 계단을 뛰어 올라가더니 그 섬의 가장 높은 곳으로 사라지는 걸 볼 수 있었다. 이런 상황을 맞이하여 그들의 지휘자에게서 어떤 지시를 받으려고 그렇게 한 것이 아닌지 추측했는데, 나중에 알고 보니 나의 예감은 맞아떨어졌다.

보이는 사람들의 수가 증가했고 반 시간도 되지 않아서 그 섬은 움직이기 시작했으며, 섬의 가장 낮은 층이 내가 있는 곳에서 1백 미터도 되지 않는 거리에서 나와 마주하는 위치에 오게 되었다. 나는 바닥에 무릎을 꿇고서는 간절한 목소리로 구조를 요청했다. 그런데 그들에게서 아무 대답도 없었다. 나에게서 가장 가까운 거리에 있는 사람들은 옷차림으로 보아서 신분이 높은 사람들 같았다.

그들은 나를 내려다보면서 자기네들끼리 무언가를 의논하는 듯했다. 결국 그중 한 사람이 부드럽고 점잖은 목소리로 말을 걸어왔다. 그것은 이탈리아어와 비슷했다. 그래서 나는 이탈리아어로 구원을 요청하면서, 내 말을 그들이 알아먹었으면 하고 바랐다. 그들은 나의 말을 이해할 수가 없었다. 하지만 나의 표정이나 몸짓을 보아서 내가 무엇을 요구하는지를 알아차렸다. 내가 곤란에 빠진 것을 알았던 것이다.

그들은 나에게 바위에서 내려가서는 해안으로 가라고 손짓으로 지시했다. 나는 그들이 하라는 대로 했다. 그러자 그 날아다니는 섬은 일단 위로 올라갔다가 내가 있는 곳으로 다가왔고 그 가장자리가 나의 머리 바로 위로 온 다음에 사슬 하나가 내려왔는데 그 사슬에는 의자가 매달려 있었다. 거기에 앉았더니 그 인간들이 나를 위로 끌어올렸다.

2장

라퓨타의 인간들에 관해서, 그리고 그들의 학문에 관해서 서술한다. 왕과
궁전에 관한 이야기가 나온다. 인간들이 공포와 불안에 사로잡힌 상태에
관해서, 그리고 여자들에 관해서 묘사한다.

의자에서 내리자마자 인간처럼 보이는 일단의 무리에 둘러싸였
다. 나에게서 가장 가까이 있는 사람이 신분이 높은 것 같았다. 그
들은 아주 놀란 표정으로 나를 바라보았다. 나 역시 그들 못지않게
놀랐다. 생김새나 의복에서 여태까지 그렇게 이상하게 생긴 종족을
본 일이 없었기 때문이다. 그들은 고개를 모두 오른쪽이나 왼쪽으
로 돌리고 있었고 한쪽 눈은 위쪽으로 올라가 있었으며 다른 쪽 눈
은 속으로 푹 들어가 있었다. 의복은 태양과 달과 별의 모양이 장식
되었으며 그 사이사이로 바이올린, 플루트, 하프, 트럼펫, 기타, 그
리고 그 외 유럽에서는 볼 수 없는 이상한 악기의 모양이 그려져 있
었다. 이곳저곳에 하인처럼 보이는 사람들이 있었는데, 바람을 불
어넣은 공기 주머니 같은 것이 한쪽 끝에 달린 막대기를 손에 들고
있었다. 그런데 나중에 안 일이지만, 사실 그 주머니 속에는 완두콩
이나 작은 돌멩이가 들어 있었다. 그 막대 주머니로 그들은 이따금
씩 옆 사람의 입이나 귀를 쳐댔다. 왜 그렇게 하는지 그때 당시에는
알 수가 없었다. 나중에 알게 되었는데, 그 사람들이 너무나 깊은
생각에 잠겨 있기 때문에 말하는 기관인 입이나 듣는 기관인 귀를

누가 쳐주지 않으면 다른 사람의 말을 알아듣지도 못하기 때문이었다. 그렇기 때문에 부유한 사람들은 '때리기꾼'을 고용하여 외출할 때나 누구를 방문할 때는 항상 그를 데리고 다녔다. 그 '때리기꾼'이 하는 일이란, 둘 이상의 사람이 모였을 때, 말을 해야 할 사람의 입을 막대 주머니로 살짝 쳐주고 또 말을 들어야 할 사람의 오른쪽 귀를 쳐주는 것이다. 또 그 때리기꾼은 주인이 외출할 때 항상 따라다니면서 필요할 때마다 주인의 눈을 살짝 쳐주어야 한다. 왜냐하면 주인이 너무 생각에 잠겨 있어서 길을 가다가 넘어지거나 기둥에 머리를 박거나 길을 걸을 때 다른 사람과 부딪치거나 하수도에 빠지거나 하는 위험이 항상 존재하기 때문이다.

우선 이 정도의 정보를 독자들에게 제공해야 할 필요가 있다고 생각한다. 그렇지 않으면 내가 그 사람들의 안내를 받아서 그 날아다니는 섬의 꼭대기로 가서 거기서 왕의 궁전으로 들어갈 때 그들이 하는 행동을 내가 이해할 수 없었던 것처럼 독자들도 내가 서술하는 것에 대해서 이해할 수 없을 것이기 때문이다. 우리 일행이 그곳으로 올라가는 도중에도 그들은 몇 번이나 자기들이 지금 무엇을 하는지 망각해버리고서, 때리기꾼이 때려주어야 정신을 가다듬곤 했다. 그들은 내가 입은 이상한 복장이나 그들과는 다른 나의 얼굴 모습을 보고도, 그리고 보통 사람들(그 사람들은 지체가 높은 사람들처럼 정신이 빠져 있는 게 덜했다)이 소리치는 것을 듣고도 전혀 관심이 없는 듯 보였다.

우리는 궁전으로 들어가서 왕실에 이르렀다. 그곳에선 국왕이 고관들을 대동한 채로 자리에 앉아 있었다. 왕의 앞에는 큰 책상이 있고 그곳에 지구의, 천구의, 그리고 그 밖의 온갖 종류의 기구가 놓

여 있었다. 우리가 왕실로 들어갈 때 궁전에 속한 사람들이 한꺼번에 밀려드는 통에 상당히 소란스러웠지만 왕은 우리를 전혀 쳐다보지도 않았다. 왕은 그때 당시에 어떤 문제에 대해 몰두하고 있었는데, 따라서 우리는 왕이 그 문제를 해결할 때까지 한 시간은 기다려야 했다. 왕의 좌우에는 나이 어린 동자 두 명이 좌우에서 손에 때리기채를 들고 서 있었다. 왕이 이제 골몰한 상태에서 벗어난 것을 보고는 동자 한 명이 입을 살짝 쳤고 다른 동자는 오른쪽 귀를 쳐주었다. 그러자 왕은 깜짝 놀라면서 정신이 들어서, 나와 나를 둘러싼 사람들을 보고서는, 미리 보고를 들은 대로 이제 우리가 온 것을 알아차리게 되었다. 왕이 뭐라고 말을 하자 어떤 사람이 때리기채를 갖고서 내 옆으로 오더니 나의 오른쪽 귀를 살짝 쳤다. 나는 그럴 필요가 없다는 점을 몸짓 손짓으로 알리려고 했다. 나중에 알게 되었는데, 그것으로 인해서 왕과 궁궐 사람들은 내가 지능이 낮은 사람이라고 판단했다. 왕이 나에게 이런저런 질문을 한 것 같아서 몇 개 나라의 말로 대답해보려고 했다. 그렇지만 내가 그들 나라의 말을 이해할 수도 없고 그들도 나의 말을 이해 못 했다는 사실을 알게 되었고 결국 왕은 나를 궁전 안의 한 방으로 안내하도록 지시했다. 그 왕은 그처럼 이방인을 환대해주었다. 그 방에서는 하인 두 명이 나를 돌보아주도록 되어 있었다. 식사가 마련되었고, 고관 네 명이 나에 대한 환대의 표시로 나와 함께 식사를 했다. 식사는 두 가지 코스로 나뉘어 나왔는데, 각 코스마다 세 가지 요리가 나왔다. 첫 번째 코스에서는 정삼각형으로 자른 양의 앞다리 고기, 마름모꼴로 자른 쇠고기, 원형으로 자른 푸딩이 나왔다. 두 번째 코스에서는 오리 두 마리를 바이올린 모양으로 만든 고기, 플루트와 오보에 모양으로 만든 소시지와 푸딩, 그리고 하프 모양으로 만든 송아지 고기가 나왔다. 시중드는 사람들은 빵을 원추형이나 원통형, 평행사변형, 그리고 기타 기하학적 형태로 잘랐다.

식사를 하는 동안에 나는 내 주변에 있는 여러 가지 물건들을 그 나라 말로 어떻게 일컫는지 물어보았다. 그러자 그 고관들은 때리기꾼의 도움을 받아서 기꺼이 대답해주었다. 그들은 대화를 나눌 수 있게 된다면 이제 내가 그들에 관해서 알게 될 것이라고 생각하는 듯했다. 얼마 가지 않아서 나는 빵이나 음료수나 기타 내가 원하는 음식을 주문할 수 있게 되었다.

식사가 끝나자 나와 같이 있던 고관들은 떠나갔고 왕의 명을 받은 사람이 때리기꾼 한 사람을 대동하고서 나에게로 왔다. 그는 펜과 잉크, 종이, 그리고 책 서너 권을 갖고 와서는, 나에게 그 나라 말을 가르치러 왔다는 사실을 손짓으로 알려주었다. 우리는 네 시간 동안을 학습했다. 그렇게 해서 짧은 문장을 몇 개 배울 수 있었다. 그 선생은 나를 돌보아주도록 임명된 사람들에게 어떤 물건을 갖고 오라든지, 뒤로 돌아서라든지, 절을 하라든지, 앉으라든지, 서라든지, 걸으라든지 하는 동작을 시켰다. 그러면 나는 옆에서 그러한 말을 영어로 적어놓았다. 또 그는 책 한 권을 펴더니 해, 달, 별, 십이궁, 회기선, 북극권과 남극권의 모양에 대해서 알려주었고 여러 도형의 명칭도 가르쳐주었다. 또 여러 가지 악기의 이름과 모양에 대해서 설명해주었고 악기를 연주하는 기법에 관해서도 알려주었다. 그가 떠난 후에 나는 내가 배운 모든 말을 영어로 번역하여 알파벳 순으로 정리해놓았다. 그렇게 해서 며칠이 지나니 내가 비교적 머리가 좋기 때문에 그들의 언어에 대해서 어느 정도 감을 잡을 수 있었다.

내가 날아다니는 섬이라고 표현한 것은, 원래의 이름은 '라퓨타'라고 불렀는데 그 정확한 유래에 관해서는 알 수가 없었다. 너무 오래되었고 지금은 쓰지 않는 말인데, '랍'은 원래는 '높다'라는 의미고 '운터'는 통치자를 의미했다. 그것이 합해져서 '라푼터'가 되었고 다시 '라퓨타'로 변하게 되었다고 그들은 말했다. 나는 그것이 약간 억지라고 생각했다. 그래서 그들 중에서 학식 있어 보이는 사람에게 나 자신이 추측한 것을 말해주었다. 즉 '라퓨타'가 '랍 아우테드'에서 온 것인데, 여기서 '랍'은 바다 위에서 춤추는 태양 광선을 의미하고, '아우테드'는 날개를 의미하는 게 아니냐는 것이었다. 그렇지만 나의 주장을 고집할 생각은 없고 현명한 독자들의 판단에 맡기기로 한다.

왕이 나에게 배정해준, 나의 일을 돌봐주는 사람들은 내가 입은 옷이 해진 것을 알고는 다음날 아침에 재봉사에게 나의 옷의 치수를 재고 양복 한 벌을 만들어주도록 했다. 그 재봉사는 유럽 사람들과는 다른 방식으로 했다. 그는 고도 측정기로 나의 키를 재고 자와 컴퍼스로 내 몸의 체적과 둘레를 쟀고 그것을 모두 종이에 기재했다. 그러고서 6일이 지난 다음에 내 옷을 만들어 왔는데 아주 볼품없고 몸에도 맞지 않았다. 그 재봉사는 그 이유가 자기가 나의 치수를 잴 때 단위를 착각했기 때문이라고 변명했다. 그렇지만 그런 일이 예사로 일어나고 또 그런 것에 대해서 별로 사람들이 문제삼지 않는다는 사실을 알고는 개의치 않기로 했다.

나는 외출복이 없어서 제대로 밖에 나가지 못하고 방에 갇혀 있었는데 그동안에 그 나라 말을 배우는 데 대부분의 시간을 보냈다.

그래서 다시 궁전으로 왕을 보러 갔을 때는 왕의 말을 상당히 알아들을 수 있었고 왕의 질문에 대답도 할 수 있게 되었다. 왕은 날아다니는 섬을 북동 방향으로 이동시켜서 땅 위에 있는 그 나라 수도 라가도로 가도록 명했다. 그곳까지의 거리는 4백30킬로미터 정도되었고 이동하는 데 4일 하고도 한나절이 걸렸다. 그 섬이 하늘에서 이동하는 동안에 나는 그것이 이동하는 걸 전혀 느낄 수가 없었다. 내가 그곳에 도착한 두 번째 날 오전 11시경에 왕은 모든 악기를 준비하도록 하고서는 다른 사람들과 함께 악기를 연주했다. 나도 그것을 감상했는데, 연주가 세 시간 동안 쉬지 않고 계속되어 악기 소리에 정신이 없을 정도였다. 나는 그 연주에 대해서 도무지 이해할 수 없었는데 나에게 글을 가르치는 교사가 설명해주었다. 그가 말하는 바에 따르면, 그 섬 사람들의 귀는 천체의 음악을 들을 수 있게끔 만들어져 있고 그러한 음악은 항상 일정한 시기에 연주되는데, 지금 그때가 되어서 궁궐의 모든 사람들은 각각 자기 자신의 악기를 들고서 연주에 참여한다는 것이었다.

수도인 라가도로 가는 동안에 왕은 날아다니는 섬을 어느 소도시 위에서 세우도록 지시했다. 그곳에 사는 사람들의 청원을 받아들일 셈이었다. 사람들이 노끈을 여러 개 밑으로 늘어뜨리니 아래에 사는 사람들이 그 끝에 청원서를 매달았고, 그것은 마치 연줄에 종이쪽지가 달려서 올라가듯이 위로 올려졌다. 어떤 때는 땅 위에서 포도주나 기타 음식을 제공받기도 하는데, 그럴 때는 도르래로 위에서 끌어올린다는 사실을 알게 되었다.

나는 수학에 대해서 기본적인 것을 알았는데 이것은 그들의 말을 배우는 데 큰 도움이 되었다. 그들은 수학과 음악에 많은 것을 의존

했기 때문이다. 게다가 나는 음악에도 문외한은 아니었다. 그들은 항상 기하학에 관해서 생각했다. 예를 들어 그들이 어느 여자나 어떤 동물의 아름다움에 대해서 말하려고 할 때는 마름모꼴이나 원형, 평행사변형, 타원형, 그리고 기타의 기하학적인 용어를 사용했고, 당연한 일이지만 음악적인 표현도 사용했다. 왕을 위한 주방에는 모든 종류의 수학적인 기구나 악기가 있는 것을 볼 수 있는데, 그러한 여러 가지 기구를 본떠서 음식을 만들어 왕에게 바쳤다.

그들은 집을 아주 보기 흉하게 지었고 어느 방도 직각으로 된 면이 없었다. 왜냐하면 그들이 실용적인 기하학에 대해서는 멸시했기 때문이다. 그들은 그것을 저속한 것이라고 멸시했다. 자, 연필, 컴퍼스를 이용해서 종이에 무엇을 그리는 일은 잘하지만 일상적인 행동에서는 어색하고 둔해 보였으며 수학과 음악을 제외한 다른 모든 분야에서는 이해력이 아주 부족했다. 그들은 조리 있게 따지지 못하며 간혹 의견 일치가 되는 경우를 제외하고는 항상 의견 충돌이 있어서 격렬한 논쟁을 일삼았다. 상상력이나 발명 같은 것에 대해서는 무지했으며 그들의 언어에는 그런 것을 나타내는 단어조차 없었다. 즉 그들의 생각이나 생활 방식이 앞서 일컬은 두 학문의 영역에 갇혀 있는 셈이었다.

천문학에 종사하는 사람들을 포함하여 대부분의 사람들은 점성술에 대해서 굳게 믿었다. 내가 놀란 점은 그들이 여러 가지 뉴스나 정치적인 사안에 대해서 크게 관심을 보이고 끊임없이 사회적인 문제에 대해서 논쟁을 일삼는다는 점이었다. 그런데 나는 유럽의 수학자들도 그러한 성향이 있다는 점을 알았다. 수학과 정치 사이에 어떤 유사성이 있는지는 알 수 없지만, 가장 작은 원도 가장 큰 원과 마찬가지로 360도를 갖고 있으니 이 세상의 정치를 운용하는 능력은 지구의를 돌리는 능력과 같은 것이라고 그들이 생각한다면 그러한 연관 관계를 찾아볼 수도 있을 게다. 그렇지만 자기하고는 아무 상관도 없는 일에 호기심을 갖고 아는 척하기를 좋아하는 까닭은, 모든 인간에 공통적인 약점을 그들도 갖고 있기 때문이지 않을까 하고 나는 생각했다.

그들은 늘 불안에 사로잡혀 있는데, 따라서 한순간도 마음의 평화를 누릴 수가 없었다. 그런데 그들의 불안감이라는 것이 그 나라 사람들이 아닌 인간들에게는 전혀 문제가 되지도 않는 것에서 기인하는 데 그 특이성이 있었다. 그것은 천체에 어떤 변화가 생기지 않을까 하는 걱정이었다. 예를 들어 태양이 끊임없이 지구에 접근해 오면서 결국에는 지구를 삼켜버리지 않을까, 태양의 표면이 점차 다른 물질로 덮여서 지구에 더는 빛을 비춰주지 못하게 되는 건 아닐까, 지구가 얼마 전에 하마터면 혜성의 꼬리와 스칠 뻔했는데 정말 그랬더라면 지구는 잿더미로 변해버리지 않았을까, 그리고 앞으로 31년 후에 그 혜성이 다시 돌아올 것으로 예상되는데 그때는 지구를 멸망시키지 않을까, 왜냐하면 그들의 계산으로는 그 혜성이 태양과 가장 가까운 위치에 있을 때는 빨갛게 달아오른 쇠보다도 1만 배나 더 강한 열을 낼 터이고 그 혜성이 태양에서 떨어져 나올 때는 1백80만 킬로미터에 달하는 불타는 꼬리를 갖고 있을 터인데, 그때 지구가 그 혜성의 중심에서 15만 킬로 떨어져 있다고 하더라도 그 꼬리를 지나치게 된다면 모두 타 없어지고 재가 되어버리지 않을까 등등의 걱정거리였다. 그리고 태양은 외부에서 어떠한 연료도 공급받지 않으면서 항상 타오르고 있기 때문에 결국에는 잿더미만 남을 것이고 그렇게 되면 지구나 그 외 태양에게 열을 받는 모든 천체는 불가피하게 공멸할 것이라고 생각했다.

그들은 그와 같은 염려 때문에 항상 불안에 싸여 있어서 잠자리에서도 편안히 자지를 못했고 일상적인 생활에서 즐거움을 맛보지도 못했다. 그들이 아침에 만나서 인사를 할 때는 태양이 아직 아무 일 없이 불타고 있는지, 태양이 뜨고 질 때 그 모습이 어떠했는지, 앞으로 지구가 혜성과 충돌할 위험은 없는지 등등에 대해 이야기를 나누었다. 어린애들이 귀신이나 도깨비 이야기를 호기심을 갖고서 듣는 것과 마찬가지로 그들은 항상 그런 이야기를 화젯거리로 삼았다. 그러고는 두려움에 떨면서 잠자리에 들지도 못하는 것이다.

날아다니는 섬의 여자들은 활기가 넘쳤다. 그들은 남편들을 무시하고 딴 곳에서 온 남자들을 좋아했는데, 아래 육지에서 남자들이 그 공중의 섬으로 많이 찾아왔다. 남자들은 자기들의 볼일을 보려고 그 섬으로 찾아오는데 섬 사람들은 아래 육지에서 온 사람들을 항상 멸시했다. 그렇지만 그 섬의 여자들은 그런 남자들 중에서 애인을 골랐는데, 그 여자들이 아주 자연스럽게 외도를 한다는 점이 문제였다. 왜냐하면 남편들은 항상 사색에 잠겨 있기 때문에 옆에 때리기꾼이 없다면 남편의 바로 옆에서 아내가 외간남자와 별짓을 해도 아무런 관여도 않기 때문이다.

내가 보기로는 그 공중의 섬이 세상에서 가장 즐거울 것 같았지만 그곳의 여자들은 섬에 갇혀 있는 것을 한탄했다. 그녀들은 그곳에서 풍요와 호화로움 속에서 살고 할 수 있는 일은 무엇이든 할 수 있었지만 항상 바깥세상으로 나가기를 바랐고 그 나라 수도에서 지내기를 간절히 원했다. 그런데 그런 일은 왕의 특별한 허가를 받지 않고는 할 수 없었고 그 허가를 얻는 것이 어려웠다. 왜냐하면 과거의 여러 경험에 견주어볼 때, 여자들이 한번 밑의 세계로 내려가면 되돌아오게 하기가 얼마나 어려운가를 그 섬의 사람들이 잘 알기 때문이다. 들은 이야기가 하나 있는데, 궁궐의 어떤 귀부인이 공중 섬에서 가장 부자고 생김새도 훌륭하고 그녀를 끔찍이 사랑해주는 수상과 결혼해서 아이들도 낳고 그 섬에서 가장 좋은 저택에 살았는데, 건강을 돌본다는 구실로 라가도로 내려갔다가 거기에서 몇 달 동안이나 행방을 감추어버렸다. 그래서 왕이 수색대를 보내서 찾아보니 아주 허름한 옷을 입은 채로 싸구려 음식점에서 일하는 그녀가 발견되었다고 한다. 그런데 그런 일을 하는 이유가 그녀를 매일 때리고 강제로 붙들고 놓아주지도 않는, 병신처럼 보이는 늙은 남자를 먹여살리려는 것이었다고 한다. 그리고 그녀의 남편이 그녀를 전혀 나무라지도 않고 아주 다정하게 대해주었지만 다시 얼마 안 가서 달아날 방도를 꾸몄고 결국은 자기가 가진 패물을 모두 갖고서 아래 세상의 옛 애인한테로 도망가버리고 나서는 소식이 두절되었다고 했다.

이런 이야기를 듣고서 독자들은 그것이 그 이상한 나라에서 발생한 것이 아니라 유럽의 어느 나라에서 발생한 것이 아닌가 하고 생각할 것이다. 그런데 여자의 변덕은 어떤 특정한 나라나 민족에 국한되는 것은 아니고 우리가 상상하는 것보다 훨씬 더 보편적이라는 사실을 독자들은 알아두어야 한다고 나는 생각한다.

그곳에 도착한 지 한 달 정도가 지났을 때 나는 이제 그 나라 말에 상당히 능통해졌고 왕을 만날 때는 그와 자유롭게 대화할 수 있게 되었다. 왕은 나의 조국의 법률, 정치, 역사, 종교, 관습 같은 것에는 관심이 없고 단지 수학에만 관심이 있었다. 내가 수학이 아닌 것에 대해서 말할 때는 아주 경멸적인 표정을 지었다. 물론 이따금 씩 양쪽에서 때리기꾼이 왕을 일깨워주어야 했다.

3장

현대적인 철학과 천문학에 의해서 해결된 현상에 대해서 언급한다. 천문학이 그 나라에서 발달한 상태를 설명한다. 왕이 그 나라에서 반란이 일어났을 경우에 진압하는 방법에 대해서도 언급한다.

나는 왕에게 날아다니는 섬의 여러 가지를 보고 싶으니 허가해달라고 요청했다. 왕은 친절하게도 허락해주었고 나의 개인 교사에게 나를 안내하도록 지시했다. 그 섬이 어떠한 원리로 작동하는지 나는 특히 알고 싶었다. 여기에 내가 아는 바대로 독자들에게 설명을 하고자 한다.

날아다니는 섬은 정확한 원의 형태였다. 직경은 7.2킬로미터고 따라서 넓이는 1만 에이커 정도가 된다. 두께는 2백70미터다. 밑에서 보면 바닥 표면은 완전히 평평하고 매끄러운 금강석으로 된 판이며 1백80미터까지 그렇게 되어 있다. 그 위로는 여러 가지 광석이 층층이 쌓여 있으며 가장 위에는 3미터에서 3미터 60센티 정도 두께의 비옥한 토양층이 깔려 있다. 상층의 표면은 중심부를 향해서 기울어져 있기 때문에 그 섬에 내리는 비가 여러 작은 시내를 이루면서 중심으로 모이게 된다. 거기에서 커다란 저수지 네 개로 들어간다. 그 저수지는 둘레가 약 1.5킬로고 섬의 중심에서 1백80미터 되는 거리에 있다. 저수지의 물은 낮에는 태양열로 인해서 끊임없이 증발한다. 그래서 물이 넘치는 일이 없다. 그리고 왕은 그 섬을 구름보다 높은 곳으로 올라가게 할 수 있기 때문에 그가 원할 때는 언제든지 비가 내리지 않게 할 수도 있다. 아무리 높은 구름도 3킬로미터 정도 이상으로는 올라가지 못한다는 사실을 그 나라의 과학자들은 알며 적어도 그 나라에서는 그런 일이 일어나지 않았다.

그 섬의 중심부에는 지름이 약 50미터인 구멍이 있는데, 그곳을 통해서 천문학자들이 커다란 원형의 동굴로 들어간다. 그러므로 그곳을 '플란도나 가그놀', 즉 '천문학자의 동굴'이라고 불렀다. 그것은 금강석 층에서 1백 미터 내려간 곳에 있다. 동굴에는 등 20개가 항상 밝혀져 있었고 그 불빛이 금강석으로 인해서 사방으로 반사된다. 그리고 거기에는 여러 가지 천구의나 망원경이나 천체 관측기나 그 외 여러 가지 천문학용 기구가 가득 놓여 있다. 그런데 거기에서 가장 중요한 물건은 그 섬 전체의 운명이 걸려 있는 거대한 자석이다. 그것은 북처럼 생겼는데 길이는 6미터 정도고 가운데 가장 두꺼운 부분의 두께는 최소한 3미터는 된다. 자석의 중심에는 금강석으로 만든 축이 관통하고 자석은 그 축을 중심으로 하여 회전하는데 균형이 아주 잘 이루어졌기 때문에 약간만 힘을 줘도 돌아가게 되어 있다. 그 둘레를 속이 빈 원통이 바퀴와 같은 형태로 둥글게 둘러쌌는데, 그것도 역시 금강석으로 되었고 깊이와 두께가 1미터 20센티다. 그 바퀴의 직경은 12미터고 각각 6미터 높이의 금강석 지주 여덟 개로 수평으로 받쳐져 있다. 그 바퀴의 가운데에 깊이 30센티미터의 홈이 파이고 그 홈에 자석 축의 양끝이 꽂혀 있으며 필요에 따라서 회전한다.

그 자석의 힘으로 그 섬은 올라가기도 하고 내려가기도 하며 여기저기로 이동할 수 있다. 즉 왕이 지배하는 땅의 부분을 향하여 자석의 한쪽으로는 끌어당기는 힘이 주어지고 다른 쪽으로는 미는 힘이 주어진다. 끌어당기는 쪽을 아래로 향하게 하면 섬은 하강하고 반대로 미는 쪽을 아래로 향하게 하면 섬은 상승한다. 자석의 위치가 경사지게 되면 섬의 이동 방향도 경사지게 된다. 왜냐하면 그 자석에서는 힘이 항상 자석의 방향과 평행으로 작용하기 때문이다.

그러한 경사진 운동으로써 섬은 그 왕국의 이곳저곳으로 이동할 수 있다. 섬이 이동하는 방식을 설명한다면, AB는 발니바비의 전체 영토를 횡단하는 선이고 cd는 자석인데, 거기에서 d는 반발하는 쪽의 극이고 c는 끌어당기는 쪽의 극이며 현재 섬은 C의 상공에 있다고 가정한다. 미는 쪽의 극을 아래로 향하게 하고 자석을 cd의 위치로 놓으면 섬은 D를 향해서 경사지게 상승한다. 섬이 D에 도달하면 자석을 그 축을 중심으로 회전시켜서, 끌어당기는 극을 E로 향하게 한다. 그러면 섬은 경사지게 E로 이동한다. 거기에서 다시 자석을 축으로 회전시켜서, 미는 극을 아래로 향하게 하면서 EF의 위치로 가게 하면 섬은 경사지게 F를 향해서 올라간다. F에서 자석의 끌어당기는 극을 G로 향하게 하면 섬은 G로 이동하고 G에서, 미는 극을 곧바로 아래로 향하게 자석을 회전하면 H로 이동한다. 그처럼 필요에 따라서 자석의 방향을 바꾸어주면 섬은 경사지게 오르거나 내려간다. 그리고 그처럼 올라갔다 내려갔다 함으로써(경사진 정도가 심한 것은 아니다) 섬이 영토의 어느 부분으로든 옮겨다닐 수 있는 것이다.

그런데 그 섬은 지상에 있는 그 나라의 영토 범위를 벗어나서는 이동할 수 없었으며 6킬로미터 이상의 높이로도 올라갈 수 없었다. 그 이유를 자석에 관해서 방대한 책을 쓴 천문학자들은 이렇게 설

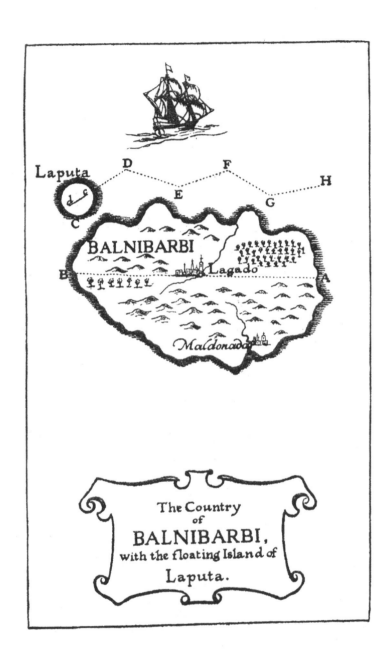

The Country
of
BALNIBARBI,
with the floating Island of
Laputa.

명했다. 즉 자력의 힘이 6킬로미터 이상은 미치지 못하고 또 그 자석에 대해서 반응하는 광석은 그 나라의 땅속이나, 또는 해안에서 30킬로미터 떨어진 곳까지의 바닷속에는 존재하지만 지구상 모든 곳에 존재하지는 않고 그 왕국의 영토에서 끝나기 때문에 그렇다는 것이다. 왕은 그처럼 우월한 위치에 있기 때문에 그 자석의 힘이 미치는 범위 안에 있는 곳은 어느 곳이든지 지배하기가 쉽다.

그 자석은 천문학자들이 관리했고 그들은 왕이 지시하는 바에 따라서 자석을 조종한다. 그리고 그 천문학자들은 인생의 대부분을 천체 관측으로 보내는데, 그들이 천체 관측용으로 사용하는 망원경은 그 성능이 유럽의 것보다도 월등히 우수했다. 그들의 망원경은 가장 큰 것도 길이가 1미터를 넘지 못하지만 길이가 30미터나 되는 유럽의 망원경보다도 별들을 훨씬 더 선명하게 보여준다. 그러한 장점으로 인해서 그들은 유럽의 천문학자들보다도 훨씬 더 많은 별을 발견할 수 있었다. 그들의 항성 지도에는 항성이 만 개 정도 나와 있는데 그에 비해서 유럽의 가장 큰 항성 지도에도 그것의 3분의 1도 담지 못하고 있다. 그들은 화성 주위를 도는 위성 두 개를 발견했는데, 그중에서 화성 쪽에 좀 더 가까운 것은 화성의 중심에서부터 화성 직경의 세 배되는 거리를 유지하고 바깥쪽에 있는 위성은 다섯 배 되는 거리를 유지한다는 사실도 알았다. 앞의 위성은 10시간마다 한 번씩 화성을 회전하고 뒤의 위성은 21시간 반마다 회전한다는 사실 역시 알았다. 그러므로 그 위성들의 주기의 제곱은 화성의 중심에서부터의 거리의 세제곱에 거의 가깝다. 그러한 사실은 화성이 다른 천체들과 마찬가지로 중력의 힘으로 움직인다는 사실을 말해준다.

그들은 혜성 93개를 관측했고 그 주기도 정확히 계산해냈다고 했다. 그들은 그것에 대해서 자신했으며 따라서 나는 그 결과를 내가 공표했으면 하고 바란다. 유럽에서 지금 빈약하게 이루어진 혜성에 관한 이론이 그걸로 크게 보충될 수 있을 것이기 때문이다.

그 섬의 왕이 고관들을 자기 마음대로 부릴 수 있다면 그는 아마도 이 세상에서 가장 강력한 군주가 되어 있을 것이다. 그렇지만 고관들이 자기들 소유의 땅을 그 섬 아래의 대륙에 갖고 있는 경우가 많고 왕의 신임이 언제 사라질지 모르는 상태기 때문에 고관들을 완전히 복속시키는 것에는 찬성하지 않았다.

어떤 도시에서 폭동이나 반란이 발생하거나 격렬한 싸움이 벌어지거나 세금의 납부를 거부한다면 왕은 그들을 복종시키는 방법이 두 가지 있다. 하나는, 그 중에서 온건한 방법인데, 그러한 도시의 상공에 섬을 멈추게 함으로써 그 아래의 땅에 햇빛이 비추거나 비가 내리는 것을 막아버리는 것으로, 그렇게 하여 그곳 주민들에게 기근과 질병이 생기게 하여 벌을 줄 수 있다. 주민들의 죄가 더 크다면 커다란 돌을 하늘에서 떨어뜨릴 수 있었다. 그렇게 되면 그들의 집이나 건물이 산산조각이 나버리고 그러는 동안에 그들은 대항할 방도가 없기 때문에 동굴이나 지하실 속으로 들어가서 숨어 있는 수밖에 없다. 그렇지만 그래도 그들이 계속해서 저항하거나 폭동을 일으킨다면 왕은 최후의 수단으로 그 섬을 지상에 충돌시켜버린다. 그러면 사람이든 집이든 모두가 파멸한다. 그런데 왕이 그런 극단적인 수단을 강구하는 경우는 거의 발생하지 않았고 그렇게 할 용기도 없다. 고관들이 그런 조치를 취하라고 왕에게 건의하지도 않기 때문이다. 그렇게 하다가는 온 나라 사람들의 반발을 살 뿐 아니라, 왕의 땅은 공중에 있는 섬이니 상관없지만 지상에 있는 고관들의 영지가 큰 피해를 입게 되는 것이다.

그런데 역대의 왕들이 꼭 필요한 경우를 제외하고 그러한 극단적인 조치를 취하지 않은 데는 다른 중대한 이유가 있다. 애당초에 재앙을 막으려고 그런 지형을 택한 것은 아니겠지만, 파괴의 대상이 될 도시에 높은 바위가 있다거나 돌로 만든 높은 탑이나 기둥이 많다면 그곳에 그 섬이 급강하하는 순간에 섬의 밑바닥이 부서질 염려가 있다. 그 밑바닥이 1백80미터 두께의 금강석으로 되어 있기는 하지만 커다란 충격으로 인해서 깨질 수 있고 지상에서 생긴 건물의 화재 때문에 손상될 수도 있었다. 마치 영국에서 쇠와 돌로 된 굴뚝이 부서지는 경우와 같다.

그래서 그 나라 사람들은 왕의 통치에 비교적 잘 따랐다. 왕이 화가 치밀어 올라서 어떤 도시를 박살내려고 작정을 했더라도 그 섬이 약하게 도시에 충돌하도록 하고 그렇게 함으로써 왕이 주민들에 대해서 많은 배려를 한다는 사실을 알 수 있게 한다. 그렇지만 사실은 섬의 바닥이 망가지는 걸 막으려는 것이다. 섬의 밑바닥이 부서지면 그 섬 전체가 지상으로 내려앉아 버린다는 사실을 과학자들은 알았다.

그 나라의 법률에 따라서 왕과, 왕의 큰 아들과 두 번째 아들은 그 섬을 떠날 수가 없었고, 왕비는 아기를 낳는 나이를 지날 때까지는 그 섬에서 나갈 수가 없었다.

4장

저자가 라퓨타를 떠나서 발니바비로 가고 그 나라의 수도에 도착하며 수도와 그 근처의 지역에 대해 언급한다. 저자가 신분이 높은 사람의 접대를 받는다. 그 귀족과의 대화에 관해서 언급한다.

그 섬에서 내가 학대를 받았다고는 말할 수 없을지라도 너무 무시당하고 멸시를 당했다는 사실을 언급해야겠다. 왕이나 주민들이 수학이나 음악을 제외하고는 다른 것에는 아무런 관심이 없었고 수학과 음악에서 나는 그들보다 훨씬 뒤졌기 때문에 멸시를 받지 않을 수가 없었던 것이다.

그리고 그 섬의 신기한 것을 모두 보고 난 후 그곳에 싫증이 났기 때문에 나는 그 섬을 떠나기를 염원하게 되었다. 그들이 내가 높이 사는 두 가지 학문에 뛰어난 것은 사실이지만 한편으로는 너무나 지나치게 명상에만 잠겨 있어서 상대하기가 까다로웠다. 그래서 내가 머무는 두 달 동안 얘기를 나눈 사람들은 여자들이나 상인들이나 때리기꾼이나 궁정의 하인들뿐이었다. 그렇게 함으로써 나는 멸시를 받았지만 나의 질문에 대해서 대답을 해준 사람들은 그들밖에 없었다.

나는 열심히 공부를 하여 그 나라 사람들의 말에 꽤 익숙해졌다. 그렇지만 점점 더 싫증이 났기 때문에 기회가 생기는 대로 떠나기로 작정했다.

궁궐에는 왕과 친척인 고관 한 사람이 있었는데 친척이라는 이유로 대접을 잘 받았다. 그렇지만 그는 궁궐에서 가장 무식하고 멍청한 사람으로 인식되었다. 사실 그는 왕을 위하여 많은 일을 했으며 성실한 사람이었지만 음악에 대한 자질은 별로였고 그를 중상하는 사람은 그가 박자를 맞추지 못한다고 비난했다. 또한 수학의 명제를 가르치는 데 선생들이 아주 힘들어했다. 그런데 그 사람은 나에게 잘 대해주었으며 나를 자주 찾아와서 유럽의 사정이나 내가 가보았던 여러 나라의 법률, 관습, 학문 등에 대해서 알려고 했다. 그는 내가 하는 얘기를 귀담아들었고 내가 들려주는 모든 얘기에 대해서 자기 의견을 제시했다. 그는 형식적으로는 때리기꾼 두 명을 두었지만 궁궐에 갈 때나 공식적인 방문을 하는 경우를 제외하고는 그들을 이용하지 않았으며 나와 둘이 있을 때는 항상 그들이 물러나 있게 했다.

나는 그 사람에게 내가 그 섬을 떠날 수 있도록 왕에게 말을 잘 해달라고 부탁했다. 그는 내 요청을 들어주었다. 그렇지만 그는 내가 떠나는 것을 아쉽게 생각했다. 그는 이전에 나에게 좋은 일자리를 몇 개 제시해준 적이 있었다. 그렇지만 나는 그것을 고마워하면서도 사양했다.

2월 16일에 나는 왕과 궁궐 사람들과 작별하게 되었다. 왕은 영국 돈으로 2백 파운드 정도의 가치가 되는 선물을 나에게 주었고 나와 친근하게 지내던 그 사람도 나에게 그 두 배 되는 선물을 주었으며 수도인 라가도에 있는 자기 친구에게 추천장까지 써주었다. 그때 마침 그 섬은 수도에서 약 3킬로미터 떨어진 곳에 떠 있었기 때문에, 나는 섬에 올라갔던 때와 동일한 방식으로 땅으로 내려갔다.

날아다니는 섬의 왕이 통치하는 그 대륙의 구역은 발니바비라 했고 수도는 전에 언급한 대로 라가도라고 불렀다. 단단한 땅 위에 내려오자 마음이 안정되었다. 아무런 거리낌 없이 수도를 향해서 길을 걸어갔다. 나는 그 지방 사람들과 비슷한 복장을 했고 그들과 얼마든지 말을 할 수 있었기 때문이다. 추천장에 있는 사람의 집을 찾아서 날아다니는 섬의 고관의 서신을 전해주었고 좋은 대접을 받게 되었다. 그의 이름은 무노디라고 했는데 자신의 집에 내가 거처할 방을 마련해주었다. 그곳에 머무는 동안에 그 방에서 지냈고 대접도 좋았다.

그는 내가 도착한 다음날 자기 마차로 시내를 구경시켜주었다. 도시의 크기는 런던의 반 정도 되었다. 그런데 건물들이 아주 이상하게 건축되었고 수리를 하지 않아서 황량해 보였다. 거리를 지나가는 사람들은 걸음걸이가 빠르고 무표정했으며 시선이 한곳으로 고정되어 있었고 옷은 허름했다. 우리는 성문 하나를 지나서 교외로 5킬로미터 정도 나갔다. 거기에서는 수많은 노동자들이 여러 가지 연장으로 땅에서 일을 하고 있었다. 그런데 무슨 일을 하는지 알수가 없었고, 토질은 아주 좋아 보였지만 옥수수나 사탕수수 종류의 작물 같은 것이 하나도 보이지 않았다. 나는 도시와 시골의 그러한 광경이 이상하게 생각되어 나를 안내하는 사람에게, 그 사람들이 부지런히 뭔가 하기는 하는데 도대체 무슨 일을 하는지 알려달라고 요청했다. 내가 보기에는 그들이 아무런 성과도 없는 일을 하는 것 같았기 때문이다. 그와 같은 방식으로 땅을 경작하고 집을 그렇게 황폐하게 놓아두며 사람들이 그처럼 불행하고 가난해 보이는 것이 이상하게 생각되었다.

무노디라는 사람은 가장 높은 계급에 속하는 사람이었으며 몇 년 동안 라가도의 시장으로서 일했던 사람이었다. 그런데 무능하다는 이유로 대신들의 회의에서 면직되었다. 그가 머리가 나쁘다고 왕은 인정은 했지만 마음이 선량한 사람이라고 해서 대접은 잘해주었다.

그 나라와 주민들에 대해서 그런 비판을 하자 그 사람은 내가 거기 온 지가 얼마 되지 않아서 그러한 말을 할 자격이 없다고 말하고는 화제를 다른 곳으로 돌렸다. 그런데 우리가 나중에 자기 집으로 돌아온 후에, 내가 그곳의 건물들을 어떻게 생각했는지, 어떤 결점을 발견했는지, 그리고 자기 하인들의 옷이나 얼굴 표정에 무슨 결점이 없는지 물었다. 그는 그런 질문을 편안한 마음으로 할 수는 있었다. 왜냐하면 그의 주변에 있는 모든 것은 질서정연하며 사람들은 품위를 갖추고 있었기 때문이다. 나는 그에게는 다른 사람들이 가진 결점이 없다고 대답해주었다. 그는 그곳에서 약 30킬로미터 떨어진 곳에 자기 영지가 있는데 거기에 가면 더 자세히 이야기할 기회가 있을 것이라고 말해주었다. 나는 그가 하자는 대로 하겠다고 했다. 그리하여 우리는 다음날 그곳으로 출발했다.

그는 그곳으로 가는 도중에 나에게 농부들이 땅에서 일하는 모습을 잘 관찰해보라고 말했다. 잘 살펴보았지만 도저히 이해할 수 없었다. 극히 일부의 땅을 제외하고는 어떤 작물도 보이지 않았다. 그런데 세 시간 여행한 후에는 전경이 완전히 달라졌다. 아주 아름답게 보이는 농촌에 와 있었던 것이다. 잘 지어진 집들이 여기저기 있었고 밭에는 울타리가 쳐져 있었으며 그 속에 포도밭이나 곡물 밭이나 목장이 있었다. 그처럼 아름다운 농장은 본 일이 없었다. 그 귀족은 나의 표정이 좋아지는 것을 보고는 한숨을 쉬면서 그곳이 그의 영지라고 말했다. 그런데 자기가 그런 방식으로 농장을 경영하면서 그 나라에 나쁜 선례를 보인다고 하여 비난받는다고 했다. 그리고 그런 구식을 따라가는 사람은 자기와 같은 늙고 고약스럽고 허약한 사람들밖에 없다고 말해주었다.

우리는 그의 시골집에 다다랐는데, 그것은 고대의 건축 방식에 따라서 훌륭하게 지어진 집이었다: 우물, 정원, 산책로, 과수원 등이 정확한 측량과 고상한 취향에 따라서 만들어져 있었다. 나는 그런 것에 대해서 칭찬을 해주었다. 그렇지만 그 귀족은 나의 칭찬에는 아무런 관심이 없어 보였고, 저녁을 먹은 후에 우리 두 사람만이 있을 때 아주 침울한 표정으로, 도시와 시골에 있는 현재의 저택을 다 허물어버리고 현재의 유행에 따라서 다시 지으며, 농장도 모두 현재 방식으로 바꿔야 하지 않을지 고민하고 있다고 말하는 것이었다. 그렇지 않으면 남들이 자기를 교만하고 이상하다고 생각하며 특히 왕이 자기를 나쁘게 생각하게 될 것이라고 말했다.

그는 내가 궁궐에서는 들어보지 못한 어떤 얘기를 듣는다면 내가 그에게 보인 찬사나 감탄은 사라지게 될 것이라고 말했다. 날아다니는 섬의 궁궐 사람들은 명상에만 너무 잠겨 있기 때문에 아래 세상에서 벌어지는 일에는 관심이 없다고 말했다.

그의 얘기는 대충 다음과 같았다. 대략 40년 전에 그 땅의 몇몇 사람이 무슨 볼일이 있어서 하늘에 있는 라퓨타로 갔다가는 약 다섯 달이 지난 후에 수학에 조금 지식을 얻어서 돌아왔다. 그런데 그것이 그 허공에서 얻어온 허무맹랑한 지식이었다. 그들이 돌아오자 그 땅에서 행해지던 모든 일에 대해서 비난을 했고 예술, 과학, 기계 같은 것을 새로이 구축하기 시작했다. 그러한 목적을 이루려고 그들은 라가도에 '연구가 협회'라는 것을 만들어서 왕에게서 허가를 받았다. 그리고 새로운 풍조가 급격히 퍼져나가 그 나라의 대부분의 도시에 그런 협회가 만들어졌다. 그 협회에서는 학자들이 농업이나 건축에서 새로운 규범을 만들어내고, 그들이 주장하는 바에 따른다면 한 사람이 열 명의 일을 할 수 있는 기구나 연장을 발명하는 것을 연구한다. 예를 들어 궁궐 하나를 일주일 만에 지어내고 그것은 영원히 수리를 하지 않아도 견디어낼 수 있도록 하는 것이다. 또 어떤 계절에라도 과일을 생산할 수 있도록 만들며 생산량도 지금보다 열 배는 증대시키는 것에 대해서도 연구했다. 그렇지만 그러한 것 어느 하나도 현재 성공한 게 없고 그러는 동안에 그 나라 전체가 가난해지고 황폐해지고 집은 폐허가 되었다. 그렇지만 그들은 낙심하지 않고서 그것을 실현하는 데 그전보다도 더 골몰했다. 그 귀족 자신으로 말할 것 같으면 다른 사람들보다 진취적이지 못해서 종래의 방식을 유지하고 있고 조상들이 지어놓은 집에서 그대로 살아가며 조상들이 살던 방식 그대로 살아나갔다. 그와 비슷한 방식으로 살아가는 귀족들이 몇 사람 있기는 하지만 그들은 기술 혁신의 이단자로서, 그리고 그 나라의 전체적인 발전보다는 개인적인 편안함만 추구하는 사람들로서 다른 모든 사람의 멸시와 증오의 대상이 된다고 한다.

그 귀족은 나를 이제 그 나라의 거대한 연구소로 안내해줄 예정인데, 그곳에 대한 자세한 이야기를 하면 방문하는 재미가 없어져버릴 것이므로 그만두겠다고 말했다. 그러고는 4킬로미터 정도 떨어진 산중턱에 있는 황폐한 건물에 대해서 얘기해주었다. 원래 그는 자기 집에서 1킬로미터도 되지 않는 곳에 좋은 물레방앗간을 소

유했는데, 그것은 큰 강에서 흘러나오는 물로 돌아갔으며 그것으로
자기 식구는 물론이고 소작인들 모두가 쓰고도 여유가 있었다고 한
다. 그런데 약 7년 전에 어떤 연구소의 사람들이 와서는 그 방앗간
을 없애버리고 대신 그 산에다가 다른 방앗간을 짓자고 했다고 한
다. 그 산의 능선을 따라서 수로를 만들고 기계로 물을 끌어올려서
방앗간에 공급한다는 것이었다. 그렇게 하는 이유는 높은 곳에 있
으면 그곳의 바람이 물을 휘젓게 되고 따라서 물을 움직이기 쉽도
록 만들며 그래서 높은 곳에서 떨어지는 물은 평지 물의 절반의 양
으로도 방아를 돌릴 수 있기 때문이라는 것이었다. 그는 당시에 궁
궐과 사이가 좋지 않았고 여러 사람들의 독촉을 이기지 못해 그러
한 제안에 동의하고 말았는데, 연구가들은 2년 동안 1백 명을 동원
해서 공사를 하다가는 실패하게 되자 그 책임을 그에게 떠넘기고
가버렸고 그 후에도 계속 그를 욕한다고 했다. 그리고 그들은 다른
사람들에게도 똑같은 제안을 하여 실험하게 하고 동일한 실패를 계
속해오고 있다고 한다.

　며칠 후에 우리는 수도로 돌아갔다. 그런데 그 귀족은 사람들에
게 좋지 않은 평판을 받고 있기 때문에 나를 그 거대한 연구소로 데
리고 가지를 못하고 대신 다른 사람을 소개해주고 그 사람이 나를
동반하게 했다. 그 사람에게 내가 새로운 것을 좋아하는 사람이고
호기심이 많으며 무엇이든 쉽게 믿는 사람이라고 소개해주었다. 그
런데 내가 젊은 시절에 연구가가 되어본 일이 있었기 때문에 크게
틀린 말은 아니었다.

5장

저자가 라가도의 거대한 연구소를 방문한다. 그 연구소에 대해서, 그리고
교수들이 거기에서 하는 연구에 대해서 서술한다.

그 연구소는 하나의 독립된 건물은 아니었고 도로 양쪽으로 일렬
로 늘어선 건물 여러 개로 이루어졌다. 황폐해가는 건물을 사서 연
구소로 이용하는 것이다.

그곳 연구소장은 나를 환영해주었고 나는 오랫동안 매일 그곳을
방문했다. 연구실마다 수석 연구가 한두 명이 있었고 내가 방문한
연구실의 수는 5백 개는 될 것이다.

제일 먼저 그곳에서 만난 사람은 초라한 행색에 손이나 얼굴에
검정이 묻어 있었으며 머리카락은 흐트러지고 수염은 길었고 몸의
여러 곳에 불에 덴 흔적이 있었다. 그는 8년 동안 오이에서 태양 광
선을 꺼내는 연구를 해왔다. 태양 광선을 쬔 오이를 유리병에 집어
넣은 다음에 완전히 밀폐하고서는 냉해가 드는 여름철에 방출시켜
서 공기를 데우는 방식이었다. 그는 8년만 더 연구하면 틀림없이
적절한 가격에 그것을 상품화할 수 있을 것이라고 자신했다. 그렇
지만 연구 자금이 부족하다는 불평을 했고, 지금은 오이가 비싼 계
절이니 자기가 자신감을 갖게끔 찬조금을 좀 내달라고 나한테 요청
했다. 그래서 나는 돈을 약간 주었다. 그들은 구경하러 오는 모든

사람에게 그러한 요청을 하는 게 버릇이 되어 있으므로, 나와 함께 지내던 그 귀족이 그러한 용도에 쓰도록 얼마간의 돈을 준 것이 있었다.

나는 또 다른 연구실로 들어갔는데 지독한 냄새 때문에 도망쳐 나올 뻔했다. 그런데 나를 안내해주던 사람이 그렇게 하면 실례고 사람들이 화낼 것이라고 귀엣말을 하면서 나를 강제로 실내로 들여보냈다. 그래서 코를 막을 생각도 못했다. 그 연구실에 있는 수석 연구가는 그 거대한 연구소에서 가장 나이 많은 사람이었다. 그의 얼굴과 수염은 옅은 노란색이었고 손과 옷에는 사람의 똥이 묻어 있었다. 나를 소개받자 그는 나를 포옹했는데 속으로 질겁하지 않을 수 없었다. 그가 하는 일은 인간의 배설물을 분류하고 색깔을 제거하며 냄새를 없애고 타액을 분리해내 원래의 음식으로 되돌리는 것이었다. 그는 매주 술통 크기만 한 용기에 인간의 배설물을 공급받았다.

내가 만난 또 다른 수석 연구가는 얼음에 열을 가해서 화약을 만드는 것을 연구했다. 그는 또한 불의 성질에 관해 쓴 논문을 나에게 보여주었고 그것을 곧 책으로 낼 예정이라고 했다.

또 한 사람 뛰어난 연구가가 있었는데, 그는 집을 짓는 새로운 방법을 연구했다. 그것은 집을 밑에서부터 짓는 것이 아니라 위에서부터 짓는 방식이었다. 벌과 거미가 집을 짓는 것에서 힌트를 얻었다면서 그 방법의 유용성에 대해서 설명해주었다.

태어날 때부터 장님인 한 연구가도 있었는데, 그는 같은 처지의 장님을 여러 명 밑에 두었다. 그들이 연구하는 것은, 무슨 색인지를 냄새와 촉감으로만 알 수 있는, 화가가 쓰는 물감을 제조하는 것이었다. 그런데 내가 방문했을 때는 사람들의 수가 많아서 혼란스런 상태였는데 그 연구가 자신도 물감의 색깔을 거의 알아내지 못하고 있었다. 그렇지만 그 사람은 동료 학자들의 존경을 받았다.

또 다른 곳에서 만난 한 연구가는 쟁기와 소를 이용하지 않고 돼

지를 이용해서 땅을 가는 방법을 발명하는 중이었다. 밭에다가 15센티미터 간격으로 20센티미터 깊이의 구멍을 파고서는 도토리나 대추, 밤 또는 기타 돼지들이 좋아하는 나무열매나 채소를 묻어놓고서 그곳에 6백 마리나 그 이상의 돼지를 몰아넣는 방법이다. 그러고 얼마 있으면 돼지들은 먹을거리를 찾아서 땅을 팔 것이고 그래서 씨를 뿌리기에 알맞게 되며 돼지들의 배설물은 거름이 되는 것이다. 여러 번 실험을 해본 결과 비용이나 인력이 많이 들었고 수확량은 별로였지만 그 방법이 어떤 발전을 가져오는 것은 의심할 여지가 없다고 모두 생각했다.

다른 장소로 가보았더니 벽과 천장이 온통 거미줄로 덮였고 연구자들이 출입하는 통로만 열려 있었다. 내가 들어가자 거미줄을 다치게 하지 말라고 주의를 주었다. 그곳의 연구자는 세상 사람들이 거미를 이용할 수 있는데도 누에를 기르는 잘못을 저지르고 있다고 설명했다. 거미는 실을 만들어낼 뿐 아니라 거미줄을 짜내는 방법도 알기 때문에 누에보다도 훨씬 낫다고 했다. 그리고 거미를 이용하면 비단실에 염색하는 비용이 들어가지 않는다고 했다. 그런데 색깔이 아주 고운 파리들을 보았을 때 그의 말이 사실이라고 믿게 되었다. 그 파리가 거미에게 주는 먹이가 되는데 거미줄의 색깔이 거기에서 유래한다면서, 끈적끈적한 수지나 기름 같은 것을 파리에게 먹이로 주면 사람들의 기호에 맞는 실을 거미가 만들어낼 수 있다고 말해주었다.

내가 약간 복통을 느끼자, 안내인이 나를 어느 곳으로 데리고 갔다. 거기에는 어떤 도구를 갖고서 질병을 치료하는 저명한 의사가 있었다. 그 도구는 상아로 만든 긴 주둥이가 있는, 바람을 일으키는 풍구 같은 것이었다. 그것을 항문에 삽입하고서 바람을 빼내면 장이 말라붙은 방광처럼 납작해진다. 그런데 병이 심할 경우에는 바람을 환자의 몸 안으로 불어 넣는다. 그렇게 서너 번 하고 나면 공기가 튀어나가면서 환자의 병이 치료된다는 것이었다. 나는 그런 실험을 개에게 하는 것을 보았는데, 앞의 방식은 아무런 효과가 없었다. 후자의 방식을 실시했더니 개의 배가 터질 것처럼 부풀어 올랐고 배설물을 배출해냈는데 그 냄새로 인해서 숨이 막힐 지경이었다. 개는 즉시 죽어버렸고 그 의사가 다른 방식으로 개를 살려보려는 것을 보고서 우리는 그곳에서 나왔다.

그 밖에도 몇몇 방을 보았는데, 그걸 모두 적어 독자들을 지루하게 할 생각은 없다. 나 역시 간결한 것을 좋아한다.

내가 지금까지 방문한 곳은 연구소 건물의 한쪽뿐이었는데, 다른 쪽은 사색적인 학문을 연구하는 사람들에게 배당되어 있었다. 그쪽에 대해서는 만능학자라고 부르는 유명인사에 대해 이야기하고 나서 서술할 것이다. 그는 30년 동안 인간을 위해서 여러 가지를 연구해왔다고 우리에게 말해주었다. 진기한 물건으로 가득 찬 방이 두 개 있었고 50명 정도가 일했다. 그 중에서 일부는 공기에서 초산을 빼내고 나서 물이나 액체의 분자를 증발시킴으로써 공기를 고체로 만드는 연구를 했다. 그리고 대리석을 부드럽게 만들어서 베개나 핀꽂이로 만드는 연구를 하는 사람도 있고, 말의 말굽을 돌같이 단단하게 만듦으로써 말이 다쳐서 절름발이가 되지 않게 하는 연구를 하는 사람들도 있었다. 그 만능 학자도 두 가지 위대한 연구에 몰두했다. 하나는 밭에 곡물의 씨 대신 왕겨를 뿌리는 것이었다. 그가 주장하는 바에 따르면 왕겨 속에는 진짜 생명력이 있다는 것이다.

그는 그것을 몇 가지 실험으로 증명해 보이려고 했지만 나는 이해할 수가 없었다. 다른 한 가지는 고무와 광물과 채소의 혼합물을 새끼 양의 살에 발라서 양모가 자라지 못하게 만드는 것이었다. 그래서 언젠가는 털이 없는 양을 번식시키게 될 것을 기대했다.

우리는 길을 건너서 연구소의 다른 구역으로 들어갔는데, 앞에서 언급했듯이 거기에서는 사색적인 학문을 연구하는 사람들이 들어차 있었다.

내가 맨 처음 본 교수는 큰 연구실에서 학생들 40명과 함께 있었다. 우리가 인사를 나눈 후에 내가 연구실의 가로와 세로의 상당한 부분을 차지하는 틀을 진지하게 들여다보는 것을 보고는, 실용적이고 기계적인 작업으로 사색적인 지식을 개선하려는 계획에 대해서 내가 의아하게 생각하게 될 것이라고 그 교수가 얘기했다. 그런데 세상 사람들이 그것의 유용함을 곧 깨달을 것이고 그처럼 고상한 생각은 다른 사람들의 머리로는 생각해낼 수 없을 것이라고 했다. 누구나 예술이나 학문을 달성하는 과정이 힘들다고 생각하게 되는데, 그가 고안한 방법을 이용한다면 아무리 무식한 사람이라도 천부적인 재능이나 학문의 도움 없이도 철학, 시, 정치, 법률, 수학, 신학 등에 관한 책을 쓸 수 있다고 했다. 그러고는 나를 틀로 데리고 가서 제자들을 틀의 사방으로 한 줄로 세웠다. 그 틀은 가로, 세로가 6미터고 방의 가운데에 놓여 있었다. 그 표면은 주사위 크기의 여러 나뭇조각으로 되어 있었고 어떤 나뭇조각은 다른 것보다 컸다. 그것들이 가느다란 철사로 연결되었으며 각각의 나뭇조각 표면에는 종이가 풀로 붙어 있었고 그 종이에 그 나라 말로 된 모든 단어가 적혀 있었다. 그 단어들이 서법, 시제, 어형 변화의 형태를 갖추었는데 순서대로 되어 있지는 않았다. 이제 그 장치를 작동시키려고 하니 나에게 잘 보아두라고 했다. 학생들은 그 틀 사방에 달린 철로 된 핸들 40개를 교수의 지시에 따라서 하나씩 잡았다. 그리고 그것을 갑자기 돌리니 단어의 모든 배열이 완전히 변했다. 그 다음에 교수는 학생 36명에게 틀에 나타난 라인 몇 개를 조용히 읽어보라고 지시했다. 그러고는 서너 개 단어가 하나의 문장을 구성하게 되는 곳에서는 나머지 네 명의 학생에게 그것을 적어놓도록 했다. 그 작업이 서너 차례 반복되었는데 그 장치는 회전할 때마다 나뭇조각의 면이 뒤집힘에 따라서 단어들이 새롭게 조합을 이루도록 고안되어 있었다.

그 젊은 학생들은 하루에 여섯 시간씩 그 작업을 했으며 교수는 지금까지 수집한 문장들을 몇 권의 책으로 만들어두었다. 그는 그러한 불완전한 문장들을 짜맞추어서 예술과 학문의 완전한 체계를 만들어 세상에 내놓을 것이라고 했고, 사람들이 자금을 들여서 라가도에 그러한 장치를 5백 개 만들어놓고 그 운영자들이 수집한 자료를 공유한다면 그 사업이 더욱 발전할 것이라고 말했다.

그 교수는 젊을 때부터 그러한 발명에 모든 것을 바쳤고 그 안에 그 나라 말의 모든 어휘를 집어넣고는 모든 책들에서 분사, 명사, 동사 등의 수가 어떠한 비율로 되어 있는지를 정확히 계산했다고 말했다.

그처럼 나에게 설명해준 것에 대해서 나는 그 교수에게 고마움을 표시했고, 내가 운이 좋아서 고국으로 돌아가게 된다면 그 놀라운 기계를 혼자서 발명한 사람으로서 그를 치켜세워줄 것이라고 말했다. 그 장치의 형태와 구조를 종이에 그려도 된다는 허락을 받았다.

유럽에서는 어느 학자가 무슨 발명을 하면 다른 학자들이 훔치게 되어 누가 진정한 발명자인지 알 수 없는 것이 일반적인 현상이기는 하지만 나는 그 교수가 의심 없는 창시자라는 영예를 누리도록 해주겠다고 약속했다.

우리는 다음에 언어 연구소로 들어갔는데, 연구가 셋이 인간들이 대화하는 방식을 개량하는 것에 대해서 연구하고 있었다.

첫 번째 연구는 다음절어를 단음절어로 바꾸며, 실질적으로 우리가 생각하는 것은 명사밖에 없기 때문에 동사나 분사를 없애버려서 대화를 단축하는 것이었다.

다른 한 가지 방식은 모든 단어를 완전히 없애버리는 것이었다. 그것은 간결함과 인간의 건강에 장점이 많다고 해서 추진되었다. 왜냐하면 우리가 말을 할 때마다 정도의 차이가 있기는 하지만 폐가 조금씩 작아지고 따라서 수명을 단축시키는 원인이 된다는 것이었다. 그래서 이런 방식이 연구되었다. 즉 단어라는 것이 사물을 나타내는 표시에 불과하기 때문에, 사람들이 어떤 이야기를 하러 갈 때 그때 필요한 물건을 휴대하고 가는 것이 더 편리하다는 것이다. 그런데 그 구상은, 여자들이 무식한 사람들과 단합하여, 그들의 조상들이 하던 방식대로 혀를 갖고서 말을 할 자유를 주지 않는다면 폭동을 일으키겠다는 위협을 하는 일만 발생하지 않았더라면 현실화해서 그 나라 국민들의 건강이나 안락한 삶에 크게 이바지했을 것이라고 했다. 그처럼 학문의 원수는 항상 일반 대중이라고 했다. 그런데 학식이 깊은 사람들이나 현명한 사람들은 물건으로 대화를 한다는 그러한 방식에 대해서 공감하고 있다고 한다. 그런데 거기에서 동반되는 한 가지 불편한 점은, 할 얘기가 많고 주제가 다양하다면 힘센 하인을 몇 사람 대동하지 않는 한 거대한 물건들을 혼자서 짊어지고 갈 수가 없다는 사실이다. 그러한 대화를 했던 학자 둘이 자기들이 등에 진 짐 때문에 쓰러지는 것을 여러 번 보았다고 한다. 그런 사람들은 거리에서 만나면 짐을 땅에 부려놓고서는 바구니 같은 것을 열고서 한 시간 정도 말소리 없는 대화를 하다가는 그 대화가 끝나면 서로가 상대방의 짐을 챙겨주고 나서 작별한다고 했다. 그런데 짧은 대화인 경우에는 물건을 주머니에 넣거나 겨드랑이에 끼고 가면 충분하고, 자기 집에서 대화하는 경우에는 짐을 챙기지 않아도 되므로 아무 문제가 없다고 했다. 그러한 대화를 연구하는 사람들의 방은 소리 없는 대화를 하는 데 필요한 온갖 물건들로 가득 차 있었다. 그런 방식이 좋은 또 한 가지 이유는 그것이 모든 나라에서 공통으로 통용되는 언어가 될 수 있다는 점이었다. 왜냐하면 각 나라의 물건들은 대개 비슷비슷하고 그 쓰임새를 쉽게 짐작할 수 있다는 것이다. 예를 들어 각국의 사절들이 그런 방식을 이용하면 말이 전혀 통하지 않는 어느 나라의 왕이나 국민과도 쉽게 대화할 수 있다고 했다.

나는 수학 연구소에도 가보게 되었다. 거기에서는 유럽의 여러 나라에서는 상상할 수 없는 방식으로 선생이 학생들을 가르치고 있었다. 두뇌 약으로 만든 잉크로 수학의 공식과 명제를 얇은 과자의 표면에 깨끗하게 쓴다. 그것을 학생들은 공복 시에 삼키게 된다. 그러고 나서 3일 동안 물과 빵 외에는 아무것도 먹지 않는다. 그러면 얇은 과자가 소화되어가면서 그 염색체가 수학 공식이나 명제와 함께 뇌로 올라가게 된다. 그런데 그런 방식이 지금까지 별 성공을 거두지 못했다고 한다. 실패의 원인은 조제 방법이 잘못되었거나 학생들이 말을 듣지 않는 데 있었다. 그 과자가 구역질이 나게 만들기 때문에, 어떤 효과가 발생하기도 전에 학생들이 밖으로 몰래 빠져나가서 토해버리는 것이다. 그리고 그 처방에서 요구하는 오랜 시간 동안 금식을 할 사람들이 많지 않았다고 한다.

6장

연구소에 관해서 계속 언급한다. 저자가 몇 가지 개선책을 제안하고 그것
이 받아들여진다.

정치 연구가들의 학교에서는 별다른 재미를 느끼지 못했다. 내가
지금까지 그 나라를 보고 느낀 바에 따를 것 같으면, 그 모습들이
나를 우울하게 만들었는데, 그곳의 교수들은 정신이 나간 것 같았
기 때문이다. 그 불행한 사람들은 왕이 고급 관리들을 선발할 때는
지혜나 능력이나 덕성을 기준으로 삼아야 하며, 대신들은 항상 대
중의 이익을 염두에 두고 덕 있는 사람이나 능력 있는 사람이나 훌
륭한 공공 정신을 발휘한 사람을 후대하며, 왕은 국민의 이익을 최
대한으로 증진시키도록 교육해야 하고, 사람을 선발할 때는 그 일
에 가장 자질이 있는 사람을 선발해야 한다는 등 지금까지 그 나라
사람들이 생각해보지 못했던 공상적인 것들을 가르쳤다. 그러므로
아무리 터무니없고 불합리한 사상이라고 하더라도 어떤 학자가 진
실이라고 주장하지 않았던 것은 없었다고 하는 격언이 옳다는 점을
나는 확인하게 되었다.

그런데 그 연구소 사람들이 모두 그 같은 가식적인 사람들은 아
니었다는 점을 언급해주어야 할 것이다. 거기에는 아주 머리 좋은
의사가 한 사람 있었는데 그는 정부의 본질과 체계에 대해서 완벽

하게 아는 사람이었다. 그는 통치하는 사람들이 저지르기 쉬운 부패나 무능을 치료할 효과적인 방법을 찾는 데 의학적인 방식을 적용하는 것에 대해 연구했다. 그가 주장하는 바에 따르면, 사람의 신체와 국가 사이에는 일반적인 유사성이 있다고 작가나 이론가들이 생각하기 때문에, 동일한 방법으로 양자의 건강이 유지되고 병이 치유되어야 한다는 것 이상으로 명백한 사실은 없다는 것이었다. 예를 들어 상원의원들의 경우 다혈질적이거나 기타 다른 병적인 체액으로 인해서 자주 탈이 나며 그로 인해서 두통이나 심장병, 경련증, 울화통, 장의 팽창, 어지러움, 연주창, 신트림, 소화불량 같은 여러 가지 질병이 생긴다고 했다. 그래서 다음과 같이 해야 한다고 주장했다. 즉 상원의회가 개원한 다음 최초의 3일 동안은 매일의 토론이 끝났을 때 의사들이 상원의원들의 맥을 짚고 그들의 질병의 성격과 그 치료법에 대해서 검토한 다음에, 4일째 되는 날 필요한 약을 갖고서 의원들에게 가는 것이다. 그래서 의원들이 업무를 시작하기 전에 각자에게 필요에 따라서 진통제, 완하제, 변통약, 두통약, 황달약, 거담제, 난청 치료제 같은 약을 복용하게 한다. 그리고 그러한 약의 효과를 보아가면서 다음날 아침에 그것을 반복해서 주거나 다른 것으로 변경한다는 것이다.

내가 생각하기에는 그러한 조치를 한다고 해서 국민의 세금을 크게 축내지는 않을 것이며, 상원의원들이 입법권을 갖고 있는 나라에서는 그 일을 잘 하는 데 크게 도움이 될 것이고, 만장일치가 이루어지도록 하며, 토론을 간결하게 하고, 항상 아무 말도 하지 않는 일부 의원들이 말문을 열게 만들며, 항상 떠벌리는 사람들은 입을 닫게 만들고, 젊은 의원들이 느긋한 태도를 갖게 하며, 나이 많은 의원들은 독선을 갖지 않게 하고, 우둔한 의원들을 깨우치며, 잘난 체하는 의원들은 겸손해지게 만들 것으로 보였다.

왕이 총애하는 신하들은 기억력이 짧고 약하다는 일반인들의 불평이 있기 때문에 그 의사는 거기에 대한 다음과 같은 처방을 연구했다. 즉 총리에게 무슨 말을 전달하는 사람은 가장 간결한 말로 해주고, 그가 물러갈 때 총리가 다음에 잊어버리지 않도록 총리의 코를 비틀어주거나 배를 발로 차거나 발가락에 생긴 티눈을 밟아주거나 귀를 세 번 잡아당기거나 궁둥이에 핀을 꽂거나 멍이 들도록 팔을 꼬집어주거나 한다는 것이다. 그리고 자기의 용건이 실현될 때까지 매번 만날 때마다 같은 행동을 반복해야 한다는 것이다.

또한 그 의사는 상원의원들이 의회에서 자기의 의견을 개진하고 거기에 대한 반론에 답을 한 다음에 그 안에 대해서 표결을 할 때에는, 자기가 원래 주장했던 쪽과는 전혀 반대쪽에 표를 던져야 한다고 했다. 그렇게 해야만 그것이 공익을 증진하는 결과가 되기 때문이라는 것이다.

어느 나라에서 당쟁이 격화할 때에 그것을 완화하는 놀라운 방법을 그 의사는 연구해두었다. 양측 정당의 지도자급 인사들을 1백 명씩 선택하여 머리의 크기가 같은 사람들끼리 짝을 지어놓고서 솜씨 좋은 의사 둘로 하여금 양쪽 사람의 머리를 두 쪽으로 빠개어서 그 절반을 서로 상대방의 머리에 갖다 붙인다. 이는 매우 정밀한 작업을 요구하기는 하지만 일단 성공적으로 수행되기만 한다면 그 효과는 의심할 게 없다고 그 의사는 확신했다. 반쪽의 두뇌가 합해져서 하나의 공간에서 문제를 풀면 금방 잘 이해할 수 있고 양호한 사고에 이르게 된다는 것이다. 그러한 사고력이야말로 이 세상을 통솔하는 사람들이 가져야 하는 진정한 능력이라고 했다. 정당의 지도자들의 두뇌의 크기나 질에서의 차이점은, 그 의사는 자기의 경험에 의하면 거의 없다고 확신했다.

국민의 저항을 받지 않고도 세금을 가장 효과적이고 능률적으로 거두는 방법에 대해서 두 교수가 열띤 논쟁을 벌이는 것을 나는 보게 되었다. 한 교수는 세금을 걷는 가장 정당한 방법은 악행과 어리석은 행위에 대해서 과세하는 것이라고 주장했다. 각자에게 매겨지는 세금의 액수는 이웃 사람들로 구성된 배심원이 판단해서 결정하게 하는 것이다. 다른 한 교수는 그것과는 완전히 반대되는 생각을 갖고 있었다. 즉 사람들이 가장 중요하게 생각하는, 신체와 정신의 자질에 따라서 세금을 부과해야 한다고 했다. 즉 자신의 우수성의 정도에 따라서 세금을 매기는데, 그것의 액수는 전적으로 자신의 양심에 맡겨야 한다고 했다. 가장 많은 세금을 내는 사람은, 남성의 경우, 여성에게 가장 인기가 많은 사람이 되어야 하며, 그들이 받는 구애의 횟수나 그 구애의 성격에 의해서 결정되어야 한다고 했다. 그것에 대해서 이의가 있는 경우 자기 자신이 증인이 되도록 해야 한다고 했다. 지혜, 용기, 예의 바름에 대해서도 과세를 해야 하며 그것도 앞에서와 마찬가지 방식으로 세금 액수를 정해야 한다고 했다. 그런데 명예, 정당함, 현명함, 학식에 대해서는 과세하지 않아야 한다고 했다. 왜냐하면 그런 자질을 가진 사람을 주위에서 찾는 것이 쉽지 않을 것이며 자신이 그런 자질을 가졌다고 주장하는 사람도 쉽게 나타나지 않을 것이고 설사 자신이 그런 것을 가졌다고 하더라도 귀중하게 생각하지 않기 때문에 그렇다고 했다.

여자들의 경우는 아름다움이나 옷을 잘 입는 정도에 따라서 세금을 부과해야 한다고 했다. 그것은 남성들이 결정해야 한다는 것이었다. 그렇지만 정절, 순결, 판단력, 좋은 성질 등에 대해서는 등급을 매기지 않아야 하며 그런 자질들은 과세의 부담을 견딜 수 없기 때문이라고 했다.

상원의원들이 왕에게 좋은 일을 할 수 있도록 하려면, 어떤 직책을 맡을 의원은 제비뽑기를 하는데 그것을 하기에 앞서서 당첨되든 되지 않든 반드시 궁정을 위해서 자기의 모든 것을 바치겠다는 서약을 하도록 해야 한다고 교수는 주장했다. 그렇게 해서 거기에서 떨어진 사람은 다음번에 빈자리가 났을 때 다시 제비를 뽑는 권리를 갖게 된다. 그렇게 하면 항상 희망과 기대를 갖게 되고 또 아무도 그것의 불공평함에 불만을 표시하는 일이 없을 것이며 오직 운명의 신에만 모든 것을 맡기게 된다는 것이었다. 그래서 여신의 어깨가 상원의원의 어깨보다 더 넓고 강하다고 했다.

다른 교수는 정부를 전복하려는 음모와 계획을 가진 사람을 발견해내는 방법이 기재된 커다란 문서를 나에게 보여주었다. 그는 의심스러운 사람들의 모든 음식에 대해서 조사해보도록 당국에 권고했다. 그들의 식사하는 시간, 침대에서 어느 쪽으로 드러눕는지, 대변을 보고 나서 어느 손으로 밑을 닦는지, 그리고 그들의 대변에 대해서 잘 조사해보아야 한다고 했다. 대변의 색깔, 맛, 단단한 정도, 소화의 정도 등이 그들의 사상이나 계획 등을 나타내는 척도가 된다고 했다. 왜냐하면 변기에 앉아 있을 때 사람들은 가장 심각해지고 어떤 생각에 골몰한다는 것이다. 그는 여러 번 실험을 해서 그것을 알아냈다고 했다. 그가 실험 삼아서, 변기에 앉아 있을 때, 왕을 살해하는 방법으로 무엇이 가장 좋을까를 심각하게 고려해보았는데, 그때 그의 대변이 녹색을 띠었으며, 단지 반란을 일으키는 것이 나 수도를 불태워버리는 것만을 생각할 때는 변의 색깔이 전혀 달라졌다는 것이다.

그 논문은 아주 정확하게 서술되었고 정치가들에게 호기심을 갖게 할 만한 유용한 내용이 들어 있었다. 그렇지만 내가 보기에는 완벽한 것은 아니었다. 나는 그런 말을 그 저자에게 하고서는, 내가 몇 가지 사항을 덧붙여도 되겠느냐고 물어보았다. 그는 저자들, 특히 새로운 것을 고안하는 저자들 사이에서는 드물게도 나의 제안을 기꺼이 받아들여주었다. 그러고는 내가 더 많은 정보를 주었으면 하고 바랐다.

나는 내가 오랫동안 살아왔던 트리브니아, 현지인들은 랑덴이라고 부르는 나라의 이야기를 해주었다〔'트리브니아(Tribnia)'는 '브리튼(Britain)'의 알파벳 순서를 바꾼 것이고 '랑덴(Langden)'은 '잉글랜드(England)'의 알파벳 순서를 바꾼 것이다 — 옮긴이 주〕. 그 나라 국민들은 감시자, 증인, 밀고자, 고발인 등으로 이루어지는데, 그들 밑에서 보조를 해주는 사람들이 있고, 그 모든 사람들이 각료들이나 각료 보조자의 밑에 있으면서 그들이 지시하는 대로 행하고 돈을 받는다고 했다. 그들은 자기 자신을 훌륭한 정치가로 끌어올리려고 노력한다. 그리고 잘못된 행정에 대해서 자기가 바로잡겠다고 공언한다. 그들은 대중의 불만을 억압하거나 다른 데로 돌려버리며, 대중의 벌금으로 자기들의 부를 늘리고, 국채의 가격을 자기들에게 이익이 되도록 올리거나 내린다. 이들은 자기들끼리 의논하여, 어떤 사람들에게 음모 혐의를 씌워서 고발할 것인지를 결정한다. 그러고는 교묘한 방법을 동원하여 그 사람들의 서류를 압수하고 그들을 잡아가둔다. 그 서

류는 글자 하나하나에서 신비스러운 것을 탐지하는 데 능숙한 사람들에게 넘어간다. 그들은 예를 들면, 뚜껑 달린 변기는 추밀원, 한 떼의 거위는 상원의원, 절름발이 개는 침략자, 전염병은 상비군, 통풍은 높은 성직자, 교수대는 국무대신, 요강은 귀족 위원회, 체는 궁정의 부인, 빗자루는 혁명, 쥐덫은 취업, 바닥이 없는 구덩이는 재무성, 싱크대는 궁정, 방울 있는 모자는 총애하는 신하, 부러진 갈대는 재판정, 텅 빈 술통은 장군, 피가 흐르는 상처는 행정을 의미하는 것으로 해석한다고 알려주었다.

그러한 방법이 실패하면 다른 효과적인 두 가지 방법이 있는데, 그것은 글자 맞추기라고 부르는 것이다. 우선 그들은 모든 글자를 정치적인 뜻이 들어 있는 것으로 해석한다. 예를 들어서 N은 음모를 뜻하고, B는 기병대, L은 함대를 뜻하는 것으로 해석한다. 둘째로는, 어떤 수상쩍은 서류에서 알파벳의 순서를 바꾸어놓으면 불만을 품은 사람들의 깊이 숨긴 모략을 드러낼 수 있다고 본다. 예를 들어 내가 친구에게 보내는 편지에서 "우리 형 톰에게 방금 치질이 생겼어(Our Brother Tom has just got the Piles)"라고 썼다면, 문장을 조작하는 데 익숙한 사람은 "저항하자, 계획이 실행되고 있다. 나아가자(Resist a Plot is brought home The Tour)"라고 해석할 수 있다. 이것이 글자 맞추기라고 이야기해주었다.

그 교수는 내가 그런 사실을 알려준 것에 대해서 아주 고맙게 생각했고 그의 논문에서 나의 이름을 알려서 내가 인정받도록 해주겠다고 약속했다.

이제 그 나라에 대해서 알 만한 것은 다 알게 되었으므로 나의 조국인 영국으로 돌아갈 일을 생각하기 시작했다.

7장

저자가 라가도를 떠나 말도나다에 도착한다. 거기에서 배가 없어서 글럽더브드립에 잠시 동안 머무르고 족장의 영접을 받는다.

내가 알기로는 그 발니바비 왕국이 속하는 대륙은 동쪽으로는 북아메리카의 서부 지역, 즉 캘리포니아 쪽으로 뻗었고 북쪽으로는 태평양에 근접한다. 태평양은 발니바비에서 2백50킬로미터 정도 떨어졌고 그쪽으로는 좋은 항구가 있으며 거기에서 북서쪽으로 북위 29도, 동경 140도 방향에 있는 럭나그라는 커다란 섬과 활발하게 무역을 했다. 그리고 럭나그는 일본에서 남동쪽으로 대략 5백 킬로미터 거리에 있다. 발니바비의 황제와 럭나그 왕 사이에는 동맹 관계가 유지되었기 때문에 두 나라 사이에 사람들도 많이 오고 갔다. 나는 유럽으로 가려고 럭나그 쪽으로 진로를 잡아가기로 했다. 노새 두 마리를 소유한 안내인 한 사람을 고용했고, 그가 얼마 안 되는 내 짐을 운반해주었다. 이제 나에게 잘 대해주었던 그 귀족에게 작별 인사를 했다. 그는 떠날 때도 나에게 많은 물건을 안겨주었다.

우리의 배는 별다른 사고 없이 순탄한 항해를 했다. 말도나다 항에 도착했는데 럭나그 행 배가 없었고 가까운 시일 내에 있을 것 같지도 않았다. 그래서 그 도시에서 몇몇 사람과 사귀었고 그들은 나에게 잘 대해주었다. 한 신분이 높은 사람이 나에게, 럭나그로 가는 배는 한 달 안으로는 떠날 수 없을 것이니 거기에서 남서쪽으로 25 킬로 정도에 있는 글럽더브드립이라는 작은 섬을 여행하는 것이 어떻겠느냐고 권했다. 자기의 친구 하나와 자기가 동반해주겠으며 여행에 필요한 작은 배도 준비되었다는 것이었다.

글럽더브드립이란 '마법사의 섬'이라는 의미다. 크기는 영국 와이트 섬의 3분의 1만 한데 작기는 하지만 땅은 매우 비옥했다. 그곳은 어떤 부족의 족장이 통치하는데 그 부족원은 모두 마술사였다. 그들은 자기네 족속끼리만 결혼하고 가장 나이가 많은 사람이 통치자가 된다. 통치자인 족장은 대궐처럼 생긴 웅장한 건물에서 지내는데 거기에는 넓이가 3천 에이커 정도 되는 정원이 있고 높이가 6미터나 되는 성벽으로 둘러싸여 있었다.

족장에게는 하인이 여러 명 있었다. 그리고 족장은 죽은 사람들 중에서 아무나 불러내어 24시간 동안 자기 시중을 들게 할 수 있는데 그 시간을 초과할 수는 없다. 그리고 어떤 비상 사태가 아니면 한 번 불러낸 사람을 3개월 안에 다시 불러낼 수가 없다.

우리는 오전 11시경에 그 섬에 도착했는데, 일행 중 한 사람이 족장을 찾아가서, 이방인 한 사람이 그를 알현하려고 하니 허가해 달라고 요청했다. 그는 즉시 허락했고 그래서 우리 세 사람은 호위병들이 두 줄로 늘어선 궁전으로 들어갔다. 호위병들은 모두가 이상한 복장과 무장을 했는데 그들의 표정이 공포감을 불러일으켰다. 우리는 건물을 몇 개 지나갔는데 건물마다 그 무시무시한 호위병들이 늘어서 있었다. 결국 우리는 족장이 있는 곳에 도착했고 세 번 큰 절을 한 다음에 족장의 왕좌 밑에 있는 세 의자에 앉았다. 그 족장은 그 섬의 말과는 다른 발니바비의 말을 알아들었다. 그는 나에게 나의 기행담을 얘기해달라고 했고, 자기를 편하게 대해달라는 의미에서 그랬는지, 손가락을 한 번 휙 돌리면서 거기에서 시중드는 사람들에게 물러가라고 말했다. 그러자 그들이 일순간에 연기처럼 사라져버렸다. 마치 꿈에서 깨어나는 순간에 꿈속의 전경이 사라지는 것 같았다. 나는 한참 동안 정신없이 멍한 상태로 있었다. 족장이 나에게 아무 일 없으니 안심하라고 하여 조금 정신을 차렸다. 그런데 나와 같이 간 두 사람은 전에도 그런 경험을 한 적이 있었기 때문에 태연했고, 그래서 나도 용기를 내어 족장에게 나의 기행담을 들려주었다. 나는 얘기를 하면서도 정신이 멍했고 그 하인들이 사라진 곳을 자주 돌아보았다. 우리는 거기에서 족장과 같이 식사를 했는데, 또 다른 유령처럼 보이는 사람들이 식사 시중을 들었다. 그렇지만 이제는 그들에 대한 두려움이 덜했다. 우리는 해질 무렵까지 거기에 있었는데 궁정에서 자라는 족장의 권유를 물리치고 그 근처 도시에 있는, 우리 일행이 아는 사람의 집에서 숙박했다. 그 도시는 그 작은 섬의 수도로 불렸다. 다음날 우리는 족장을 다시 방문했다.

그렇게 해서 우리는 그 섬에 10일 동안 머물렀고 낮에는 족장과 함께 지냈으며 밤에는 이웃 도시에서 숙박했다. 이제 나는 유령들을 보는 데 익숙해졌으며 아무런 무서운 느낌도 갖지 않게 되었다. 족장은 이 세상의 시작에서 지금까지 존재했던 사람 중에서 어느 누구든 불러내어 내가 묻고 싶은 말이 있으면 어떤 것이라도 대답하게 해줄 수 있다고 말했다. 한 가지 지켜야 할 사항은, 나의 질문은 족장이 불러낸 사람이 살던 시대의 일에 국한되어야 한다는 것이었다. 그리고 그들은 절대 거짓말을 하지 않으니 그들의 말을 완전히 믿을 수 있다고 했다. 왜냐하면 거짓말이라는 것은 저승의 세계에서는 통하지 않기 때문이라는 것이다.

나는 그런 호의를 베풀어주어 감사하다고 족장에게 말했다. 우리는 넓은 정원이 내려다보이는 방에 앉아 있었다. 나는 우선 웅장한 장면이 보고 싶었기 때문에, 아르벨라 전투에서 군대의 선두에서 지휘하는 알렉산더 대왕을 보고 싶다고 했다. 족장이 손가락을 움직이자 그 장면이 우리가 있는 방의 유리창 너머로 넓은 뜰에 나타났다. 우리는 알렉산더 대왕을 방 안으로 불러들였다. 나는 그가 말하는 그리스어를 알아듣기가 힘들었다. 그런데 사실 그는 독살당한 게 아니라 과음으로 인한 열병 때문에 죽었다고 우리에게 확실히 말해주었다.

나는 시저와 폼페이우스가 군대를 이끌고 막 전투를 벌이려 하는 장면도 보았다. 또한 시저가 마지막 개선 행진을 하는 것도 보았다. 또 나는 로마의 원로원이 큰 방에 나타나게 하고 그와 대조가 되도록 현대적인 의회가 또 다른 방에 나타나게 해달라고 요청했다. 전자는 영웅이나 신들이 모인 듯 보였고 후자는 행상인이나 소매치기나 노상강도나 악당의 무리처럼 보였다.

나의 요청에 따라 족장은 시저와 브루투스에게 우리 있는 쪽으로 오라고 신호했다. 나는 브루투스를 보는 순간에 존경심이 우러나왔고 그의 훌륭한 인품이나 용맹스러움, 나라에 대한 애국심 등을 외모에서 쉽게 발견할 수 있었다. 그런데 그 두 사람이 사이좋게 지내는 것을 보고는 나도 기쁜 마음이 들었다. 시저는 자기가 일생 동안 한 훌륭한 행실이 브루투스가 자기를 죽여버린 공적에 비한다면 아무엇도 아니라고 말했다. 나는 브루투스와 많은 대화를 나누는 영예를 가졌다. 그는 저승에서 자기의 조상들인 유니우스, 소크라테스, 에파미논다스, 카토 2세, 토마스 모어 경과 친근하게 지내며 그들이 육두마차를 이루는데, 이 세상의 다른 누구도 제7의 인물로 거기에 추가할 수 없을 것이라고 말해주었다.

지나간 세상을 보고 싶어 하는 나의 욕구가 끝이 없었기 때문에, 얼마나 많은 역사적인 유명인들을 불러내게 했는지 열거하면 지루해질 것이다. 나는 독재자들을 쳐부순 사람들이나 억압당하는 민족에게 자유를 찾아준 사람들의 모습을 많이 보았다. 그때 내가 느꼈던 희열감을 독자들에게 전해주는 건 도저히 불가능하다.

8장

글럽더브드립 이야기가 계속된다. 고대와 현대의 역사가 잘못되었다는 사실을 알려준다.

다음에 나는 지혜와 학식으로 유명한 고대인들을 만나보고 싶었고 그래서 하루를 그것에 할당해놓았다. 우선 호메로스와 아리스토텔레스가 후세의 그들의 논평자들 앞에 나타나도록 했다. 그런데 논평자들의 수가 몇백 명이나 되었기 때문에 그들이 궁정에 꽉 들어찼다. 그렇지만 그 위대한 두 인물을 나는 쉽게 알아볼 수 있었다. 그들은 다른 사람들과 식별되었고 그들 두 사람도 서로 완전히 달랐다. 호메로스는 두 사람 중에서 키가 더 크고 잘생겼으며 고령임에도 똑바로 걸어다녔고 눈매는 내가 지금까지 본 사람들 중에서 가장 날카로웠다. 아리스토텔레스는 허리가 굽었으며 지팡이를 짚었다. 용모는 볼품없었고 머리카락은 가늘었으며 목소리는 힘이 없었다. 그 두 사람은 자기들 근처에 있는 논평자들을 한 번도 만나본 일이 없다는 사실을 알게 되었다. 어느 한 유령이 나에게 알려주기를, 그 논평자들은 저승에서 그 두 사람과 항상 거리를 두고 있다고 했다. 왜냐하면 그 두 저자의 작품을 논평자들이 너무 왜곡하여 해석해서 늘 수치심이나 죄의식에 사로잡혀 있기 때문이라고 했다. 나는 디디무스와 유스타티우스를 호메로스에게 소개해주었는데,

두 사람의 능력을 좀 더 잘 평가해줄 수 없겠느냐고 호메로스를 설득해보았다. 왜냐하면 호메로스가 그들을 낮춰보았기 때문이다. 내가 아리스토텔레스에게 스코터스와 라무스를 소개하자 아리스토텔레스가 격분하면서 그 두 사람의 다른 무리도 똑같은 바보들인가 하고 그들에게 물었다.

그 다음에 족장에게 데카르트와 가센디를 불러내달라고 부탁했고, 그들이 나타나자 그들의 철학에 대해서 아리스토텔레스에게 설명해주도록 요구했다. 그러자 아리스토텔레스는 자기의 연구에서 실수를 한 게 있다고 시인했다. 그 실수를 한 이유는, 다른 모든 사람들이 그러하듯이 자기도 많은 문제들을 단지 추론에 근거하여 풀었기 때문이라고 했다. 그리고 그는 가센디의 이론이나 데카르트의 소용돌이설도 마찬가지로 쓸모없게 되었다는 사실을 알았다. 그리고 그는 현재의 지식인들이 믿는 인력설도 같은 운명을 맞게 될 것이라고 말했다. 그는 자연 현상에 대한 모든 이론은 일시적 유행에 불과하며 시대에 따라 바뀐다고 말하면서, 심지어 과학적으로 설명할 수 있는 이론도 잠시 성행하다가는 시간이 지나면 사라져버린다고 했다.

나는 옛날의 많은 학자들과 대화를 나누는 데 5일을 소요했고 로마 황제들도 많이 만나보았다. 또한 나는 엘리오가발루스의 요리사들을 불러내게 하여 저녁 만찬을 요리하도록 했다. 그런데 재료가 충분히 없었으므로 그들이 요리 솜씨를 제대로 발휘할 수가 없었다. 아게실라우스라는 스파르타의 한 노예가 수프를 만들어주었는데 나는 한 스푼밖에 먹을 수 없었다.

나를 그 섬에 대동한 두 사람은 사적인 일이 생겨서 사흘 후에 돌아가야 했고 그래서 그 사흘을 나는 지난 2, 3백 년 동안에 유럽에서 이름을 떨친 사람들을 만나보는 데 할당하기로 했다. 일이십 명의 왕들이 그들의 8대 내지 9대에 걸친 조상들과 함께 나타나게 해달라고 족장에게 부탁했다. 그런데 그 사람들이 나타났을 때 나의 실망은 컸다. 휘황찬란한 왕관을 쓴 사람들이 나타날 것으로 기대했지만 바이올린 연주자들이나 궁정의 신하들이나 성직자들이 나타났다. 어떤 왕가에서는 이발사나 수도원장이나 추기경이 나타나기도 했다. 머리에 왕관을 쓴 사람들에 대해서는 내가 존경심을 갖고 있었기 때문에 구차스런 질문을 해댈 수 없었다. 그런데 백작이나 후작이나 공작 같은 사람들은 내가 별로 관심도 없었다. 어떤 가문의 특징이 여러 세대를 거슬러 올라가서 선조에까지 이른다는 사실을 발견한 건 흥미로운 일이었다. 예를 들어 어떤 가문에선 긴 턱이 언제부터 시작되었는지 알 수 있었고 어떤 가문은 악당들이 여러 세대 계속 나왔다는 사실을 알 수 있었다. 어떤 가문에서는 바보가 두 세대 걸쳐서 나타나다가 세 번째 세대에서는 똑똑한 사람이 나타나고 네 번째 세대에서는 그보다도 더 똑똑한 사람이 나타나기도 했다. 그리고 폴리도어 버질이 어떻게 해서 어떤 가문에 용감한 사람이 하나도 없고 순결한 여자가 하나도 없다고 언급했는지 그 이유를 알게 되었다. 그런 가문에서는 잔악스러움, 거짓, 비겁함이 상징처럼 되어 있었고 그런 고상한 가문에 매독이 전파되어서 자자손손 이어진 사실을 알게 되었다. 그런 가계의 혈통에 시동, 종복, 도박꾼, 마부, 게으름뱅이, 소매치기, 조폭 두목 등이 끼여 있는 것을 보고 나는 놀라지는 않았다.

　나는 현대 역사에 대해서 경멸감을 갖게 되었다. 왜냐하면 지난

백 년 동안 위대하다고 하는 사람들에 대해서 알아본 결과 대부분의 역사가 엉터리로 기록되어 세상 사람들이 속아왔다는 사실을 알았기 때문이다. 즉 실제로는 비겁한 자들이 전쟁에서 큰 공을 세운 걸로 되어 있었고, 바보가 현명한 정책을 수행한 걸로 되어 있으며, 아첨꾼들이 아주 성실한 사람으로 되어 있고, 나라를 배신한 자들이 덕성을 지닌 사람으로 되어 있었으며, 무신론자가 경건한 신앙을 가진 걸로 되어 있었고, 호색한이 순결한 걸로 되어 있으며, 밀고자가 진실한 사람으로 변질되어 있었다. 반면에 죄가 없고 실력이 뛰어난 사람들이 부패한 재판관들이나 권력자들로 인해서 사형이나 유배를 당한 경우가 수없이 많다는 사실을 알았다. 얼마나 많은 악랄한 무리가 고상하고 순결한 사람으로 미화되었는지, 얼마나 많은 궁정의 고관들이나 상원의원들이 창녀, 뚜쟁이, 아첨꾼, 익살꾼 들에게 놀아났는지 실감했다. 이 세상의 위대한 사건이나 혁명 등이 발생하고 성공하게 된 것이 사실은 우발적인 동기에서 유래되었다는 사실을 알고는 인간의 지혜나 고상함에 대해서 경멸감을 느끼지 않을 수가 없었다.

역사를 기록하는 사람들이 얼마나 많은 비행을 저질렀는지에 대해서도 알게 되었다. 많은 왕들이 사약을 마시고 죽었다고 거짓으로 기록되어 있고, 왕과 총리 사이의 대화를 꾸며서 기록해놓았고, 고관들의 마음속을 파헤친다고 하면서 없는 일을 꾸며놓았던 것이다. 그리고 나는 세상을 놀라게 했던 사건들의 본질에 대해서 알게 되었다. 창녀 하나가 상원의원을 마음대로 조종했다는 사실도 알게 되었으며, 어떤 장군은 자기가 승리를 거두게 된 원인이 실제로는 자기가 겁이 많고 작전을 잘못 수립했기 때문이었다고 나에게 고백

했고, 어떤 해군 제독은, 정확한 정보를 갖고 있지 못하여 원래는 항복을 하려고 했는데 상대방 함대를 격파해버렸다고 실토했다. 자기들이 통치한 기간 동안 한 번도 훌륭한 인물을 기용한 일이 없었다고 진술한 왕도 세 명이 나왔다. 그런 일이 실제로 일어났다면 그것은 실수로 인한 것이거나 대신들에게 속았기 때문일 것이라고 했으며, 이승에서 다시 통치를 한다고 하더라도 훌륭한 인물은 기용하지 않을 것이라고 말했다. 그리고 그들은 훌륭하고 덕망 있는 사람들은 고집 세고 자기가 옳다고만 주장하여 항상 일을 그르치기 때문에 궁정은 부정부패로 얼룩진 관리들이 없으면 유지되지 못할 것이라고 그럴듯하게 주장했다.

나는 영예로운 자리나 엄청난 재산을 얻은 사람들이 어떻게 해서 그렇게 할 수 있었는지를 알고 싶었다. 그리고 비교적 최근의 인물들로 한정하기로 했다. 그리고 외국의 인물들이라고 할지라도 그 나라 사람들의 감정을 거스르지 않으려고 현재의 인물은 거론하지 않기로 했다(내가 영국의 인물들에 관해서 말하려는 의도는 전혀 없다는 사실도 독자들은 알아두어야 할 것이다). 그들에게 잠깐씩 말을 붙여보았는데, 그들이 하는 말이 너무 황당해서 소름이 끼칠 때가 한두 번이 아니었다. 그네들이 이용했다고 고백한 것들 중에서 위증, 고문, 매수, 사기 등과 같은 것은 약과에 속했다. 그렇지만 강간이나 근친상간으로 인해서 높은 자리와 부를 얻었다고 하거나, 자기 아내나 딸에게 매춘을 시켰다거나, 자기 나라나 왕을 배신하거나, 독살을 하거나 무고한 사람을 모함해서 그런 것을 누렸다는 소리를 들었을 때는, 우리 같은 하층 사람들이야 어떻든 그들을 공경하도록 되어 있지만, 그들에 대한 존경심이 일시에 사라졌다.

왕이나 국가에 대해서 실제로 위대한 일을 한 사람들도 있다는 사실을 알았기 때문에 그런 사람들을 만나보았다. 그들에게 물어보았더니 자기네들은 역사로 남는 일이 없고 다만 몇몇 사람이 반역자나 악당으로 기록되어 있다고 했다. 그런 사람들 대부분에 대해서 나는 이름도 들어본 일이 없었다. 그들은 모두가 낙담한 표정이었고 아주 초라한 행색으로 나타나서는, 자기들이 가난과 멸시 속에서 죽었고 어떤 사람들은 형장의 이슬로 사라졌다고 했다.

그중에서 약간 이상한 얘기를 들려주는 사람이 있었다. 그의 옆에는 열여덟 살 먹은 젊은이가 서 있었다. 그가 나에게 말하기를, 자기가 오랫동안 한 군함의 사령관으로 있었는데, 악티움의 해전에서 강대한 적의 함대를 뚫고 들어가서 적의 주력함 세 척을 격침시키고 네 번째 전함을 나포했다고 한다. 그때 안토니우스가 도망가고 그 해전을 승리로 이끌게 된 것이 그의 전과 덕이라고 했다. 그의 옆에 서 있는 젊은이는 그의 외아들이었는데 그때의 전투에서 전사했다고 했다. 전쟁이 끝나고 나서 그는 전과를 세운 게 있기 때문에 로마로 들어가서 아우구스투스의 궁정으로 가, 사령관이 전사해서 없어진 어떤 큰 군함의 사령관으로 자기를 승진시켜달라고 요청했다. 그런데 그의 청원과는 관계없이 그 자리는 황제의 애첩을 시중드는 여자의 어린 아들에게로 돌아가버렸다. 그는 하는 수 없이 이전의 자기 배로 돌아갔는데, 직무태만죄로 문책을 받아서 직위를 박탈당했고 그의 전함은 부사령관인 퍼블리콜라가 좋아하는 동자에게 주어버렸다. 그래서 그는 결국 로마에서 멀리 떨어진 시골의 농장으로 은퇴했고 거기서 가난하게 생을 마쳤다고 했다. 나는 그것이 정말일 수 있을까 하고 의심이 들어서 그 해전에서 해군 제독으로 있었던 아그리파를 불러내어서 증언해달라고 했다. 그러자 그가 나타나더니 그 모든 이야기가 사실이라고 했으며 그 훌륭한 사령관이 실제로는 더 훌륭한 일을 했다고 증언하는 것이었다. 그 사령관은 겸손한 사람이었기 때문에 자기의 공적을 실제보다 축소해서 말했던 것이다.

나는 로마 제국에서 부정부패가 그렇게 극도에 달한 것에 대해서 놀라지 않을 수 없었다. 그래서 이제 다른 나라의 그런 현상에 대해서도 놀라지 않게 되었다. 사실 다른 나라에서도 온갖 부정부패가 훨씬 더 오래 판을 쳤고, 예를 들어서 관직을 수여하는 일이나 박탈하는 일이 사악한 왕들에 의해서 남용되었다는 사실을 실감하게 되었다.

우리가 부른 사람들이 모두 이승에 있을 때와 똑같은 모습으로 나타났기 때문에, 인류가 지난 몇백 년 동안 얼마나 퇴화했는가를 실감하고서는 실망감을 느끼지 않을 수 없었다. 천연두와 같은 병으로 인해서 영국인의 얼굴 모양이 얼마나 바뀌었는지, 신체가 얼마나 작아졌는지, 근육이 얼마나 늘어져버렸는지, 안색이 얼마나 누렇게 변했는지, 그리고 얼마나 피부를 고약하게 만들어놓았는지 절감했다.

이전의 신분이 낮은 영국의 자유민들을 몇 사람 불러달라고 요청해보았다. 그들은 소박한 생활, 소박한 음식, 소박한 옷, 자유에 대한 진실한 욕망, 국가에 대한 애국심 등으로 뭉쳐 있던 사람들이었다. 그렇지만 그들과 지금 현재의 자유민들을 비교해보고는 현재의 자유민들이 약간의 돈벌이를 위해 조상들의 순수한 미덕을 내팽개쳐버린 것을 알고서는 실소를 금할 수 없었다. 돈을 받고 투표하거

나 선거를 조작하고 궁정에서나 일어날 수 있는 온갖 부정부패와
악행을 저질러왔던 것이다.

9장

우리가 그 섬을 떠날 날이 닥쳐왔기 때문에 나는 족장에게 작별을 고하고 나와 동행한 두 사람과 함께 말도나다로 돌아가게 되었다. 거기에서 2주 동안 머무른 후에 럭나그로 가는 배를 탈 수 있었다. 그 두 사람과 다른 몇몇 사람들이 나에게 생활용품을 마련해주었으며 내가 배를 탈 때 배웅해주었다. 그 항해는 한 달 정도가 걸렸다. 우리 배는 도중에 심한 폭풍을 만나서 서쪽으로 방향을 틀어야 했고 3백 킬로미터 정도 무역풍에 의지하여 항해했다. 1708년 4월 21일에 우리는 럭나그 남동쪽 끝에 있는 클러메그니그라는 강을 항해했다. 거기에 항구 도시가 있었는데 우리는 그 도시에서 5킬로미터 정도 떨어진 곳에 닻을 내렸고 수로 안내원을 보내달라고 요청했다. 조금 후에 두 사람이 배에 올라탔고 우리는 그들의 안내를 받아서 암초와 바위 사이를 빠져나갔으며 나중에 넓은 포구가 나타났다. 그곳은 하나의 함대가 그 도시의 성벽에서 얼마 떨어지지 않은 곳까지 안전하게 이동할 수 있을 정도로 넓었다.

그런데 우리 배의 한 선원이 부주의로 그랬는지 아니면 고의로 그랬는지 모르지만 내가 이방인이고 여행을 자주 해본 사람이라고 수로 안내원들에게 알려주었다. 그러자 그 안내원들은 세관에 이 사실을 통보했고 세관원은 내가 상륙하자마자 철저히 조사했다. 그 세관원은 발니바비 나라의 말로 얘기했는데, 발니바비가 그 나라와 많은 거래를 하기 때문에 그 나라 말이 통했고 특히 선원들이나 세관에 종사하는 사람들은 발니바비의 말에 능통했다. 나는 그들이 질문하는 것에 대해서 간단하게 대답했고 나의 얘기를 앞뒤가 맞게 그럴듯하게 해주었다. 그렇지만 나의 조국은 네덜란드라고 속여야 했다. 왜냐하면 나는 일본을 통과하려고 마음먹었는데, 그 당시에 일본은 유럽의 나라 중에서 네덜란드와만 교역했기 때문이다. 그래서 세관원에게 내가 발니바비 해안에서 배가 난파당하여 바위에 이르게 되었으며 날아다니는 섬 라퓨타(이것에 대해서 그 세관원은 들어본 일이 있었다)에 머물렀다가는 이제 일본을 통과해서 나의 나라로 돌아가려는 중이라고 말했다. 그런데 세관원은 궁정의 지시가 있을 때까지는 나를 구속해두어야 한다면서, 궁정에 즉시 기별을 보낼 것이고 2주 정도 지나면 답장을 받을 수 있을 것이라고 대답해주었다. 그러고는 나를 감금하기에 적당한 건물로 데리고 가더니 그 앞에 경비를 세워놓았다. 그런데 나는 그곳에 있는 정원을 마음대로 왔다 갔다 할 수 있었으며 인간적인 대접을 받았다. 내가 갇혀 있는 동안의 비용은 국왕이 감당해주었다. 그 당시에 여러 사람이 나를 방문했는데 호기심으로 인해서 그런 것이었다. 왜냐하면 내가 그들이 한 번도 들어보지 못한 나라에서 왔다는 사실을 알았기 때문이다.

나는 나와 같이 배를 타고 왔던 한 젊은 사람을 통역으로 고용했다. 그는 럭나그 출신이었지만 오랫동안 말도나다에 살았기 때문에 두 나라 말에 다같이 능통했다. 나는 그의 도움으로 나를 방문한 사람들과 얘기할 수 있었다. 그런데 그 대화는 내가 그들의 질문에 대답하는 것 이상은 되지 못했다.

예상했던 날짜에 궁정에서 통고가 왔다. 기병 열 명에게 나와 나의 수행인을 트랄드라그더브라는 곳으로 호송하여 데리고 오라는 내용이었다. 나의 수행인은 통역으로 고용한 그 젊은이였는데 나는 그를 설득해서 나와 함께 가달라고 요청했다. 그래서 우리는 각자 노새를 타고서 그곳으로 가게 되었다. 우리가 출발하기 12시간 전에 미리 한 사람을 출발시켜서 왕에게 내가 간다는 사실을 알리고서 내가 '왕의 마룻바닥의 먼지를 핥는' 영광을 몇 일 몇 시에 가질 수 있을지 알아보도록 했다. 그러한 표현은 궁정에서 쓰는 말인데, 그것이 형식상의 표현만은 아니라는 점을 나중에 알게 되었다. 왜냐하면 그곳에 도착하고 이틀 후에 나는 배를 바닥에 붙이고서 왕이 있는 곳으로 기어가야 했을 뿐 아니라 기어가면서 마룻바닥에 있는 먼지를 핥으라는 명령을 받았기 때문이다. 그런데 내가 이방인이기 때문에 마루를 깨끗이 청소해놓아서 먼지가 많지 않았다. 그런데 그러한 대접은 특별한 사람이 아니면 받을 수 없는 것이었다. 그리고 궁정에 왕을 알현하는 사람을 미워하는 사람이 있으면 마룻바닥에 일부러 먼지를 잔뜩 뿌려놓는다는 사실을 알게 되었다. 어느 고관이 입에 먼지가 너무 꽉 차서 왕의 앞에 가서 말을 한마디도 못 하는 것을 보기도 했다. 왕을 알현하는 사람이 왕의 앞에서 먼지를 뱉어버리거나 입을 닦는 경우에는 사형에 처해지기 때문에 입이 꽉 막혀 있어도 어쩔 수 없이 그 상태로 있어야 했다. 그 외에도 내가 좋게 볼 수 없는 한 가지 풍습이 있었다. 고관 중에서 누구를 사형시켜야 하는데 왕이 자비를 베풀어 그가 편안하게 죽기를 바라는 경우 왕은 독가루를 마룻바닥에 뿌리게 한다. 그것을 혀로 핥으면 그 사람은 틀림없이 24시간 안에 죽는다. 그런데 왕이 자비롭고 신하들의 생명을 소중히 여긴다는 사실을 입증할 수 있는 면이 있었다(이런 면은 유럽의 왕들이 본받아야 할 것이다). 즉 그와 같은 독가루를 뿌린 후에는 반드시 마룻바닥을 깨끗이 청소하라는 엄명이 내려지고, 그것을 소홀히 하면 왕의 노여움을 사게 된다. 어

느 날 왕이 하인 한 사람을 매로 치라는 명령을 내리는 것을 보았다. 그 하인은 사형 집행이 이루어진 다음에 마루를 깨끗이 닦으라는 명령을 전달했어야 하는데 고의적으로 전달하지 않아서 전도유망한 젊은 귀족이 독가루에 중독되어 죽어버렸다. 그때 왕은 그 귀족을 전혀 죽일 의도가 없었던 거다. 그런데 선량한 왕은 그 하인이 앞으로 다시는 그런 일이 벌어지지 않을 것이라고 다짐을 하는 것을 보고서 매를 치는 것을 너그럽게 면제해주었다.

나는 왕이 있는 곳에서 4미터 떨어진 곳까지 기어가서는 무릎을 일으켜서 이마를 바닥에 일곱 번 박고는, 그 전날 밤에 배운 대로 "이크플링 글로프스로브 스쿠트세럼 블히오프 플라쉬날트 즈윈 트노드발크거프 슬히오파드 거드러브 아쉬트"라고 말했다. 그 말은 왕을 알현하는 사람은 누구나 해야 할 말인데, 번역한다면 "위대하신 전하께서 태양보다도 11개월 반 더 만수무강하소서"라고 할 수 있을 것이다. 나의 그 인사에 대해서 왕은 무언가 대답을 해주었다. 나는 그 뜻을 알 수가 없었지만 미리 지시받은 또 한마디 말을 했다. "플러프트 드린 얄레리크 드울덤 프레스트라드 미르플러쉬"라는 말로, "소인의 혀는 친구의 입에 있사옵니다"라고 번역할 수 있는데, 즉 내가 나의 통역자를 대동했으니 그를 데리고 오도록 허락해달라는 의미였다. 그래서 나의 수행인인 통역자가 오게 되었고 그를 통해서 그 왕과 한 시간 이상에 걸쳐서 여러 가지 이야기를 나눌 수 있었다. 나는 계속해서 발니바비 말을 했고 통역자가 그것을 럭나그 말로 통역해주었다.

그 왕은 나와 얘기하는 것을 즐거워했고 그래서 시종을 불러서 나와 나의 수행인에게 숙소를 정해주고 음식을 제공해주며 내가 쓸 수 있도록 금이 든 큰 지갑을 주었다.

나는 그 왕이 하라는 대로 순종하면서 그 나라에서 3개월을 보냈다. 그는 나에게 호감을 갖게 되어 여러 가지 좋은 자리를 주겠다고 제안했다. 그렇지만 나는 여생을 아내와 가족들과 함께 보내는 게 옳다고 생각했다.

10장

럭나그 사람들을 칭송한다. 스트럴드브러그에 관한 설명이 나오며 저자가
저명인사와 그 영생인들에 관해서 대화한다.

럭나그 사람들은 예의 바르고 마음씨가 너그러운 사람들이었으
며, 동방국가들에 공통적인 특이한 자만심이 없는 것은 아니었지만
이방인들에게, 특히 궁정에서 잘 대해주는 이방인들에게는 따뜻하
게 대해주었다. 나는 그 나라에서 신분이 높은 사람들을 여러 명 알
게 되었으며 그들과 대화할 때 항상 통역을 대동했기 때문에 말하
는 데 막힘이 없었다.

그런 신분이 높은 사람들과 대화하다가, 어느 날 그중 한 사람이
그들 나라에 사는 스트럴드브러그, 즉 영원히 죽지 않는 사람들을
본 적이 있냐고 나에게 물었다. 나는 그런 일은 없다고 대답했고,
사람이 죽는 것은 당연한 이치인데 어떻게 죽지 않는 인간이 있을
수 있느냐고 반문했다. 그가 말한 바에 따른다면, 드문 일이기는 한
데 어쩌다 한 번씩 왼쪽 눈썹 바로 위의 이마에 둥글게 붉은 반점이
있는 아기가 태어나는데, 그것이 그 아기가 영원히 산다는 증표라
는 것이다. 그 반점은 처음에 3펜스 은화 정도의 크기인데, 시간이
갈수록 조금씩 커지고 색깔도 변하며, 열두 살이 되면 녹색으로 변
해서 25세까지 이어지고, 그 후에는 짙은 푸른색으로 변하며, 45세

에 이르면 까만색으로 되고 영국의 1실링짜리 주화만큼 커지며 그이후로는 변하지 않는다고 했다. 그런 인간이 태어나는 일은 아주 드물기 때문에 전국을 통틀어도 1천1백 명을 넘지 않을 것이며 그의 생각으로는 그 중에서 50명 정도는 수도에 살고, 약 3년 전에 태어난 여자애 하나도 그 중 한 사람이라고 했다. 그런 사람은 어떤 특정한 가문에 태어나는 것이 아니고 순전히 우연으로 나타나며 그 영생인의 자손들은 다른 보통 사람들과 마찬가지로 결국은 죽는다고 했다.

나는 그런 이야기를 듣자 말할 수 없는 호기심을 갖게 되었다. 그리고 그 이야기를 해준 사람이 발니바비 말을 잘 알아들을 수 있었기 때문에 이런 감탄의 말을 했다.

"운이 좋으면 영생인이 될 수 있는 사람으로 태어날 수 있는 나라는 얼마나 행복한 나라입니까? 옛날의 훌륭했던 미덕을 현존하는 인물들 속에서 볼 수 있고 옛 시대의 지혜를 가르쳐줄 수 있는 스승을 갖게 되는 것 아니겠습니까? 인간 누구나에게 따라다니는 죽음이라는 재앙을 면하고 죽음으로 인한 정신적인 고통에서 벗어나는 그 영생인들이야말로 정말 행복한 사람들이겠군요."

그런데 궁정에서 그런 사람들을 한 번도 만나보지 못한 게 이상하게 여겨졌다. 이마에 까만 점이 있다면 쉽게 눈에 띄기 때문에 내가 보지 못했을 리가 만무하며, 현명한 왕이 그러한 유능한 신하들을 거느리지 않을 리가 있겠냐고 생각했다. 그렇지만 그러한 현인들의 신조가 궁정 사람들과는 맞지 않을지도 모른다는 생각도 했다. 왕은 나를 신임했고 나와 거리낌 없이 얘기했기 때문에 나는 영생인들에 관해서 나의 생각을 왕에게 들려줘야겠다고 결심했다. 그리고 그 왕이 나에게 관직을 주겠다는 말을 몇 번 했기 때문에 가능하면 그 월등한 존재인 스트럴드브러그와 얘기하면서 그 영생인들이 사는 럭나그에서 여생을 보내기로 마음먹었다.

앞에서 언급한 발니바비 말을 할 줄 아는 사람에게 나의 그러한 생각을 밝혔더니 그는 내가 아무것도 모르는 소리를 한다고 웃었으며, 언제든지 나를 영생인들에게 데려다줄 수 있다면서, 자기에게 들려준 나의 생각을 그 영생인들에게 전해주어도 괜찮겠느냐고 물었다. 그래서 어떤 영생인을 보게 되었고, 나와 동행했던 그 사람이 영생인에게 한동안 무슨 말을 했는데, 나는 그들 말을 전혀 알아들을 수 없었고 내가 영생인에게 어떤 인상을 주었는지 그의 표정으로는 감을 잡을 수가 없었다. 잠시 후에 나의 동행인은, 그 영생인에게 나의 생각을 얘기해주었더니 그 말을 듣고서 기분이 나쁘지는 않은데, 내가 그들과 같은 영생인으로 태어났더라면 어떤 인생 계획을 세우게 될지 구체적으로 얘기해보라고 말했다는 것이다. 그래서 나는 이렇게 대답했다.

"그런 즐거운 일이라면 얘기한다는 건 쉽지요. 난 내가 왕이나 장군이나 귀족으로 태어났더라면 무엇을 할까 하고 꿈도 많이 뀌봤습니다. 내가 영원히 살게 된다면 이제 새롭게 그것에 대해서 생각해봐야겠군요. 우선 부지런히 재산을 모아야겠습니다. 부지런히 일을 해서 재산을 모으면 2백 년 정도 지나면 갑부가 될 수도 있을 겁니다. 그리고 젊을 때부터 공부에 전념할 것이고 그러면 나중에 누구도 따라올 수 없는 지식인이 될 겁니다. 그리고 중요한 모든 역사적인 사실을 기록해둘 것이고 왕이나 고관들의 성격을 관찰하여 기록해놓을 겁니다. 풍습이나 언어나 복장이나 음식이나 오락 등이 시대에 따라서 어떻게 달라지는지 일일이 기록해둘 겁니다. 그런 지식을 갖고 있으면 나는 살아 있는 지식 창고가 될 것이고 국민에게 큰 이익을 줄 겁니다. 60세가 되면 결혼 생활은 청산하고 내 집을 사람들에게 개방할 것이고 많은 사람들을 집으로 초대할 겁니다. 장래가 유망한 젊은이들을 교육시키고, 내 인격을 수양하면서 살아가고, 내 덕성을 사람들이 본받게 할 겁니다. 그렇지만 내가 가장 같이 있고 싶어 하는 사람은 나와 같은 운명의 영생인이 될 것이고 그 중에서 열두 명 정도 골라서 누가 재산이 없다든가 하면 내 집 주변에 그들이 살 터전을 마련해주고 내가 식사할 때는 항상 그들 중 몇 명을 초대하고 그 자리에는 보통의 수명을 가진 사람들도 끼게 할 겁니다. 사람들이 죽음을 아쉬워하지 않도록 가르칠 것이며 마치 그들이 정원에서 패랭이꽃이나 튤립이 시들어가는 것을 아쉬워하지 않고 바라보듯 죽음을 대하게 할 겁니다. 영생인들과 나는 오랜 세월 동안 관찰했던 것을 서로 이야기하면서, 악덕이 사람들의 마음에 어떻게 해서 생기는지를 사람들에게 끊임없이 교육하고 인간들이 타락해가는 것을 막을 겁니다. 나라에 생기는 모든 변화들, 하늘과 땅에 생기는 모든 변화에 대해서 보는 기쁨도 있을 겁니다. 큰 강이 점점 작아져서 시내로 변하고 바다가 육지로 변하고 땅이 바다에 묻혀버리는 걸 볼 수 있을 겁니다. 새로운 나라가 탄생하는 것을 볼 것이고 야만적인 나라가 문명국을 멸하는 것도 보고 야만적인 민족이 개화되는 것도 볼 수 있을 겁니다. 만병통치약이 발명되는 걸 보게 될 테고 놀라운 발명품이 나오는 걸 보게 될 겁니다. 우리가 지금은 예상만 할 수 있는 천체의 기묘한 현상을 목격하게 될 것이고 태양, 달, 별이 어느 곳으로 흘러가는지, 혜성이 어떻게 다시 돌아오는지를 보게 될 겁니다."

그 외에도 나는 영원한 삶이나 영원한 지상에서의 행복을 바라는 인간들의 소망에서 생겨나는 여러 가지 것에 대해서 말해주었다. 나의 얘기가 끝나고 나와 동행한 사람이 통역을 마치자 영생인이 나를 보고 웃으면서 통역사에게 한참 동안 무슨 말을 했다. 나의 동행인은 영생인이 내가 잘못 생각하는 점에 대해서 알려주라고 했다면서 다음과 같이 말해주었다.

"당신의 그런 착각은 모든 인간들이 갖는 것이고 당신의 잘못이 아닙니다. 영생인들은 우리나라에만 있고 발니바비나 일본 같은 나라에는 없지요. 나도 그런 나라에 왕의 특사로 가본 일이 있는데, 그 나라 사람들은 영생인이 존재한다는 사실을 도저히 믿을 수 없다고 하더군요. 내가 그런 얘기를 처음 당신한테 했을 때 당신도 놀랐기 때문에 당신한테도 역시 믿을 수 없는 일로 나한테 보였습니다. 내가 발니바비나 일본 사람들과 많은 대화를 나눠봤는데 오래 사는 게 인간들의 보편적인 소망이라는 걸 알았지요. 아무리 나이가 들어도 하루라도 더 살기를 바라고 죽음을 두려워합니다. 오직이 나라에서만 우리가 영생인들의 모습을 보기 때문에 그런 욕망이 생기지 않는 겁니다. 당신이 생각하는 그런 삶이란 존재하지 않습니다. 그런 건 영원히 젊음이 지속되고 건강이나 활기가 바탕이 되어야 하는 것인데 그런 것을 바랄 수는 없지요. 오히려 노년에 동반되는 여러 가지 재앙을 어떻게 극복하는가 하는 어려운 문제가 있습니다."

그는 앞서 말한 두 나라, 즉 발니바비와 일본에서는 사람들이 아무리 나이를 먹어도 조금이라도 생명을 연장하려는 것을 보았고,

극단적인 고통이나 슬픔만 없다면 죽기를 기꺼이 하려는 사람이 있다는 말을 들은 일이 없다고 말했다. 그러고는 나 자신의 나라와 내가 여행했던 모든 나라 사람들도 마찬가지가 아니었느냐고 나에게 물었다.

그는 말을 이어갔는데, 그 나라의 영생인들은 30세 정도까지는 일반 사람들처럼 살아가고 그 후로는 점차로 의욕이 없어지고 침울해지며 80세가 될 때까지 그런 상태로 간다는 것이다. 이런 사실을 그 자신도 그 영생인이 하는 말을 듣고서야 알았다고 했다. 왜냐하면 영생인이 한 세대에 두세 명 정도만 태어나서 폭넓은 관찰을 하기에는 그 수가 너무 적기 때문이라고 했다. 그 나라에서는 80세가 인간이 살 수 있는 최고의 나이라고 간주하는데, 그 나이가 되면 영생인들은 보통의 노인들이 보이는 약점을 나타낼 뿐 아니라 죽을 수 없다는 절망감으로 인해서 추가로 고민을 하게 된다는 것이다. 그들은 고집이 세어지고 투정만 부리며 탐욕스럽고 우울해지며 허영심이 높아지고 말이 많아지며 자기 직계 가족을 제외하고는 다른 사람들과는 아무런 인정을 느끼지 못한다고 했다. 그들은 질투심이나 허욕에 의해 지배된다고 했다. 그들은 젊은이들이 노는 것이나 다른 노인들이 죽는 것을 보고 질투심을 느낀다고 한다. 이제는 어떤 쾌락도 맛볼 가망성이 없는 현실을 개탄하고, 다른 사람들의 장례식을 볼 때는, 사람들이 모두 안식처로 돌아가는데 자기들은 그렇게 할 수 없는 것을 알고는 슬퍼한다는 것이다. 그들은 젊었을 때나 중년기 때 보았던 것 외에는 아무것도 기억하지 못하고 그러한 기억도 완전하지는 않은 것이라고 했다. 어떠한 역사적인 사실이 진실인지에 대해서 알려면 그들의 기억에 의지하는 것보다는 역사서에 있는 걸 믿는 편이 낫다고 한다. 그 영생인들 중에서 비교적 불행이 덜한 사람은 기억력을 완전히 상실해버린 사람들이라고 한다. 왜냐하면 다른 영생인들이 갖고 있는 모든 고약한 성질을 그들은 갖고 있지 않기 때문이라고 한다.

어느 영생인이 다른 영생인과 결혼하면 부부 중에서 젊은 쪽이 80세에 도달했을 때 그 결혼은 무효가 된다. 자기의 잘못이 없는데도 영생인으로 태어난 불행을 진 사람은 결혼 생활로 인해서 그 불행이 배가되지 않게 하는 게 법이 베풀어주는 온정이라고 생각하기 때문이다.

그들은 일단 80세만 되면 모두가 법적으로는 사망한 사람으로 간주된다고 한다. 상속자들은 그들의 재산을 인수하고 약간의 생계비만 남긴다. 돈이 없는 사람은 나라에서 지원해준다. 80세 이후로는 어떤 법적인 권한도 없어지고 토지를 매입하거나 임대할 수 없으며 어떤 재판에서 증인으로 나설 수도 없다.

90세가 되면 머리와 이가 다 빠지고 음식의 맛도 구별할 수 없게 되어 손에 걸리는 대로 아무것이나 먹는다고 한다. 이전에 병에 걸렸던 사람들은 그 병이 더하지도 덜하지도 않은 채 계속 이어진다. 사람들과 이야기할 때 사물의 명칭을 잊어버리며 가장 친한 친구나 가족의 이름도 기억하지 못하는 경우도 있다고 한다. 그런 건망증으로 인해서 독서를 즐길 수도 없다고 했다. 기억력이 너무 나빠서 한 문장의 끝을 읽을 때쯤이면 처음 부분이 생각나지 않기 때문이다.

말이란 늘 변하기 때문에 한 세대의 영생인은 다른 세대의 영생인과 말이 통하지 않는다. 그래서 2백 년 정도 지나면 일상적으로 쓰는 몇 마디 말을 제외하고는 가까이 있는 보통 사람들과도 대화하지 못한다. 그래서 자신의 나라에 살면서도 외국에 사는 것처럼 불편을 겪는다고 나의 동행인은 말해주었다.

이상이 내가 스트럴드브러그에 대해서 들은 사실을 비교적 정확히 기재해놓은 것이다. 나는 그 후에도 서로 다른 세대에 태어난 영생인 대여섯을 만나보았다. 그 중에서 가장 젊은 사람은 나이가 2백 세를 넘지 않았다. 나의 지인들이 영생인들을 나에게 데리고 오기도 했다. 그들은 내가 여러 곳을 다녀보았고 여러 가지 진기한 경험을 했다는 말을 듣고도 아무 관심도 보이지 않았고 한마디 질문도 하지 않았다. 단지 나를 기억할 수 있는 물건을 달라고 하는 것이었다. 그것은 동냥 좀 달라는 말을 좋게 표현한 말에 불과하다는 사실을 알게 되었다. 왜냐하면 나라에서 보조금이 지급되고 구걸 행위는 그 나라에서 엄격히 금지되어 있기 때문에 교묘하게 피하는 것이다.

그들은 여러 사람에게 멸시와 미움의 대상이 된다. 영생인이 탄생하면 불길한 일로 간주되고, 그들의 출생에 관한 사실이 정확히 기록된다. 그래서 그들이 몇 살인지 그 기록을 보면 알 수 있지만, 그러한 기록이 1천 년 이상은 보관되지 않고 오랜 세월이 지나면 일반인들의 무관심으로 인해서 없어져버린다. 그래서 그들의 나이에 대해서 알 수 있는 유일한 방법은 그들이 아는 이름 있는 왕이나 인물에 대해서 물어보고 그것을 역사적 사실과 대조해보는 것이다. 왜냐하면 그들이 기억하는 마지막 사람들은 그들이 80세가 되기 전에 존재했을 것이 틀림없기 때문이다.

그들의 모습은 내가 지금까지 보아왔던 인간들 중에서 가장 흉해 보였다. 여자가 남자보다 더 보기가 흉했다. 나이가 들면 으레 추해

보이게 마련이지만 그들은 나이에 비례해서 흉측함이 더해진다. 나는 모여 있는 여섯 영생인들 중에서 누가 가장 나이가 많은지 알아낼 수 있었다. 그런데 그들의 나이 차이는 1백 년이나 2백 년 정도에 불과했다.

그들에 대해서 듣고 직접 목격하는 사이에 영생에 대한 나의 욕구가 사라지게 되었을 것이라고 독자들은 짐작할 수 있을 것이다. 전에 가졌던 그럴듯한 생각이 어리석었다는 걸 느꼈고, 그런 영생이라면 불구덩이 속으로라도 들어가서 죽음을 맞이하는 게 나을 것이라고 생각하게 되었다. 왕은 내가 경험한 모든 것에 대한 얘기를 듣고는 아주 즐거워했으며, 내가 영생인 몇 사람을 나의 조국으로 데리고 갈 수만 있다면 나의 나라 사람들이 죽음에 대해서 두려워하지 않을 것이라고 말했다. 그런데 그들을 데리고 가는 것은 그 나라의 법으로 금지되어 있었다. 그렇지 않았더라면 나는 최선을 다해서 그들을 데리고 갔을 게다.

영생인들에 대해서 그 나라에서 적용하는 법은 합리적인 근거가 있으며, 다른 나라에서도 그런 영생인들이 있다면 그렇게 법을 정할 수밖에 없을 것이라고 나는 생각하지 않을 수 없었다. 그렇지 않다면 그 노인들의 탐욕으로 인해서 결국 온 나라의 권력을 그들이 독점하고 좌지우지하는 일이 발생할지도 모른다. 그리고 그렇게 되면 그들이 국가를 다스려나갈 능력이 없기 때문에 결국은 나라가 망하게 될 것이다.

11장

저자가 럭나그를 출발하여 일본으로 간다. 거기에서 네덜란드 배를 타고
암스테르담으로 가고 암스테르담에서 다시 영국으로 간다.

스트럴드브러그의 이야기가 독자들에게 조금이라도 흥미를 주었
는지 모르겠다. 그것은 흔히 있는 일이 아니고, 지금까지 그런 이야
기를 담은 책을 본 일이 없다. 나의 말이 틀린 것이라면 이런 변명
을 해야겠다. 즉 여행자들이 어떤 특정한 것에 관해서 서술할 때는
대체적으로 비슷한 방식으로 얘기하게 된다. 그러므로 한 여행가가
다른 여행가가 이전에 쓴 글을 베꼈다거나 모방했다거나 하는 비난
을 받는 건 때때로 억울한 일이 될 수도 있을 거다.

그런데 럭나그와 일본은 끊임없이 교류가 있었기 때문에 일본의
저자들이 스트럴드브러그에 관해서 써놓은 책은 있을지도 모른다.
그렇지만 내가 일본에 머무는 시일이 너무 짧았고 그 나라 말을 몰
랐기 때문에 그것에 관해서 알아볼 수는 없었다. 네덜란드 사람들
이 나의 책을 읽는다면 호기심이 생겨서 내가 한 얘기에 대해서 알
아볼 것이고 내게 부족한 점을 보충해줄지도 모를 일이다.

럭나그의 왕은 궁정에서 그를 도와 일을 해달라고 내게 여러 번
요청했지만 조국으로 돌아가겠다는 내 결심이 확고한 것을 알고는
나중에는 자필로 일본 황제에게 신임장까지 써주었다. 그뿐 아니고

4백44개의 금덩이를 주었으며(그 나라 사람들은 짝수를 좋아했다), 붉은 다이아몬드도 주었다. 나는 나중에 영국에서 그것들을 팔아 1천1백 파운드를 벌었다.

1709년 5월 6일에 나는 왕에게 작별했고 나의 지인들과도 작별 인사를 했다. 왕은 호위병에게 나를 그 섬 남서부에 있는 항구 도시 글란겐스탈드까지 호송해주도록 했다. 거기에서 엿새 후에 일본으로 가는 배를 탔고 그 항해는 15일이 걸렸다. 우리는 일본 남동부에 있는 자모스키라는 항구 도시에 도착했다. 그 도시는 좁은 해협의 서쪽에 있었고 그 해협의 북쪽으로는 길쭉한 만이 있는데 그 만의 북서쪽에 일본의 수도인 에도가 자리잡고 있었다. 나는 상륙하면서 럭나그의 왕이 일본의 황제에게 써준 신임장을 세관원들에게 제시했다. 그들은 신임장에 찍힌 왕의 도장을 한눈에 알아보았다. 도장이 내 손바닥만큼이나 컸는데 '땅바닥에서 절름발이 거지를 들어올리는 왕'이라고 씌어 있었다. 그 도시의 관리들은 내가 갖고 온 신임장을 보고는 나를 정중히 맞이했고 마차와 하인을 제공해주었을 뿐 아니라 에도까지 가는 비용도 부담해주었다. 에도에서는 황제를 알현하고서 럭나그 왕의 신임장을 제시했다. 그 신임장은 절차에 따라서 개봉되고 통역관이 그 내용을 황제에게 설명했다. 나중에 그 통역관이 내게 필요한 것이 무엇이든 간에 형제 국가인 럭나그와의 우호를 위해서 제공해주겠다고 황제가 말했다고 전달해주었다. 그 통역관은 네덜란드어도 할 줄 알았기 때문에, 내가 네덜란드 사람이라고 추측하고는 네덜란드어로 나에게 말했다. 나는 그 사람에게 내가 사실 네덜란드 사람이며 처음에 배가 난파되어 바다와 육지를 통해서 럭나그로 갔다가 그곳에서 일본으로 오는 배를 타고 왔는데, 일본은 네덜란드와 교역을 많이 하니 거기에서 네덜란드로 돌아갈 수 있도록 해달라고 요청했다. 나를 나가사키까지 데려다주도록 황제에게 전해달라고 하면서 또 하나의 요청을 추가했다. 내가 그곳으로 오게 된 것이 운이 나빠서고, 무역을 하려고 온 것은 아니므로, 럭나그 왕의 얼굴을 보아서라도 내가 십자가를 밟는 의식을 면제받게 해달라고 간청했다. 당시에 일본은 기독교가 전파되는 것이 두려워 기독교인이 아닌 네덜란드 사람들만 그 나라로 들어오도록 허가했고 그래서 그 나라로 들어오는 사람은 기독교인이 아니란 사실을 입증하려고 십자가를 밟는 절차를 거쳐야 했던 것이다. 통역이 그 사실을 황제에게 말하자 황제는 그런 요구를 하는 네덜란드 사람은 처음 보았다면서, 내가 진짜 네덜란드 사람인지 의심이 가지 않을 수 없고 기독교도가 틀림없다고 말하는 것이었다. 그렇지만 럭나그 왕과의 우의를 지키려고 나의 요청을 들어주겠다고 했다. 그런데 다른 사람들에게는 관리들이 깜빡 잊어버리고서 그 의식을 거행하지 않았다고 해야지 그렇지 않고 나의 조국 사람들인 네덜란드 사람들이 그 사실을 알게 되면 배에서 나를 죽여버릴지 모른다고 말해주었다. 나는 일본 황제가 그처럼 배려해준 것에 대해 고맙다고 통역을 통해서 말했다. 그때 마침 군부대가 나가사키로 떠날 준비를 했는데, 황제는 지휘관에게 나를 그리로 데려다주라고 명령했으며 십자가 의식에 관해서 특별히 지시해주었다.

1709년 6월 9일에 길고 고생스러운 항해 끝에 나가사키에 도착했다. 다음에 거기에서 암스테르담에서 온 4백50톤짜리 튼튼한 배인 암보이나 호의 선원 몇몇과 알게 되었다. 나는 네덜란드에서 오래 살았고 라이덴에서 공부도 했기 때문에 네덜란드어를 잘 알았다.

선원들은 내가 일본에 오기 전에 어디에서 살았는지 알고서는 내가 어떻게 지내왔는지 이야기해달라고 요청했다. 나는 그런 이야기를 될 수 있는 한 간결하게 했고 대부분의 이야기는 밝히지 않았다. 나는 네덜란드에 아는 사람이 많았기 때문에 부모의 이름도 꾸며낼 수 있었고 내가 겔더란드에 사는 사람이라고 말해주었다. 네덜란드에 가는 배값을 선장에게 주려고 했지만 그 선장은 나의 직업이 의사라는 것을 알고는 항해 도중에 의사 일을 해주는 조건으로 배삯의 반만 받았다. 우리가 출발하기 전에 몇몇 선원들이 십자가 밟기 의식을 치렀느냐고 물었다. 나는 황제와 궁정의 사람들의 비위를 잘 맞추어주었다는 얘기로 얼버무려버렸다. 그런데 그중 고약한 선원 하나가 일본 관리에게 가서 내가 십자가 밟기를 하지 않았다고 일러바쳤다. 그렇지만 그 관리는 나를 통과시켜주라는 명을 받았기 때문에 그 선원의 어깨를 대나무로 스무 번 내리치는 벌을 주었다. 그 후에는 나는 다시는 그런 일로 골치를 썩는 일이 없었다.

그 항해에서는 특별한 일이 벌어지지 않았다. 우리는 순풍을 타고서 희망봉까지 갔고 거기에서 식수를 보급받는 동안만 잠시 머물렀다. 4월 6일에는 암스테르담에 무사히 도착했다. 항해 도중에 세 사람이 병으로 죽었고 한 선원은 기니의 해안에서 조금 떨어진 곳에서 돛대에서 떨어져 죽었다. 암스테르담에서 얼마 후에 작은 배를 타고서 영국으로 갔다.

1710년 4월 20일에 우리는 다운즈에 닻을 내렸다. 다음날 육지에 상륙했고 5년 6개월 만에 조국 땅을 다시 밟았다. 나는 곧바로 레드리프로 출발해서 그날 오후 2시에 집에 도착하여 아내와 가족들의 모습을 보았다.

4부

말의 나라 여행기

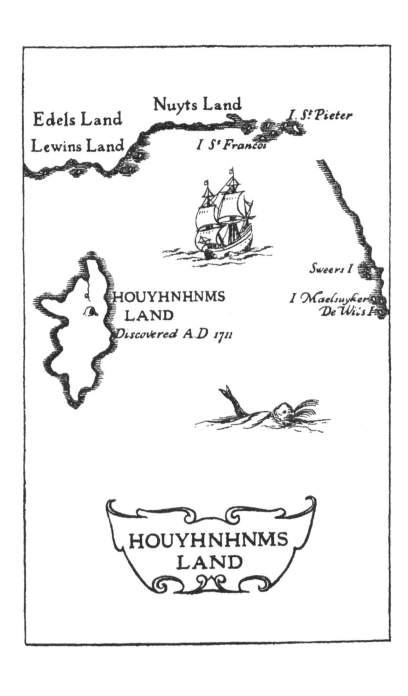

Edels Land

Lewins Land

Nuyts Land

I. S! Pieter

I S! Franço

HOUYHNHNMS
LAND
Discovered A.D 1711

Sweers I

I Maelsuyker
De Wi:s I

HOUYHNHNMS
LAND

1장

저자가 배의 선장으로서 항해를 떠난다. 부하들이 반란을 일으켜 그를 오랫동안 가두어놓았다가 어느 해안에 버려둔다. 저자는 그 나라 내륙으로 들어간다. 야후라는 이상한 동물들을 만나고 두 후이늠과도 만난다.

나는 5개월 동안 집에서 아내와 아이들과 더불어 행복한 나날을 보냈다. 그때가 행복한 시절이었다는 사실은 나중에야 알게 되었지 그 당시에는 느낄 수 없었다. 그것을 알았더라면 그대로 살았을 거다. 그런데 임신한 아내를 두고 다시 집을 떠나고 말았다. 어드벤처라는 3백50톤짜리 튼튼한 상선의 선장이 되어달라는 요청을 수락했던 것이다. 내가 선장이 될 수 있었던 이유는 항해에 능했을 뿐아니라 선상 의사로서 배를 탄 경험이 많았기 때문이다. 그 배에서도 의사로서의 일을 가끔씩 했지만 전문적인 일은 로버트 퓨어포이라는 젊고 능력 있는 의사에게 맡겨두었다. 우리는 1710년 9월 7일에 포츠머스에서 출발했고 14일에는 아프리카 북서부 테나리프에 도착하여 브리스톨 출신의 포콕 선장을 만나 두 배가 같이 항해하게 되었다. 그는 벌목을 하려고 멕시코로 가는 도중이었다. 16일에 폭풍을 만나 그 배와 헤어졌다. 후에 들은 바로는 그 배는 침몰하여 한 사람을 제외하고는 모두 죽었다고 한다. 포콕 선장은 성실하고 유능한 사람이었지만 자기 의견을 너무 고집하는 편이어서 그것이 그가 파멸한 원인이었다. 그가 나의 충고대로 했더라면 지금쯤에는 나와 마찬가지로 집에서 편안하게 지낼 것이다.

나의 배에서도 몇 사람이 열병 때문에 사망했다. 그래서 선원을 보충해야 했는데, 나를 고용한 상인들의 지시에 따라서 사람들을 구하려고 바바도스도와 리워드 제도에서 기항했다. 그렇지만 그것을 곧 후회했다. 거기에서 구한 사람들이 전부 해적이라는 사실을 나중에 알았기 때문이다. 승무원은 모두 50명이었는데, 나는 남태평양에 가서 인디언들과 무역을 하고 그와 동시에 많은 정보를 입수하라는 지시를 받고 있었다. 그런데 내가 새로 고용한 해적들은 다른 선원들까지도 꼬드겨서 배를 빼앗고 나를 감금하려는 음모를 꾸몄고, 어느 날 아침에 실행했다. 나의 선실로 들어와서는 내 손발을 묶고 나서는, 반항하면 바다에 던져버리겠다고 협박했다. 하는 수 없이 시키는 대로 하겠다고 했더니 그들은 서약서를 쓰라고 했고 그래서 그대로 따랐다. 그리고 나서야 그들은 나를 조금 자유롭게 해주었지만, 한쪽 발은 쇠사슬로 침대와 연결하여 묶은 다음에 총을 든 보초를 문 앞에 세우고 내가 허튼짓을 하려 하면 사살해버리라는 명을 내렸다. 그들은 배의 통솔권을 나에게서 빼앗아버렸지만 음식은 주었다. 그들의 계획은 해적으로 변하여 스페인 배를 약탈하는 것이었다. 그렇지만 인원을 보충하기 전에는 그렇게 할 수 없었다. 그래서 배에 있는 물건을 팔고 마다가스카르로 가서 인원을 보충하기로 작정했다. 나를 가두고 난 다음에도 선원이 몇 사람 죽었다. 그들은 여러 주 동안을 이곳저곳으로 항해하면서 인디언들과 교역했다. 나는 그들이 어떤 항로로 가는지를 알 수가 없었다. 갇혀서 꼼짝할 수가 없었고 걸핏하면 죽여버리겠다고 협박했기 때문에 언제 죽을 운명일지 하염없이 기다려야 했다.

1711년 5월 9일에는 제임스 웰치라는 사람이 내가 묶여 있는 곳으로 와서는 그 배의 새로운 선장이 나를 근처의 해안에 버리라는 명령을 내렸다고 통보했다. 제발 그렇게만은 하지 말아달라고 애원했지만 아무 소용도 없었다. 누가 새로 선장이 되었는지 물어보았지만 아무런 답변도 듣지 못했다. 그들은 나를 보트에 강제로 태웠다. 그전에 새 옷을 입도록 했고 작은 보따리 하나를 주었다. 무기는 단검 하나밖에는 주지 않았다. 그렇지만 나의 호주머니는 뒤지지 않았다. 호주머니에는 돈과 자질구레한 물건을 넣어둔 채였다. 그들은 5킬로미터 정도 보트를 저어가다가는 나를 해안에 내려놓았다. 그곳이 어디인지 알려달라고 했지만, 그들도 나와 마찬가지로

모른다고 대답했고, 그들의 새로운 선장이 배에 있는 물건을 다 파는 대로 나를 가장 먼저 발견하는 육지에 내버리기로 결정했다는 사실만 알려주었다. 그러고는 보트가 조류에 쓸려갈지도 모르므로 나에게 빨리 사라지라고 하고는 보트를 바다로 밀어내어 떠나버렸다.

그런 막막한 상태에서 나는 걸음을 옮겼고 조금 후에는 높은 지대에 앉아서 휴식을 취하면서 앞으로 어떻게 해야 할 건지 이것저것 생각해보았다. 거기서 조금 기운을 차린 다음에 내륙으로 걸어가면서, 어떤 이방인을 만나게 된다면 내가 갖고 있는 물건을 바치면서 제발 목숨만 살려달라고 애원해보려고 마음먹었다. 그런 경우에 대비해서 선원들은 귀중품을 조금씩 휴대하고 다녔고 나 역시 그런 물건을 약간 갖고 있었다. 땅 위에는 나무들이 서 있었는데 인공적으로 심은 건 아니었고 그냥 자생한 것들이었다. 풀은 무성하게 자랐으며 여기저기 밀밭도 보였다. 나는 누군가가 갑자기 달려들거나 어디서 화살이라도 날아오지 않을까 걱정하면서 길을 갔다. 이윽고 인적이 있는 곳에 도달했다. 거기에는 사람의 발자국도 있었고 소 발자국도 있었는데 말 발자국이 가장 많았다. 조금 후에 동물이 몇 마리 보였고 나무 위에도 두세 마리의 유사한 동물이 앉아 있었다. 그 생김새가 괴상하고 흉측해서 나는 수풀 뒤에 숨어서 좀 더 자세히 관찰해보았다. 그중 몇 마리가 내 곁으로 가까이 다가왔기 때문에 잘 볼 수 있었다. 그것들의 머리와 가슴은 털로 덮였고 그 털은 곱슬곱슬한 털과 곧바로 난 털이 뒤섞여 있었다. 염소와 같이 수염이 있었고 등과 다리에도 무성한 털이 났다. 그렇지만 그 외의 부분은 털이 없이 맨살이었고 그 색깔은 황갈색이었다. 그것들은 꼬리가 없었고 항문 주위를 제외하고는 엉덩이에 털이 없었다. 항문의 털은 땅에 앉았을 때 보호받으라고 자연이 그렇게 만들어준 걸로 보였다. 그것들은 땅에 눕거나 뒷발로 일어서기도 하지만 땅바닥에 앉기도 했기 때문이다. 다람쥐처럼 민첩하게 나무에 오를 수도 있었는데 앞다리와 뒷다리에 길고 날카로운 발톱이 있었기 때문이다. 그것들은 용수철처럼 땅 위로 뛰어올랐고 날렵하게 뛰어다녔다. 암컷은 수컷보다는 작았고 머리털은 길었고 곱슬곱슬하지는 않았다. 그리고 암컷은 항문과 음부를 제외하고는 몸 전체에 작은 솜털만 나 있었다. 유방은 앞발 사이로 축 늘어졌고 걸을 때는 거의 땅에 닿을 정도였다. 수놈과 암놈의 털 색깔은 갈색, 검정색, 붉은색, 노란색 등 여러 가지였다. 그런데 전체적으로 보았을 때, 내가 여러 해 동안 본 동물들 중에서 그처럼 역겹고 혐오감을 준 동물도 없었다. 그래서 메스꺼움이 밀려왔기 때문에 그 자리에서 일어나서는 인적이 난 길을 따라 걸어갔다. 어느 인디언이 사는 오막살이 집 정도에 이를 것으로 기대했다. 그런데 얼마 걷기도 전에 아까 그 동물들 중 한 마리가 나를 향해서 다가왔다. 그 혐오스런 동물은 나를 보더니 눈과 코와 입을 씰룩이면서 마치 이상한 물건을 처음으로 보는 것처럼 나를 노려보았다. 그러고는 더 가까이 와 나를 만지려는 건지 해치려는 건지는 몰라도 앞발을 나에게 들어올렸다. 나는 단검을 빼들고는 칼등으로 그놈을 후려쳤다. 칼날로 칠 수는 없었다. 왜냐하면 그곳 주민이 내가 자기네 가축을 죽이거나 해쳤다는 것을 알고 나에게 성질을 낼 것이 두려웠기 때문이었다. 그 짐승은 뒤로 물러서면서 날카로운 비명을 질렀다. 그 소리를 듣고서 근처 들판에서 약 40마리의 동일한 무리가 요란한 소리와 함께 흉측스런 얼굴 표정을 보이면서 나에게 몰려들었다. 나는 나무둥치로 달려가서 거기에 등을 대고는 단검을 휘두르면서 그놈들이 달려들지 못하게 했다. 그놈들 중 몇 마리는 그 나무의 나뭇가지를 타고 올라가서는 내 머리 위에서 오줌똥을 쏘아댔다. 나는 나무둥치에 바싹 붙어서 간신히 피하기는 했지만 오물의 냄새 때문에 숨이 막힐 지경이었다.

그렇게 한참 동안 곤란을 겪는데 갑자기 그놈들이 뿔뿔이 달아났다. 나는 왜 그렇게 도망갔는지 의아해하면서 다시 길을 걸어갔다. 그런데 왼쪽으로 말 한 마리가 들판을 유유히 걸어가는 것이 보였다. 나를 괴롭히던 짐승들은 그 말을 보고서 도망친 것이다. 그 말이 이윽고 나에게로 다가왔고, 놀라는 기색으로 나의 얼굴을 정면으로 뚫어지게 바라보았다. 그러더니 내 주위를 돌아가면서 나를 관찰했다. 나는 길을 계속 가려고 했지만 그 말은 나의 길을 막고는 못 가게 했다. 그런데 나를 바라보는 그것의 표정은 아주 온순해 보였고 조금도 나를 해칠 의도가 없는 것 같았다. 우리는 잠시 동안 서로를 마주보고 있었다. 나는 그 말을 쓰다듬어줄 양으로 내 손을 내밀면서, 마치 말을 부를 때 하는 것처럼 휘파람을 불었다. 그런데 그 말은 나의 그런 행동에 설레설레 고개를 저으면서 이마를 찌푸리더니 앞발을 가볍게 들어서 나의 손을 물리치는 것이었다. 그러고는 서너 번 히히힝 하고 울어댔다. 그런데 그 우는 형태가 보통 말이 우는 것과 달랐으며 마치 그 말이 자기 혼자서 무슨 말을 하는 것처럼 들렸다.

내가 그렇게 있는 동안에 또 다른 말이 다가왔다. 그 말은 첫 번째 말에게 오른쪽 발굽을 앞으로 내밀어 서로 가볍게 치면서 인사를 하는 것 같더니 서로 교대해가면서 말울음 소리를 냈다. 그 울음 소리가 억양이 있어서 마치 무슨 말을 주고받는 것처럼 보였다. 그것들은 몇 걸음 옆으로 물러가더니 무슨 문제를 토론하는 듯 히힝거리는 것이었다. 그러는 동안에도 나를 감시하는 것처럼 나를 자주 돌아다보았다. 나는 짐승들이 그처럼 이성적인 행위를 보이는 것에 놀라지 않을 수 없었다. 그래서 그 땅의 사람들이 그 말에 비례하는 머리를 가진 사람들이라면 그 사람들은 이 세상에서 가장 영리한 사람들임에 틀림없을 거라고 생각했다. 그렇게 생각하니 마음이 놓였고 힘이 났다. 말 두 마리가 자기네들끼리 있도록 내버려 두고는, 집이나 마을이나 주민이 나타날 때까지 계속해서 길을 가보려고 했다. 그런데 회색빛을 띤 첫 번째 말이 내가 슬며시 가버리려는 것을 보고는 무슨 의미가 담긴 듯한 울음소리를 냈는데, 그것이 무엇을 뜻하는지 알 수도 있을 것 같았다. 그래서 나는 되돌아서 그 말에게 가까이 가서는 나에게 무슨 지시를 하는지 기다려보기로 했다. 사태가 어떻게 결말이 날 것인지 겁이 났지만 겁난 표정을 감추려고 애썼다. 그런 상황 하에 있는 게 즐겁지는 않다는 사실을 독자들은 쉽게 짐작할 수 있을 게다.

두 말은 나에게 가까이 다가와서는 나의 온몸을 유심히 관찰했다. 회색 말은 앞발로 내 모자를 문질러보았다. 나는 모자가 너무 구겨졌기 때문에 모자를 벗어서 반듯하게 하고는 다시 써야 했다. 그것을 보고 그 말들은 매우 놀라는 듯이 보였다. 나중에 나타난 적갈색 말은 나의 겉옷을 만져보더니 그것이 나의 몸을 감싼 것을 보고는 다시 놀랐다. 그 말은 나의 오른손을 쓰다듬어보고는 신기해했다. 그런데 그 말이 나의 손을 양 발굽으로 너무 심하게 조였기 때문에 나는 소리를 지르지 않을 수 없었다. 그 후로는 그 말들은 나를 부드럽게 만졌다. 그것들은 나의 구두와 양말을 보고는 아주 놀랐고 그것을 만져보면서 서로 말 울음소리를 내면서 여러 가지 몸짓을 했다. 그 모습이 어떤 새로운 현상에 대해서 설명하는 학자들과 같아보였다.

그 동물들의 행동이 아주 영리해 보여서 나는 그것들이 마술사임

에 틀림없다고 결론을 내려보았다. 그러한 모습으로 변장을 하고 이방인을 만나서 장난을 치려는 중인데, 그 인간들과는 너무 다른 나의 의복이나 생김새를 보고서는 진심으로 놀랐을지도 모른다고 생각했다. 그렇게 생각하고 나니 용기가 생겨서 나는 이렇게 그 말들에게 얘기했다.

"나는 당신들이 마술사라고 믿는데, 그렇다면 당신들은 어느 나라 말이든지 알아들을 수도 있을 겁니다. 나는 불쌍한 영국인인데, 봉변을 당해서 이곳으로 오게 됐답니다. 두 분 중에서 한 분이 진짜 말이라면 나를 태워서 나를 도와줄 사람들이 있는 곳으로 데려다주시면 감사하겠습니다. 그러면 보답으로 이 팔찌와 단도를 드리겠습니다."

이렇게 말하면서 그 물건들을 주머니에서 꺼내었다. 내가 이야기하는 동안에 그 말들은 가만히 서서 나의 말을 유심히 들었다. 내 말이 끝나니 그 말들은 진지하게 의논하는 것처럼 서로 말 울음소리를 냈다. 귀를 기울여서 들어보았더니 그들의 울음소리는 의미를 뚜렷이 나타낼 수 있는 것 같았고 중국어보다도 쉽게 알파벳으로 풀어쓸 수도 있을 것으로 보였다.

나는 "야후"라는 말을 여러 번 들을 수 있었다. 그 말이 무엇을 의미하는지는 알 수 없었지만 두 말이 진지하게 대화를 하는 동안에 그 단어를 나의 입으로 발음해보려고 했고, 나중에 그 말들이 조용해지자 가능한 한 비슷하게 말울음 소리를 흉내내면서 큰 소리로 "야후"라고 소리질렀다. 그것을 듣고 두 말은 깜짝 놀랐으며 회색 말은 마치 나에게 올바른 발음을 가르쳐주려는 듯이 그 단어를 두 번 되풀이해서 말했다. 그래서 나도 될 수 있는 대로 거기에 가깝게 발음했다. 완전하다고 할 수는 없지만 여러 번 되풀이하자 나의 발음은 점점 나아졌다. 그러자 적갈색 말이 또 다른 말을 내가 배울 수 있는지 시험해보았다. 그것은 발음하기가 더 어려웠다. 그렇지만 "후이늠"이라고 표기할 수 있었다. 그것도 두세 번 발음해보았더니 비교적 정확히 발음할 수 있었다. 그 말들은 내게 그런 재능이 있는 것을 보고는 몹시 놀랐다.

두 말들은 나에 대한 논의를 더 하더니 만났을 때처럼 서로 상대방의 발굽을 치면서 작별했다. 그러고는 회색 말은 나에게 앞서 걸으라는 신호를 했다. 나는 어떤 인간을 만날 때까지는 그 말이 하라는 대로 하는 것이 현명할 것 같아서 그렇게 했다. 내가 걸음을 늦추면 그 말은 흐흐흥 하고 소리냈다. 나는 그 의미를 알아차리고 너무 피곤해서 빨리 걸을 수 없으니 재촉하지 말라고 그 말에게 몸짓으로 전달했다. 그러자 그 말은 잠시 멈추어서는 나를 쉬도록 해주었다.

2장

저자가 후이늠의 안내로 그의 집으로 간다. 그의 집에 관해서, 그리고 저자가 받은 대접에 관해서 묘사한다. 후이늠의 음식에 관해서 언급한다. 고기가 없어서 저자가 음식으로 고생하다가 마침내 해결한다. 그 나라에서 저자가 식사하는 방식에 관해서 설명한다.

대략 5킬로미터를 걸은 후에 우리는 어느 공동 주택 같은 곳에 도착했다. 나무를 땅에 박고서 지붕은 밀짚으로 만든 것이었다. 나는 이제 마음이 약간은 안도되어 그 집 주인이 나오면 줄 몇 가지 물건을 꺼내었다. 여행자들이 다른 나라를 여행할 때 가지고 다니는 물건인데 그것으로 그 집에 사는 사람들이 나를 잘 대해주기를 바랐던 것이다. 그 말은 나에게 먼저 집 안으로 들어가라는 몸짓을 했다. 안으로 들어가니 방은 매우 큰데 바닥에는 진흙이 깔렸고 방 한쪽에는 선반과 여물통이 쭉 놓여 있었다. 거기에는 새끼 말 세 마리와 암말 두 마리가 있었는데 여물을 먹는 중은 아니었고 몇 마리는 엉덩이를 바닥에 붙이고서 앉아 있었다. 그것이 나에게 아주 신기해 보였다. 그런데 더욱 신기한 것은 말들이 집안일을 하고 있는 점이었다. 그 말들은 보통의 말 이상은 아니었다. 그런데 내가 앞에서 했던 생각, 즉 야생의 짐승을 이렇게도 길들일 수 있다면 그곳 사람들의 지혜는 이 세상 어느 지역의 사람들보다도 뛰어날 것에 틀림없다는 생각을 더욱 굳혀주었다. 그 말들이 나에게 거칠게 대했을지도 모르지만 회색 말이 집으로 들어왔기 때문에 그런 일은 벌어지지 않았다. 그 말은 그 집안 말들에게 위엄 있는 표정으로 여러 번 말의 울음소리를 내었고 나머지 말들은 알겠다는 듯 답했다.

그 방의 한쪽으로는 방이 세 개 더 있었다. 그 방들로 가려면 문을 세 개 지나야 했는데 그 문들은 일직선으로 늘어서 있었다. 우리는 두 번째 방을 건너서 세 번째 방으로 들어갔다. 회색 말이 먼저 들어가면서, 나에게 잠시 기다리라는 몸짓을 했다. 나는 두 번째 방에서 기다리면서 그 집 사람들에게 줄 물건을 챙겼다. 작은 칼 두 개와 모조 진주로 만든 팔찌 세 개와 조그만 손거울과 목걸이 등이었다. 그 말은 서너 번 울음소리를 내었다. 나는 그에 대한 답으로 어떤 인간의 목소리가 들릴 것을 기대했다. 그런데 다른 말의 울음소리가 답하는 소리가 들렸다. 회색 말의 울음소리보다 더 날카로운 소리였다. 나는 그곳이 아주 지체가 높은 사람의 집이라고 생각했다. 내가 그 집 안에 들어가는 허락을 얻는 데도 그처럼 까다로운 절차가 필요한가 하고 생각했던 게다. 그런데 그 지체 높은 사람이 말들만을 하인으로 둔다는 것이 이해가 되지 않았다. 내가 고생을 너무 하여 머리가 돌아버린 게 아닌가 하고 생각되었다. 정신을 차리고서 나 혼자 있는 방을 둘러보았다. 그 방의 가구는 첫 번째 방과 비슷했지만 더 고급스러워 보였다. 나는 눈을 여러 번 비비면서 다시 보았지만 여전히 같은 물건이 보일 뿐이었다. 그것이 꿈이기를 바라면서, 꿈에서 깨어나도록 하기 위해서 팔과 옆구리를 꼬집어보았다. 그러고서는 그 모든 것이 요술이나 마력으로 생긴 것 외에 아무것도 아니라는 결론을 내렸다. 그런데 그런 생각을 오래 하고 있을 시간은 없었다. 회색 말이 문간으로 와서는 자기를 따라 세 번째 방으로 들어오라는 몸짓을 했기 때문이다. 그 방에는 아주 아름다워 보이는 암말이 새끼 말 두 마리와 함께 밀짚으로 만든 돗자리에 엉덩이를 깔고 앉아 있었다. 그 돗자리가 아주 잘 만들어졌고 깨끗해 보였다.

그 암말은 내가 방으로 들어가자 자리에서 일어나서 나에게 가까이 와 나의 얼굴과 손 등을 자세히 들여다보더니 아주 경멸스러운 표정을 지었다. 그러더니 회색 말에게 "야후"라고 말했고 두 말 사이에 여러 번 그와 동일한 단어가 오가는 것을 들을 수 있었다. 그것은 앞에서 언급했듯이 내가 제일 먼저 소리를 내어 배운 단어였지만 그때는 그 뜻이 무엇인지 몰랐다. 그렇지만 이내 알게 되었는데, 그것으로 인해서 골치 아픈 일이 생겼다. 사연은 이러했다. 그회색 말은 나에게 흐흐응 하는 소리를 내고 자기를 따라오라는 몸짓을 하면서 나를 네모진 안마당으로 데리고 갔다. 거기에는 방금 나온 집과는 조금 떨어져서 다른 건물이 있었다. 거기에 들어가니 내가 처음에 상륙했을 때 만났던 그 혐오스러운 동물 세 마리가 식물의 뿌리와 고기를 먹고 있었다. 그 고기는 당나귀나 개나 소의 고기라는 사실을 나중에 알게 되었다. 그 혐오스런 짐승들은 모두 말뚝에 묶여 있었다. 그리고 먹이를 앞발로 움켜쥐고서 이빨로 뜯어 먹었다.

집주인 되는 회색 말은 종인 갈색 말에게 시켜서는 그 동물 중에서 가장 큰 놈을 풀어가지고는 마당으로 데리고 나오게 했다. 그러더니 그 짐승과 나를 나란히 세워놓고는 주인과 종이 다같이 우리의 모습을 번갈아가면서 비교해보고는 "야후"라는 소리를 여러 번했다. 그 역겨운 짐승이 인간의 형태를 모두 갖추고 있다는 사실을 알았을 때 내가 받은 충격이나 공포심은 말로 어떻게 표현할 수 없었다. 그 짐승은 나와는 다르게 얼굴은 평평했고 코는 납작했으며 입술은 두툼했고 입은 컸다. 그런데 그런 정도의 차이점은 다른 야만족에게도 있는 것이다. 그 야만족들은 아기를 바닥에 눕혀놓거나 업고 다닐 때 얼굴을 등에 밀착시키기 때문에 얼굴이 일그러지는 것이다. 그 야후라는 짐승의 앞발과 내 손의 차이는 그 짐승의 것이 손톱이 더 길고 손바닥은 더 거칠며 더 밤색이고 손등에는 털이 많다는 것뿐이었다. 발도 손과 마찬가지였고 큰 차이가 없었다. 내가 양말과 신발을 신고 있었기 때문에 말들은 그런 사실을 몰랐지만 나는 알 수 있었다. 그 외 신체의 다른 부분에서도 이미 말한 것처럼 털이 많다는 것이나 색이 약간 다르다는 점을 제외하고는 별다른 점이 없었다.

그 두 말들이 이해하기 어려운 점은 나의 신체의 나머지 부분이 야후와는 아주 다르게 보인다는 점이었을 것이다. 내가 옷을 입고 있었기 때문인데, 그 말들은 옷이라는 게 무엇인지를 몰랐던 거다. 하인인 갈색 말이 어떤 풀뿌리를 나에게 먹으라고 전해주었다. 그 말은 그것을 발굽과 발목 사이로 잡고 있었다. 나는 그것을 손으로 받아보고서 냄새를 맡고서는 가능한 한 공손하게 돌려주었다. 그러자 그 말은 야후의 우리에서 당나귀 고기를 조금 갖다 주었다. 그렇지만 그것이 너무 냄새가 역겨워서 질색을 하면서 고개를 돌려버렸다. 그 말이 그것을 옆에 있던 야후에게 던져주었더니 게걸스럽게 먹었다. 갈색 말은 다음에는 건초와 귀리를 한 다발 갖다 주었다. 나는 고개를 저으면서, 그가 준 어느 것도 내가 먹을 것이 아니라는 시늉을 했다. 그리고 그때 나는 나와 동종인 인간을 만나지 못한다면 꼼짝없이 굶어죽을지 모른다는 생각을 했다. 그런데 그때, 내가 누구보다도 인류애를 가진 사람이기는 하지만, 그 야후라는 동물이 이 세상에서 가장 혐오스럽게 보였다는 사실을 시인하지 않을 수가 없다. 그리고 내가 그 나라에 있는 동안에 그것들과 가까이 있으면 있을수록 더 혐오스러워졌다. 그러한 나의 생각을 집주인은 나의 표정을 보고서 알게 되었다. 그래서 야후를 우리로 다시 돌려보냈다. 그러더니 앞발의 발굽을 자기 입에 갖다 대는 것이었다. 그 동작은 아주 자연스럽게 이루어졌는데 나는 그것을 보고는 놀라지 않을 수 없었다. 그 말은 내가 무엇을 먹을 수 있는지 알아보려고 그렇게 한 것이었다. 그렇지만 나는 그가 알아들을 수 있게끔 답변을 할 수 없었다. 그리고 설사 그가 알아듣는다고 하더라도 나에게 필요한 음식을 그들이 어떻게 구할지 알 수가 없었다. 우리가 그렇게 하는 동안에 암소 한 마리가 지나가는 것을 보게 되었다. 그래서 나는 그 소를 가리키면서, 내가 그 소의 젖을 먹고 싶다는 표시를 했다. 그 말은 그것을 알아차리고는 나를 다시 자기네 집 안으로 데리고 들어가서는 암말 종에게 방 문 하나를 열도록 했다. 그 방에는 아주 깨끗하고 잘 정돈되어 있는 옹기 그릇과 나무 그릇에 우유가 가득 저장되어 있었다. 그 종은 우유를 한 사발 가득 나에게 퍼주었고 그래서 나는 그것을 먹고 나서는 기운을 한결 차리게 되었다.

정오쯤 되었는데 야후 네 마리가 마치 썰매처럼 보이는 수레 하나를 끌고서 내가 있는 집으로 오는 것이 보였다. 그 수레에는 아주 지체가 높아 보이는 늙은 말이 타고 있었다. 그 말은 뒷발을 먼저 땅에 디디더니 수레에서 내렸다. 왼쪽 앞발은 사고로 다친 상태였다. 그 말은 우리 집 말과 함께 식사를 하려고 온 것이었다. 그래서 모두 정중하게 그 말을 대했다. 말들은 가장 좋은 방에서 식사를 했고 두 번째 코스로는 우유와 함께 삶은 귀리가 나왔다. 늙은 말은 우유를 따뜻한 채로 먹었고 다른 말들은 식혀서 먹었다. 여물통은 방 한가운데에 둥그렇게 배열되었고 칸이 여러 개로 나뉘어 있었다. 말들은 그 둘레에서 짚으로 만든 방석에 엉덩이를 대고 앉아 식사를 했다. 여물통 중심 위에는 큰 여물 선반이 있었다. 모든 수말과 암말들은 질서정연하고 점잖게 각자의 건초와 우유, 삶은 귀리를 먹었다. 집주인과 여주인은 초대한 손님에게 아주 예의 바르고 상냥하게 대했다. 집주인인 회색 말은 나를 손님 옆에 서라고 하고서는 나에 관해서 그 손님 말과 많은 대화를 나누었다. 방문객이 자주 나를 쳐다보면서 "야후"라는 말을 여러 번 했기 때문에 나는 그들이 나에 관해서 얘기한다는 사실을 알게 되었다.

　나는 그때 장갑을 끼고 있었다. 주인인 말이 그것을 보고서는 놀라는 듯했고, 말굽을 서너 번 내 손에 갖다 대면서 내가 손을 원래 상태로 하라는 뜻을 전하려고 했다. 나는 그래서 양쪽 장갑을 벗고는 호주머니에 집어넣었다. 그것을 보고는 말들은 나에 대해서 더 많은 얘기를 했다. 나는 그들이 나의 행동에 대해서 맘에 들어 한다는 사실을 알 수 있었고 그걸로 인해서 좋은 일이 발생했다. 그들은 내가 아는 말을 해보라고 했고, 식사를 하는 동안에 그 집주인은 귀리, 우유, 불, 물 등의 이름을 나에게 가르쳐주었다. 나는 주인이 하는 방식에 따라서 발음했다. 나는 원래 말을 쉽게 배우는 재능이 조금 있었던 거다.

식사가 끝나고 나서, 주인 말은 내가 먹을 마땅한 음식이 없어서 고민이라는 사실을 말과 몸짓을 동원해서 나에게 알렸다. 귀리를 그들은 "홀른"이라고 발음하는데 나는 그 말을 두세 번 발음해보았다. 나는 처음에는 귀리를 거절했다. 그런데 다시 한번 생각해보니, 귀리를 갖고서 빵을 만들어 먹을 수도 있겠다는 생각이 들었다. 빵과 우유만 있다면, 인간의 세계로 탈출할 때까지 굶어 죽지는 않을 거라고 생각했다. 주인 말은 그 집안의 종인 흰 암말에게 귀리를 가져오라고 했고 종은 그것을 나무 접시에 담아가지고 왔다. 나는 그것을 불 앞에서 구운 다음에 비벼서 껍질을 벗겨내었다. 그러고는 체로 쳐서 껍질을 날려 보냈다. 다음에는 낱알을 돌 두 개 사이에서 찧어서 가루로 만들고 물에 타서 반죽을 만들었다. 그것을 불에 구워서 우유와 함께 따뜻하게 먹었다. 그렇지만 처음에는 별로 맛이 없었다. 그래도 유럽의 여러 지방에서 그런 식으로 해먹는다는 사실을 알고 있었다. 나중에 시간이 갈수록 먹을 만하게 되었다. 나는 살아가는 동안에 여러 고생을 많이 겪은 사람이었기 때문에 천성적으로 환경에 쉽게 적응할 수 있었다. 그리고 내가 그 섬에 체류하는 동안에 한 번도 아파서 누워본 적이 없다는 사실을 언급해야겠다. 빵 외에도 야후의 털로 덫을 만들어서 토끼나 새를 잡았고 몸에 좋은 나물을 빵과 함께 끓여 먹거나 버터를 만들어서 먹기도 했다. 처음에는 소금이 없어서 어려움을 겪었다. 그런데 곧 소금 없이 먹는 것에 익숙해졌다. 인간들이 소금을 사용하는 것은 사치 생활로 인해서 생긴 결과며 맨 처음에는 음주를 위한 자극제로서 이용된 것이라고 나는 생각한다. 물론 장시간 항해하는 동안이나 멀리 떨어진 곳으로 이동할 때 육류를 보존하려고 사용하는 경우는 예외이기는 하다. 내가 알기로는 인간을 제외하고는 다른 동물은 모두 소금을 좋아하지 않는다. 그리고 나 자신도 그 나라를 떠난 후 오랜 시간이 지나서야 비로소 다시 소금 맛에 익숙해졌다.

대부분의 여행자들은 자신들이 여행하는 동안에 음식을 잘 먹고 지냈는지, 못 먹고 지냈는지에 독자들이 관심이 많기라도 한 것처럼 여행기에서 음식 이야기를 늘어놓지만 나로서는 음식에 대해서는 그만하면 충분하다고 생각한다. 내가 그 나라에서 그런 주민들속에서 3년 동안이나 먹고 살아왔다는 게 불가능하다고 생각할지 모르니 그 정도는 쓸 필요가 있을 게다.

밤이 가까워지자 주인 말은 나에게 숙소를 마련해주라고 지시했다. 그것은 그 말의 집에서 6미터 정도밖에 떨어져 있지 않았고 야후들의 우리와는 떨어져 있었다. 그곳에서 바닥에 짚을 깔고 나의 옷을 덮고는 누웠는데 잠은 곤히 잘 수 있었다. 그 후에는 더 좋은 잠자리를 마련해주었다.

3장

저자가 그 나라의 말을 배우고 주인 후이늠이 그것을 돕는다. 그 나라의 언어에 대해서 설명한다. 신분이 높은 후이늠들이 저자를 만나러 온다. 저자는 주인에게 자기의 여정에 관해서 간략하게 설명한다.

내가 무엇보다도 애를 쓴 것은 그 나라 말을 배우는 일이었다. 나의 주인(이제부터 '주인'이라는 말을 써야겠다)과 그의 자녀들, 그리고 그 집안의 하인들은 나에게 말을 가르쳐주는 걸 좋아했다. 그들은 나 같은 짐승이 그처럼 이성적인 능력을 보이는 게 기적이라고 생각했다. 나는 물건을 하나하나 가리키면서 그것에 대한 그나라 언어를 알려달라고 했다. 그리고 나 혼자 있을 때 그 단어를 종이에 적어놓고는 그 집안 말 중에서 아무에게나 그 단어를 되풀이해서 발음해달라고 부탁했다. 그렇게 해서 나의 틀린 발음을 교정해나갔다. 종의 하나인 갈색 말이 그런 부분에서 항상 나를 기꺼이 도와주었다.

그들은 말을 할 때 코와 목구멍으로 발음을 하며 그들의 말은 내가 아는 유럽어 중에서는 옛날의 네덜란드어 또는 독일어에 가깝다. 그렇지만 그런 것보다도 더 세련미가 넘치고 어감이 풍부했다. 찰스 5세는 자신이 자기의 말과 이야기한다면 옛날의 네덜란드어로 이야기할 것이라고 한 적이 있는데 나도 그 얘기가 맞을 걸로 생각한다.

　나의 주인은 호기심이 매우 강한 사람이어서 나를 가르치는 데
많은 시간을 보냈다. 그는 내가 야후임에는 틀림없다고 확신했다.
그렇지만 내가 순하고 예의 바르고 몸이 깨끗한 것에 놀라워했다.
그런 기질은 야후의 것과는 반대되는 것이기 때문이다. 그는 내가
입고 있는 옷에 대해서 가장 의아스러워했고 그것이 나의 몸의 일
부라고 생각했다. 왜냐하면 나는 그 집 말들이 다 잠들기 전까지는
옷을 벗지 않았고 아침에 그들이 깨기 전에 옷을 입었기 때문이다.

302

나의 주인은 내가 어디에서 왔으며 내가 이성적인 행동을 어디에서 배웠는지 아주 궁금해했고 그것에 대해서 나의 입에서 나오는 소리로 듣고 싶어 했다. 그리고 내가 그들의 언어를 배우고 발음하는 것에 아주 능했기 때문에 머지않아 그런 대화를 할 수 있기를 기대했다. 나는 그 나라 언어를 조금이라도 빨리 배우려고 내가 배운 모든 단어를 영어의 알파벳으로 바꾸고 번역해놓았다. 얼마 후에는 주인이 보는 곳에서도 그렇게 했다. 주인은 내가 그렇게 하는 걸 보고는 무엇을 하느냐고 물었는데 나는 그를 이해시키는 데 애를 먹었다. 왜냐하면 그곳의 말들은 글자나 책 같은 것에 관해서는 아무런 개념도 갖고 있지 않았기 때문이다.

약 10주가 지나고 나니 나는 주인이 하는 말을 거의 알아들을 수 있었고 3개월 후에는 말들이 묻는 것에 어느 정도 답을 할 수도 있게 되었다. 주인이 무엇보다도 알고 싶은 것은 내가 그 나라의 어느 곳에서 왔는지, 어떤 훈련을 받았기에 이성을 가진 동물과 같은 흉내를 낼 수 있는지 하는 점이었다. 내가 머리, 손, 얼굴 등에서 겉으로 보기에는 야후와 똑같이 생겼기 때문에 나를 야후로 생각할 수밖에 없는데, 야후라는 동물은 영리한 것처럼 보이기는 하지만 못된 행동을 하는 기질이 너무 강해서 다른 어떤 동물보다도 가르치기가 어려운 것으로 알고 있었기 때문이다.

나는 이렇게 대답해주었다.

"저는 아주 멀리 떨어진 나라에서 저와 같은 종류의 인간들과 함께, 나무로 튼튼하게 만든 배라는 것을 타고서 바다를 건너왔습니다. 그런데 저와 같이 온 놈들이 저를 강제로 이곳에 상륙시켜놓고는 저혼자 굶어 죽든지 어쩌든지 하라고 버려놓고서 가버렸습니다."

그러한 사실을 그에게 이해시키는 것은 아주 어려웠고 손짓과 몸짓을 동원하여 겨우 해낼 수 있었다.

그가 이렇게 대답했다.

"너는 착각을 하는 게 분명하다. 어떻게 그런 있지도 않은 사실을 말할 수가 있느냐?"

후이늠들에게는 '거짓말'의 개념이 없었던 것이다. 그리고 나의 주인에게는, 바다 건너에 다른 어떤 나라가 존재한다는 점이나 한 무리의 짐승들이 나무로 만든 큰 그릇을 타고서 자기들이 가고 싶은 대로 갈 수 있다는 것이 있을 수 없는 일로 보였던 거다. 지금 살아 있는 후이늠 중에서 아무도 그렇게 할 수 없다는 점을 알고 있었고 더군다나 야후가 그렇게 한다는 건 도무지 생각할 수 없었다.

그들의 단어에서 후이늠이라는 것은 타고 다니는 말을 뜻하며 그것의 어원은 '자연의 완성'을 의미한다. 나는 주인에게 말하기를, 내가 언어 구사력이 짧아서 나의 의사를 제대로 표현할 수 없어서 답답하기는 하지만, 언젠가는 그 나라 언어를 잘 배워서 나의 이야기를 모두 속 시원하게 들려줄 수 있기를 바란다고 말했다. 그는 자기의 아내나 자식들, 그리고 종들에게 나에게 기회가 생기는 대로 계속해서 언어를 가르쳐주도록 했고 매일 두세 시간 자신이 직접 나에게 가르쳐주었다. 그런데 한 야후가 후이늠처럼 말을 할 수 있고 지능이 뛰어나다는 소문을 듣고는 그 일대에서 지체가 높은 여러 말이 자주 우리 집으로 찾아왔다. 그들은 나와 대화하는 것을 즐겼고 여러 가지 질문을 했다. 나는 그에 대해서 내가 할 수 있는 한 최대한 자세히 답변해주었다. 그런 이유로 인해서, 나는 그곳에 도착한 지 다섯 달 후에는 그곳 주민들의 모든 언어를 알아들을 수 있었고 답변도 거의 완전하게 할 수 있게 되었다.

나와 이야기하려고 나의 주인집을 찾아온 후이늠들은 내가 진짜 야후인지 의심스러워했다. 왜냐하면 나의 몸에는 다른 야후에게는 없는 덮개가 있었기 때문이다. 머리나 얼굴이나 손을 제외하고는 다른 야후에게는 있는 털이나 피부가 나에게는 없는 것을 보고 몹시 의아해했다. 그런데 어느 날 어떤 사건이 생겨서 그 비밀을 주인에게 들키게 되었다.

나는 그 집 식구들이 잠자리에 들고 난 다음에 옷을 벗어서는 그 옷을 덮고 자는 게 습관이 되어 있었다. 어느 날 아침 일찍 주인은 그의 종인 갈색 말에게 나를 불러내게 했다. 그가 왔을 때 나는 곤하게 잠든 상태였는데, 나의 옷은 한쪽으로 떨어져 놓여 있었고 셔츠도 허리 윗부분으로 밀려 올라가 있었다. 그가 들어오는 소리에 깼는데, 그는 나의 모습을 보고서는 놀라면서 주인의 지시를 전했다. 그 말은 주인에게 가서는 놀란 표정으로 그가 본 나의 모양을 말했다. 나는 나중에 그 내막을 알게 되었다. 내가 옷을 입고서 주인에게 가자 주인은 그 갈색 말이 보고해준 게 무슨 소리인지를 따져 물으면서 내가 잠잘 때의 모습이 다른 때와는 다르고, 그 갈색 말이 나의 몸이 희기도 하고 노랗기도 하며 갈색이기도 하다는데 무슨 영문이냐고 물었다.

나는 그때까지는 그 혐오스러운 야후와 나를 최대한 구별하도록 나의 옷에 관한 비밀을 숨겨왔다. 그렇지만 어차피 머지않아 옷이나 신발이 닳아버릴 것이므로 더는 숨겨봐야 소용없을 거라는 사실을 알게 되었다. 이미 그것이 망가지기 시작했으므로 야후나 다른 동물의 가죽으로 재주껏 만들어야 하는 것이다. 그래서 주인에게

305

이렇게 말했다.

"저의 나라에서는 추위나 더위를 피하고 예의를 갖추려고 어떤 동물의 털로 만든 것으로 항상 몸을 가리고 있습니다. 주인님이 명령하신다면 저의 신체를 보여드려서 증명할 수 있습니다. 다만 그곳 한 부분만은 보여드릴 수가 없으니 이해해주십시오."

주인은 나의 얘기가 이상하기 짝이 없고 특히 마지막으로 얘기한 부분은 더 이해할 수 없다고 했다. 자연이 만들어놓은 것을 감춘다는 게 납득이 가지 않는다는 것이었다. 그 자신이나 그의 식구들은 몸의 어떤 부분도 드러내는 것을 창피해하지 않았다. 그렇지만 그는 내가 하고 싶은 대로 하라고 했다. 그래서 나는 우선 윗도리 단추를 풀고서는 옷을 벗었다. 그러고는 바지와 신발, 양말도 벗었다. 아랫도리 내의는 위로 걸어 올려서 음부만을 가렸다. 주인은 그런 나의 동작을 신기해하면서 지켜보았다. 그는 나의 옷을 모두 발목으로 집어 들고는 하나하나 유심히 살펴보았다. 다음에 나의 몸을 부드럽게 만져보고 여러 번 이리저리 둘러보았다. 그러고는 말하기를, 내가 야후임에는 분명하지만 나의 피부가 부드럽고 희다는 점, 몸의 여러 부분에 털이 없다는 점, 앞발과 뒷발의 발톱이 짧다는 점, 그리고 내가 뒷발로만 걸어다닌다는 점 등에서 다른 야후들과는 차이가 있다고 했다. 그는 더는 보기를 바라지 않았고 옷을 다시 입도록 했다. 내가 추워서 떨고 있었던 게다.

주인이 그 혐오스러운 야후라는 단어를 자주 나에게 빗대는 것에 대해서 나는 불만을 표시했다. 그 동물에 대해서는 철저하게 경멸감과 증오심을 품었기 때문이다. 나는 주인에게 말하기를, 제발 야후라는 말을 나에게 쓰지 말 것과, 그의 식구나, 다른 곳에서 나를 보러 오는 말들도 그런 단어를 쓰지 않게 해달라고 당부했다. 또한 내가 현재 몸에 가짜 덮개를 두르고 있다는 사실을, 나의 옷이 해지기 전까지는 다른 말들에게 알리지 말아달라고 부탁했다. 그의 종인 갈색 말에게는 주인이 명을 하여 입을 다물도록 했다.

주인은 나의 부탁을 너그럽게 받아들였으며 그래서 그 비밀은 나의 옷이 해지기 전까지는 유지되었다. 나는 여러 가지 방법으로 새 옷을 만들어 입어야 했는데, 그것에 관해서는 나중에 알려주겠다. 그동안에 주인은 나에게 계속해서 그들의 언어를 열심히 배우라고 했다. 왜냐하면 나의 덮개가 있건 없건 관계없이, 나의 생김새보다는 내가 말을 하고 사리 판단력이 뛰어나다는 사실이 놀라운 것이며, 내가 들려주겠다고 하는 여러 가지 이야기를 빨리 듣고 싶다는 것이었다.

이제 주인은 나를 가르치는 노력을 곱절로 늘리게 되었다. 그는 후이늠들의 모임이 있는 곳마다 나를 데리고 다녔는데, 그들이 나를 함부로 대하지 말도록 부탁해놓은 사실을 나중에 알게 되었다. 그렇게 해야만 내가 기분이 좋아서 여러 가지 이야기를 재미있게 해줄 수 있다고 알려주었던 거다.

매일 아침마다 내가 주인에게 찾아가면 그는 나에게 언어를 가르쳐주면서 그와 동시에 나에게 이런저런 질문을 했다. 나는 거기에 재주껏 대답했다. 그리고 그런 질문이나 답변을 통해서 주인은 나에 대한 개략적인 것을 파악했다. 내가 점점 더 올바른 대화를 할 수 있게 된 모든 과정에 대해서 설명한다면 독자들이 지루해할 것이다. 우선 나는 대충 다음과 같은 말로 주인에게 나의 이력을 설명했다.

"전에도 말씀드렸다시피 저는 아주 먼 나라에서 저의 동족 50명과 함께 이쪽으로 오게 되었습니다. 우리는 나무로 만든 배라는 것을 타고서 바다를 건너왔는데, 그 배는 주인님 집보다도 큽니다."

이때 나는 내가 아는 언어를 동원해서 배에 대해서 설명했고 손수건을 펼쳐 들고서 배가 바람을 타고서 전진하는 방식에 대해서도 설명해주었다. 그러고 나서 이야기를 계속했다.

"저희 사이에 싸움이 벌어져서 놈들이 저를 이 섬 해안에 버려두고 가버렸습니다. 어디로 갈지 모르고 걸어가다가 저 흉측한 야후들을 만나 괴롭힘을 당할 때 주인님이 나타나서 구출해주신 겁니다."

주인은 배를 누가 만들었으며 나의 나라의 후이늠들이 어떻게 해서 짐승들에게 배를 맡길 수 있느냐고 물었다. 나는 대답하기를, 내가 무슨 말을 하든지 절대로 화를 내지 않겠다고 약속하기 전에는 말을 계속할 수 없으며 약속해준다면 얘기를 들려주겠다고 했더니 주인은 그러기로 동의했다.

그래서 나는 이야기를 이어나갔다.

"그 배는 저와 같은 족속이 만든 것입니다. 그런데 그 족속은 저의 나라에서뿐 아니라 이 세상 어느 곳에서든 모든 것을 지배하는 유일한 이성을 갖춘 동물입니다. 제가 이곳에 도착해서 후이늠들이 높은 지능을 가진 것을 보고 놀랐는데, 그것은 주인님이나 주인님 친구분들이, 야후에 지나지 않는 제가 지능을 갖춘 것을 보고 놀라는 것과 똑같습니다. 제 몸의 모든 부분이 야후와 닮았다는 점은 인정하지만 야후들이 지금 저런 모습이 되었다는 걸 이해할 수가 없습니다. 제가 운이 좋아서 제 조국으로 다시 돌아간다면 이 나라에

온 것을 얘기할 셈인데, 제 얘기를 들으면 누구든지 제 말을 믿지 않을 것이고 제가 거짓말을 한다고 할 겁니다. 저는 주인님이나 식구들이나 주인님 친구분들을 모두 존경하고 있고, 주인님이 화를 내지 않을 거라고 약속했기 때문에 이 말씀을 드리는 것인데, 후이늠이 나라의 지배자이고 야후가 짐승에 불과하다는 소리를 저의 나라 사람들이 들으면 도저히 있을 수 없는 거짓말이라고 생각할 게 분명합니다."

4장

거짓과 진실에 대한 후이늠의 생각에 관해서 서술한다. 주인이 저자의 말에 대해서 반박한다. 저자가 그 자신과 그의 항해에서 생겨난 일에 관해서 더 자세하게 서술한다.

나의 주인은 나의 말을 불안한 표정을 지으면서 들었다. 왜냐하면 그 나라에서는 '거짓말'이라는 개념은 없기 때문에 그것을 어떻게 이해할지 모르는 것이다. 나는 주인과 함께 그 나라 이외의 세계 여러 곳에서의 인간성에 관해서 논한 일이 있었는데, 주인은 다른 면에 대한 판단력은 좋았지만 '거짓말' 같은 단어를 말할 때는 그것을 좀처럼 이해하지 못했다. 그는 이렇게 생각했다. 즉 대화를 한다는 것은 우리가 서로 상대방을 이해시키고 정보를 얻으려는 것이다. 그런데 누군가가 거짓을 말하면 그런 목적이 이루어지지 않는다. 왜냐하면 내가 상대방의 말을 이해했다고 볼 수도 없는 것이고 내가 정보를 얻기는 고사하고 차라리 완전히 모르는 것보다 못하게 되기 때문이다. 나는 흰 것을 검다고 믿게 되고 짧은 것을 길다고 믿게 되는 것이다. 인간들 사이에서는 너무나도 잘 알려졌고 널리 행해지는 거짓말에 대해서 주인은 이런 생각만을 갖고 있었다.

내가 영국이나 다른 나라에서는 야후가 모든 것을 지배하는 유일한 이성적인 동물이라고 말했을 때 나의 주인은 도저히 그 얘기는 못 믿겠다고 했다. 그리고 영국에도 후이늠이 있는지, 있다면 그들이 하는 일은 무엇인지 알고 싶다고 했다.

나는 이렇게 대답했다.

"후이늠은 아주 많습니다. 여름에는 풀밭에서 풀을 뜯어먹고 겨울에는 집 안에서 건초나 귀리를 먹고 야후들이 후이늠의 피부를 문질러주고 갈기를 빗질해주고 발에 낀 흙도 털어주고 여물을 갖다주기도 하고 잠자리도 마련해줍니다."

주인은 이렇게 말했다.

"네가 무슨 말을 하는지는 알겠다. 그렇더라도 네 말을 듣고 나니, 네 나라 야후들이 이성을 가진 척하겠지만 결국은 후이늠이 너희 주인인 것은 분명하다. 우리네 야후들도 너희 야후들처럼 순하다면 좋을 텐데."

나는 이렇게 말했다.

"주인님, 제발 제가 더는 얘기를 하지 않게 해주십시오. 왜냐면 제 이야기는 주인님께 아주 불쾌하게 들릴 테니까요."

주인은 좋은 얘기건 나쁜 얘기건 다 말해보라는 것이었다. 나는 주인의 분부대로 따르겠다면서 다음과 같이 말을 이었다.

"저희는 후이늠을 '말'이라고 부르는데, 가장 온순하고 보기에도 좋은 동물이고 힘과 빠르기도 뛰어납니다. 말이 어떤 신분 높은 사람의 소유물이 되면 여행을 하거나 경마나 전차를 끄는 데 이용되고 그런 말들은 좋은 대우를 받습니다. 그런데 그렇게 하다가도 다치거나 병이라도 들면 다른 야후에게 팔려서 죽을 때까지 온갖 일로 혹사당합니다. 죽은 후에는 가죽은 벗겨서 팔아버리고 시체는 버려져서 들개나 새들이 먹어치웁니다. 그런데 보통 종류의 말은 그보다도 대우가 못하고 농부나 천한 사람들의 소유물이 되어서 더 힘든 노력을 해야 하고 먹이도 형편없는 것을 먹어야 합니다."

그러고 나서 나는 우리가 말을 타고 다니는 방법에 대해서, 그리고 고삐, 안장, 마차, 마구 등에 대해서 자세히 말해주었다. 그 외에도 야후가 다니는 도로에서 돌 때문에 말발굽이 깨지는 것을 방지하려고 말의 발바닥에 단단한 징을 박는다고 말해주었다.

주인은 내 말을 듣고는 크게 노여워하면서, 야후가 어떻게 감히 후이늠의 등에 올라탈 수 있는지 도무지 이해할 수 없다고 했다. 왜냐하면 그의 집안에서 가장 약한 종이라고 하더라도 가장 강한 야후를 흔들어서 등에서 떨어뜨릴 수 있고 또는 드러누워서 뒹굴어 야후를 깔아뭉개버릴 수도 있다는 사실을 잘 알기 때문이다.

나는 이런 식으로 설명해주었다.

"저의 나라에서 말은 3, 4세가 되면 우리가 나중에 이용하기 좋도록 훈련받습니다. 그중에서 성질이 고약한 말이 있다면 마차를 끌거나 하는 힘든 일을 하게 합니다. 그리고 우리 말들은 어릴 적에 못된 짓을 하면 호되게 얻어맞습니다. 승마용이나 마차용으로 쓸 말들은 수말의 경우에 유순하고 다루기 쉽게 하려고 생후 2년 후면 거세를 시켜버립니다. 말들은 상이나 벌을 받는 행동이 무엇인지 알기는 하지만, 이 나라에서 야후들이 조금도 이성이 없는 것과 마찬가지로 우리나라에서는 말들이 이성이 없다는 사실을 주인님께서 고려하셨으면 합니다."

나는 주인에게 말을 요리조리 바꿔가면서 이해시켜야만 했다. 그들의 언어는 표현이 다양하지 못했던 것이다. 그 이유는 그들의 욕구나 감정이 우리 인간에 비해서 단순하기 때문이었다. 후이늠에 대한 우리 인간의 야만적인 처신에 대해서 들었을 때 나의 주인이 나타낸 분노는 무어라고 표현할 수 없을 정도였다. 특히 말들이 종족을 생산하지 못하게 하고 유순하게 만들려고 거세를 한다는 얘기를 들었을 때는 분노가 극도에 이르렀다.

주인이 이렇게 말했다.

"야후만이 이성을 가진 나라가 있다면 결국 이성은 야만을 이기는 것이기 때문에 야후가 모든 것을 지배하는 동물임에는 틀림없을 거다. 그렇지만 여기에 있는 야후들이나 너 자신의 신체 구조를 보니 그 정도 조건을 갖고서는 일상생활을 완전하게 해나갈 수 없어 보인다."

이렇게 말하면서 그는 나의 나라의 야후들은 나와 같이 생겼는지, 아니면 후이늠 나라의 야후처럼 생겼는지 알고 싶다고 했다. 나는 내가 나 같은 또래의 야후들과 체격이 비슷하다, 그렇지만 어린애들이나 여성들의 피부는 훨씬 더 부드러우며 여성들의 피부는 우유처럼 희다고 대답해주었다.

주인은 이어서 다음과 같이 말했다.

"너는 다른 야후보다 깨끗하고 보기에도 흉하지 않다는 점에서 차이점은 있지만 다른 점에서는 네가 불리해 보인다. 우선, 네 발톱은 앞발이나 뒷발 모두 아무 소용도 없고 앞발은 한 번도 그걸 이용해서 기어다니는 일이 없으니 앞발이라고 말할 수도 없는 것이고, 땅을 디디고 다니기엔 너무 약하다. 너는 보통 앞발에 덮개를 씌우지 않고 다니는데, 가끔씩 덮개를 하고 다닌다고 하더라도 뒷발 덮개만큼 튼튼하지 않고 모양도 다르다. 너는 또 뒷발 한쪽이 미끄러지면 무조건 넘어지게 되어 있기 때문에 걸음이 아주 불완전하다."

그는 이어서 다른 흠도 잡았다.

"너는 얼굴이 납작하고 코는 튀어나왔고 눈이 바로 앞에 붙어 있어서 고개를 돌리지 않고는 옆을 볼 수가 없고 두 발 중 하나를 들어올리지 않고는 밥을 먹을 수가 없게 되어 있다. 그래서 그런 것에 이용하도록 앞발의 관절을 자유자재로 움직일 수 있도록 되어 있는데, 네 뒷발은 무슨 이유로 인해서 끝이 여러 개로 갈라져 있는지를 모르겠다. 뒷발이 너무 약해서, 다른 야후의 가죽으로 만든 덮개가 없다면 딱딱하거나 날카로운 물건에 견디지를 못할 것이고, 네겐 추위나 더위를 막아주는 덮개가 필요하기 때문에 매일 그것을 입고 벗는 귀찮은 일을 하지 않으면 안 된다."

그러고는 마지막으로 다음과 같은 말을 했다.

"이 나라에 있는 모든 동물들은 야후를 싫어하기 때문에 약한 동물은 야후를 피해다니고 강한 동물은 쫓아내버린다. 네가 이성이 있다면 왜 모두가 그렇게 야후를 싫어하는지 알 것이다."

나는 그 문제에 대해서는 더는 논하지 않겠다고 했다. 그보다는 내가 태어난 나라에 대해서, 그리고 내가 그 섬에 오기까지 있었던 여러 가지 사건에 대해서 말하고 싶었기 때문이다.

나는 이런 식으로 말했다.

"제가 제 얘기를 이해하기 쉽게 알려드렸으면 합니다만 제 표현이 올바른 건지를 자신할 수가 없습니다. 제가 최선을 다해서 설명하겠지만 제가 알맞은 용어를 찾지 못하면 주인님이 적당한 용어를 찾아낼 수 있도록 협조해주셨으면 합니다."

주인은 그러겠다고 다짐했다.

나는 이렇게 얘기를 이어나갔다.

"저는 영국이라는 나라에서 훌륭한 부모 밑에서 태어났습니다.

그 섬은 이 나라에서 아주 먼 곳에 있습니다. 주인님의 종 중에서 가장 튼튼한 종이 1년 동안 걸어가야 닿을 만큼 멀리 떨어져 있습니다. 저의 직업은 의사인데, 사고나 폭력으로 생긴 신체의 부상이나 상처를 치료하는 일을 합니다. 저희 영국이라는 나라에서는 여자가 통치하는 데 그를 저희는 여왕이라고 부릅니다. 저는 돈을 벌려고 저의 나라를 떠나게 됐습니다. 제 자신과 식구들을 먹여살리려면 돈을 벌어야 합니다. 제가 이곳으로 올 때 어떤 배의 선장을 맡았고 50명 정도 되는 야후가 부하로 있었습니다. 그런데 항해하는 도중에 야후들이 많이 죽었기 때문에 이곳저곳을 다니면서 인원을 보충해야 했습니다. 우리 배는 두 번이나 침몰당할 뻔했습니다. 한 번은 강풍으로 그랬고 또 한 번은 바위에 부딪혀서 그렇게 될 뻔했습니다."

여기까지 말했는데 주인이 나의 말을 가로막고서는, 인원을 그렇게 잃어버리고 위험을 당하는데 어떻게 해서 다른 나라의 사람들을 배에 타도록 할 수 있겠느냐고 물었다. 나는 그들이 가난이나 지은 죄로 인해서 고향에서 나왔고 어디로 갈 데가 없는 사람들이라고 했다. 나는 이어서 다음과 같이 설명해주었다.

"그중에서 어떤 자들은 재판에서 져서 망했고, 어떤 자들은 술이나 도박이나 계집질로 인해서 가진 돈을 모두 날려버렸고, 어떤 자들은 반역죄로 도피하는 중이고, 어떤 자들은 살인이나 도적질이나 강도질이나 위증이나 문서 위조나 화폐 위조로 인해서 쫓겨 다니는 중이고, 어떤 자들은 강간이나 불륜을 범했고, 군대에서 도망치거나 적군에게 투항한 죄로 도피 중인 자도 있습니다. 그들은 교수형을 당하거나 감옥에서 썩을 것이 두려워서 고향으로 돌아가지를 못합니다. 그래서 다른 고장에서 생계를 이어나갈 수밖에 없는 것이지요."

　나의 이야기를 듣는 도중에 주인은 자주 내 말을 중단시켰다. 내가 나의 배의 선원들이 고향에서 도망칠 수밖에 없었던 여러 가지 상황에 대해서 설명하면서 그가 쉽게 이해할 수 없는 얘기를 했기 때문이다. 몇날 며칠을 대화를 한 후에야 주인에게 나의 말을 이해시킬 수 있었다. 그는 그러한 나쁜 짓을 왜 해야 하는지 도저히 알 수 없다고 했다. 나는 그것을 설명하려고 권력이나 재산, 탐욕이나 방탕이나 적개심이나 질투심 같은 것이 어떤 결과를 가져오는지 이해시키는 데 애썼다. 그러한 모든 것을 설명하려면 여러 가지 가상적인 상황을 내세울 수밖에 없었다. 그런 나의 설명을 듣고서 나의 주인은 이제까지 보지도 듣지도 못한 것들로 인해서 정신이 혼란해져왔고 경악과 분노를 금치 못했다. 권력, 정부, 전쟁, 법률, 범죄, 그리고 기타 수많은 개념을 표현할 마땅한 단어가 그 나라에는 없었다. 그렇기 때문에 나의 말을 주인에게 이해시키는 데에 많은 어려움이 따랐던 거다. 그런데 나의 주인은 원래 머리가 총명한 데다 나와의 대화를 통해서 이해력이 커졌기 때문에 이제 이 세상에 사는 인간들이 그들의 성질로 인해서 어떠한 짓을 할 수 있는 존재인지를 잘 알게 되었다. 주인은 유럽이라는 곳에 대해서, 특히 나의 조국인 영국이라는 나라에 대해서 더 자세한 얘기를 해달라고 요청했다.

5장

저자가 주인의 지시에 따라서 영국에 관해서 설명한다. 유럽의 여러 나라가 서로 전쟁을 하는 원인에 대해서도 언급한다. 그리고 영국의 법에 관해서도 설명한다.

우선 독자들에게 말해두고 싶은 점은, 다음에 언급하는 것들은 주인과의 많은 대화 중에서 발췌한 것이며, 가장 중요한 것들만을 담고 있고, 그것들은 여러 번 두 시간 이상에 걸쳐서 논의한 것이라는 사실이다. 내가 후이늠 나라의 말에 점점 능통해지면서 주인이 나에게 조금이라도 더 자세히 설명해달라고 계속 요구했기 때문이다. 나는 내가 아는 범위까지 유럽의 여러 가지 상황에 대해서 주인에게 설명했다. 무역이나 제조업, 학문이나 예술에 대해서 설명했고, 여러 주제에 관해서 주인이 묻는 말에 대한 나의 대답은 끊임없는 대화의 밑거름이 되었다. 여기에서는 영국에 관해서 주인과 나눈 대화의 핵심을 서술하는 데 그치겠고, 대화의 장소나 시기와는 상관없이 그 내용을 사실 그대로 전달하도록 하겠다. 내가 한 가지 염려하는 것은 주인의 뛰어난 논리와 표현력을 내가 제대로 전달하지 못할 것이라는 점이다. 나의 능력이 부족하기도 하거니와 미숙한 언어인 영어로써는 그것을 제대로 전달하는 데 한계가 있기 때문이다.

나는 주인의 지시에 따라서, 오렌지 왕자가 이끈 명예혁명에 대해서, 그리고 역시 오렌지 왕자가 이끌고 현재의 영국 여왕이 다시 시작하였으며 그리스도교의 열강들이 참가하여 아직도 계속되는 프랑스와의 기나긴 전쟁에 관한 이야기도 해주었다. 그 전쟁이 계속되는 동안에 야후가 약 1백만 명 죽었고 도시 1백 개 이상이 파멸되었으며 배 5백 척 이상이 불에 타거나 침몰되었을 것이라고 얘기해주었다.

주인은 한 나라가 다른 나라와 전쟁을 개시하게 되는 원인이나 동기가 무엇이냐고 물었다. 나는 그것은 여러 가지가 있다고 하면서, 그 중에서 중요한 몇 가지만 예를 들어주었다. 때때로 야망이 드센 군주들은 자기가 통치하는 땅과 국민이 항상 부족하다고 생각하고, 때로는 부패한 관리들이 그들의 사악한 통치로 인해서 발생하는 국민들의 소란을 제지하거나 달래려고 국왕을 충동하여 전쟁을 일으킨다고 했다. 어떤 사소한 의견의 차이로 인해서 수많은 인명이 희생되기도 한다고 했다. 예를 들어 고기가 음식으로서 적당한 것인지 아닌지, 어떤 열매의 즙이 과즙인지 술인지, 휘파람 부는 것이 미덕인지 악덕인지, 나무에 키스하는 것이 좋은지 나쁜지, 옷의 색깔은 무엇이 좋은지, 그리고 그것이 길어야 하는지 짧아야 하는지, 좁아야 하는지 넓어야 하는지, 깨끗해야 하는지 더러워야 하는지 등등이다. 그런데 그러한 의견 차로 생기는 전쟁이 오히려 더 치열하고 오래가는 경우가 많다고 했다.

때때로 두 군주가 그들이 주장할 아무런 권리도 없는 제삼자 소유의 영토를 빼앗으려고 싸우는 경우도 있다고 했다. 때로는 상대방 군주가 싸움을 걸어올까 봐 이쪽에서 먼저 선수를 쳐서 싸움을 걸기도 한다고 했다. 어떤 때는 상대가 너무 강하기 때문에 싸움을 걸기도 하고 어떤 때는 너무 약하기 때문에 싸움을 하기도 한다고 했다. 때로는 이웃 나라가 자기 나라에 있는 것을 갖지 못했기 때문에 다투기도 하고 또는 자기 나라에 있지 않은 것을 이웃 나라가 가졌기 때문에 다투기도 하는데, 그럴 때는 이웃 나라가 자기의 것을 갖거나 이웃 나라의 것을 자기에게 줄 때까지 싸운다고 했다. 어떤 나라의 국민이 기근으로 굶주리거나 전염병으로 쓰러져가거나 자기네들끼리 당파 싸움에 휘말려 있는 것도 싸움을 거는 사유가 된다고 했다. 그리고 아무리 가까운 동맹국이라고 하더라도 그 나라의 어떤 도시나 영토의 일부가 자기 나라의 일부가 되는 것이 국토를 정리하는 데 좋은 위치에 있으면 그 나라와 전쟁을 하는 것이 정당한 사유가 된다고 했다. 가난하고 무지한 나라를 점령하여 그들을 개화시키고 야만적인 생활에서 건져내줄 수 있다는 구실로, 그 백성들의 절반을 죽여버리고 나머지를 노예화하는 경우도 있다고 했다. 어떤 나라의 왕이 다른 나라에게 침공을 당해서 다른 제3의 군주에게 구원을 요청하면 구원하러 간 군주가 침략자를 물리친 후에, 구해준 나라를 점령하고 그가 도와주러 갔던 군주를 죽여버리거나 투옥하거나 추방해버리는 일도 있다고 했다. 혈연 관계나 결혼으로 인해서 동맹이 결성되는 경우에도 그것이 군주들 간에 전쟁을 하는 이유가 된다고 했다. 그리고 인척 관계가 가까울수록 경쟁은 더 심해진다고 했다. 가난한 나라는 배가 고프고 부유한 나라는 오만해지게 된다. 그런데 오만이나 배고픔은 싸움의 원인의 된다고 했다. 그리고 군인이라는 신분은 모든 직업 중에서 가장 명예로운 직업으로 간주된다고 했다. 왜냐하면 군인이란 자기에게 아무런 해를 끼치지 않은 같은 종족을 될 수 있는 한 많이 죽이도록 훈련된 야후이기 때문에 그렇다고 말해주었다.

유럽에는 직접 전쟁은 하지 않고 자신의 군대를 부유한 나라에게 한 명당 얼마씩을 받고서 빌려주기만 하는 군주들도 있다고 했다. 그러한 보수 중에서 4분의 3 정도는 군주의 몫으로 돌아가는데, 군주들의 생활비 대부분이 거기에서 나온다고 했다. 독일의 군주들이나 북유럽의 군주들이 거기에 해당된다고 말했다.

나의 주인은 나의 말을 듣더니 다음과 같이 말하는 것이었다.

"전쟁이란 것에 관해서 네가 나에게 말해준 건 너희들이 갖고 있다고 주장하는 이성이 어떠한 효과를 나타내는지를 훌륭하게 보여주는구나. 그런데 너희들은 타고난 신체적 구조로 인해서 아주 잔인한 행동은 하지 못하게 되어 있으니 그건 다행스런 일이다. 왜냐하면 너희들은 납작한 얼굴에 입이 붙어 있어서 서로가 허락하기 전에는 상대방을 악랄하게 물어뜯을 수 없을 것이기 때문이다. 그리고 앞발하고 뒷발에 달려 있는 발톱으로 말할 것 같으면 너무 짧고 약해서 우리나라 야후 한 마리가 너희 나라 야후 열 마리를 물리칠 수도 있을 거다. 그래서 전쟁에서 죽은 사람의 수가 엄청나다고 말한 건 '거짓말'이라고 생각하지 않을 수가 없다."

그가 우리의 사정에 대해서 너무 모르는 것으로 보여서 나는 웃음이 나오지 않을 수 없었다. 그리고 내가 전쟁에 관해서 문외한이 아니기 때문에, 대포나 소총, 권총, 탄환, 화약, 대검, 단검, 포위 작전, 후퇴, 공격, 갱도, 포격, 해전 등에 관해서 내가 아는 대로 설명해주었고 천 명이나 탄 전함이 침몰하는 것에 대해서, 신음하면서 죽어가는 병사들에 대해서, 공중에 날아 떨어지는 팔다리에 대해서, 말발굽에 밟혀죽는 사람들, 도주, 추격, 늑대들이나 까마귀들의 먹이로 시체가 널려 있는 벌판, 약탈, 전사자들의 물건을 뒤져 훔치는 것, 강간, 방화 등등에 관해서도 설명했다. 그리고 내가 한 번 포위 공격에서 한꺼번에 병사들 1백 명이 포탄에 맞아 죽는 것을 보았고 또 1백 명이 탄 전함이 침몰하는 것을 본 일도 있으며 시체들이 조각이 나면서 높이 올라가는 것도 보았고 그것을 보고는 사람들이 즐거워하는 것도 보았다고 말해주었다.

나는 더 자세한 것들을 애기해주려고 했지만 주인은 이제 그만하라고 했다. 그러고는 이렇게 말했다.

"나는 야후가 고약한 짐승이란 걸 알기 때문에, 그들이 힘을 발휘할 수만 있다면 네가 말한 그런 모든 짓을 능히 할 것이라고 쉽게 믿을 수도 있을 거다. 그런데 네 이야기가 나에게는 새로운 불안감을 일으킨 것 같다. 내 귀가 그처럼 고약한 말을 자꾸 들음으로 인해서 이제 점점 혐오감을 갖지 않고서 그런 말을 받아들이지 않을까 걱정되는 거다. 내가 이 나라의 야후들을 미워하기는 하지만, 내가 날카로운 돌이 나의 발굽을 쳤다고 해서 그것을 비난할 수 없는 것처럼, 그것들 성질이 더럽다고 해서 비난하지는 않는다. 그런데 소위 이성을 갖췄다고 하는 너희 나라 종족이 그런 잔인한 행위를 수없이 저지를 수 있는 걸 보면 이성의 타락상이 갈 데까지 갔다고 보지 않을 수 없다."

마치 흉하게 생긴 얼굴이 물결치는 수면 위에서 보면 더욱 흉측하게 보이는 것과 마찬가지로, 우리는 실제로는 이성을 갖고 있지 않고 우리가 선천적으로 갖고 있는 악랄함만 증대시키는 것에 불과한 게 아니겠느냐고 주인은 반문했다.

주인은 이어서 다음과 같이 말을 이었다.

"이번의 대화, 그리고 이제까지 나눈 대화에서는 전쟁이라는 주제에 관해서 많은 말을 했는데, 또 한 가지 의문점이 있다. 네가 고용한 선원들의 일부는 법률 때문에 신세를 망치고 조국을 떠났다고 했는데 그 법률이란 것이 무엇인지는 이미 네가 말해서 알지만, 사람들을 구조하려고 생긴 법률이 어떻게 해서 사람들을 망하게 하는지 알 수가 없다. 그래서 나는 현재 너희 나라에 있는 법률에 관해서, 그리고 그것을 집행하는 사람들에 관해서 더 알고 싶은 거다. 왜냐하면 네가 말하는 소위 이성적인 족속에게는, 무엇을 해야 하고 무엇을 하지 말아야 하는지를 밝히는 데 이성이 그 근거가 되어야 한다고 생각하기 때문이다."

내가 이렇게 대답해주었다.

"법률은 제가 잘 알지 못하는 분야고, 다만 저는 제가 당했던 부당한 일에서 변호사를 고용했다가 실패했던 한 번의 경험밖에는 없지만, 제가 아는 범위에서 재주껏 설명해드리겠습니다."

그러고는 말을 이었다.

"저희한테는 한 무리의 인간들이 있는데, 그들은 자기네들이 받는 보수의 액수에 따라서 흰 것을 검다고 하고 검은 것을 희다고 증언하는데, 그들은 그런 훈련이 잘 되어 있습니다. 예를 들어 저의 이웃집 사람이 저의 암소를 갖고 싶은 마음이 생기면 암소가 자기 것이라는 점을 증명하려고 변호사를 고용합니다. 그러면 저도 제 것을 지키려고 변호사를 고용하지 않을 수가 없습니다. 왜냐하면 자기 것을 자기가 변호하는 것은 법에 위반되기 때문입니다. 그런데 이 같은 경우에 소의 진정한 임자인 저는 두 가지 불이익에 처하게 됩니다. 우선, 제가 고용한 변호사는 원래가 거짓말을 하는 데 훈련이 잘 되어 있기 때문에, 진실을 변호할 경우는 물 밖으로 나온 물고기처럼 힘을 쓰지 못합니다. 그가 악의는 없다고 하더라도 변호하는 솜씨가 서투를 수밖에 없게 되어 있습니다. 두 번째로 저에게 불리한 점은, 제가 고용한 변호사는 아주 소심하게 일을 해야 한다는 것입니다. 그렇지 않으면 법률을 훼방하는 사람이라고 해서 판사들과 동료 변호사들에게 미움을 사게 됩니다. 그래서 저는 소를 지키려면 두 가지 방법 중 하나를 택할 수밖에 없습니다. 하나는, 상대방 변호사에게 두 배의 보수를 주고서 그를 매수해버리는 겁니다. 그러면 그 변호사는 원래의 의뢰인을 배신할 수 있습니다. 두 번째 방법은 저의 변호사에게 저의 소가 상대방의 소라고 인정해주도록 하고, 저의 주장은 얼토당토않게 보이도록 만드는 것입니다. 그것을 기술적으로 잘할 수만 있다면 판사가 저에게 유리한 판결을 내릴 게 확실해집니다. 그리고 주인님께서는 이런 사실도 아셔야 합니다. 그러한 사건을 맡은 판사들은 재산 소유권에 대한 분쟁뿐 아니라 형사 재판도 판결하도록 되어 있는 사람들이고, 재간은 있지만 나이 들고 게으른 사람들 중에서 선발된다는 점입니다. 그리고 평생 동안 진실이나 정의와는 다른 방향으로 가도록 훈련을 받은 사람들이라 사기나 위증을 두둔하는 버릇에 빠져 있습니다. 그 판사들 사이에는 전에 한 번 했던 판결은 합법적으로 다시 적용할 수 있도록 하는 불문율이 있습니다. 그러므로 이전에 상식적인 판단이나 사리에 맞는 판단에 위배되어 내려진 모든 판결에 대해서 꼼꼼하게 기록해둡니다. 그리고 그것을 '판례'라는 명목으로 이용해서 사리에 맞지 않는 판결을 합니다. 변호사들은 변론을 하는 데 사건의 옳고 그름의 핵심은 교묘하게 피해버리고 핵심과는 별로 연관이 없는 사소한 것을 따지는 데는 요란스럽습니다. 예를 들어 앞의 경우에는 상대방이 저의 소에 관해서 어떤 권리를 갖고 있느냐는 것에 대해서는 논쟁하려 하지 않고 대신 그 소의 색깔이 붉으냐 검은색이냐, 그 뿔은 긴가 짧은가, 제가 그 소에게 풀을 뜯어먹게 했던 들판의 형태가 둥근가 울퉁불퉁한가, 그 소의 우유를 짠 곳이 집 안이었는가 집 밖이었는가, 그 소가 어떤 병에 잘 걸리는가 등등에 대해서 따지는 겁니다. 그러고는 그 사건을 10년, 20년, 30년 연기하면서 질질 끕니다. 또 알아두셔야 할 점은, 그들 집단에는 그들끼리만 통하는 용어와 은어가 있어서 다른 사람들은 도무지 알아들을 수 없고 모든 법률은 그런 용어로 서술되어 있고 그런 법률 분량을 될 수 있는 한 늘린다는 겁니다. 그런 난해한 용어로 인해서 그들 자신들도 무엇이 진실이고 무엇이 허위인지, 그리고 사건의 옳고 그름에 대해서 혼동해버리기 일쑤여서, 예를 들어 저의 조상이 6대에 걸쳐서 저에게 물려준 땅이 있는데, 그게 저의 소유인지, 아니면 4백80킬로미터 떨어져 있는 사람의 소유인지를 판결하는 데에 30년이 걸리는 수도 있는 겁니다. 국가에 대한 범죄 혐의를 받은 사람들은 그 판결이 훨씬 간단합니다. 우선 판사는 사람을 집권자에게 보내어서 그의 의향을 알아보게 됩니다. 그런 다음에는 법의 형식을 지키는 척하면서도 아주 간결하게 범죄자를 교수형에 처하거나 아니면 석방해버립니다."

여기에서 주인은 나의 말을 중단시키고는 이렇게 말했다.

"남보다 우월한 지능을 가진 변호사들이 다른 사람들의 모범이 되지 못하는 게 정말 이상하구나."

나는 이렇게 대답했다.

  "그 사람들은 변호사의 일 말고는 우리 인간들 중에서 가장 무식하고 어리석은 족속입니다. 대인 관계에서는 가장 비열한 자들이고 진정한 지식이나 학문을 배격하고 인간들의 숭고한 이상을 짓밟고 다니는 무리입니다."

6장

영국에 대한 설명이 계속된다. 수상에 관해서도 언급한다.

나의 주인은 변호사라는 야후들이 어떤 이유로 음모를 꾸며 자기들과 같은 종족을 곤경에 빠뜨리는지 전혀 이해하지 못했다. 또 그들이 남에게 고용되어 그런 일을 한다는 내 말뜻도 이해하지 못했다. 그래서 나는 우선 돈이란 것에 대해서 설명해야만 했다. 그것이 어떤 물질로 만들어지는지, 그것의 가치가 무엇인지 설명해주었고, 야후들이 그런 귀중한 물건을 많이 갖고 있으면 자기가 갖고 싶은 모든 것, 즉 가장 좋은 옷이나 가장 훌륭한 집이나 넓은 토지를 가질 수 있고 가장 좋은 음식을 먹을 수 있으며 가장 예쁜 암야후를 얻을 수 있다고 했다. 돈만 있으면 그런 모든 것을 얻을 수 있기 때문에 우리나라의 야후들은 돈이 아무리 많아도 쓰기에 족하다고 생각지 않는다고 했다. 그들의 타고난 기질이 탐욕스러운지 아니면 낭비벽이 있는지에 따라서 돈을 무한히 모으거나 써버린다고 했다. 부자들은 가난한 자들이 고생한 대가를 먹게 되는데, 가난한 야후 1천 명에 부자는 한 명 정도 된다고 했다. 우리나라의 야후들 대부분은 다만 몇 명을 잘살게 해주려고 적은 임금을 받고서 매일 고된 일을 하며 비참하게 살아가야 한다고 했다. 그런 얘기를 자세히 해주었지만 주인은 그래도 납득이 가지 않는 모양이었다. 왜냐하면 그의 생각에는 모든 동물은 땅이 부여하는 생산물에 대한 자기 몫을 가질 권리가 있으며, 다른 동물을 지배하는 동물들은 특히 그렇다고 보기 때문이었다. 그러므로 그러한 좋은 음식이란 게 무엇인지, 그리고 왜 그것을 갖지 못하는 자들이 있는지를 말해보라고 했다. 그래서 나는 나의 머리에 떠오르는 여러 가지 좋은 음식에 대해서 설명해주었다. 그리고 그런 것들은 전 세계 모든 지역에서 재료를 구해야만 한다고 했다. 우리나라 상류층의 암야후가 먹을 음식과 그것을 담을 그릇을 구하려면 지구를 적어도 세 바퀴 반은 돌아야 한다고 말해주었다. 주인이 말하기를, 자기 국민이 먹고 살 식량을 확보해주지 못하는 나라는 비참한 나라라고 했다. 그리고 그가 이상하게 생각한 것은, 내가 이야기하는 거대한 땅에서 왜 물건을 만들어내지 못해서 다른 나라에서 구해와야만 하는가 하는 점이었다. 나는 이렇게 대답해주었다.

"영국에서는 저의 나라 국민들이 먹고 살 식량의 세 배를 생산할 수 있고, 곡물이나 나무 열매로 술 같은 것도 많이 생산해낼 수 있고, 그외 다른 물품들도 마찬가지로 많이 만들어낼 수 있습니다. 그런데 숫야후들의 무절제한 낭비나 암야후들의 허영심을 채워주려고 그런 물건들을 상당량 다른 나라에 수출합니다. 그 대신 그런 나라에서 온갖 나쁜 물건을 수입하여 우리나라에서 소비하는 거죠. 그래서 우리나라 국민의 상당수는 못살기 때문에 거지질, 도둑질, 사기, 위증, 아부, 위조, 도박, 거짓말, 협박, 돈 받고 투표하는 것, 살인, 매춘, 모함 등등의 온갖 나쁜 짓을 하면서 하루하루 살아나갈 수밖에 없습니다."

나는 그러한 용어를 주인에게 이해시키는 데 애먹지 않을 수 없었다.

그러고 나서 나는 얘기를 계속했다.

"저희가 술을 외국에서 수입하는 이유는 우리가 마실 음료수가 없어서 그것을 보충하려는 게 아니라, 그걸 마시면 정신이 몽롱해지고 우리를 즐겁게 해주기 때문입니다. 우울한 생각을 잊어버리게 만들고 머릿속에 공상을 일으켜주고 희망을 품게 하고 걱정은 몰아내주고 잠시 동안은 이성을 마비시키고 사지를 잘 못 쓰게 합니다. 그러다가는 깊은 잠에 떨어집니다. 그런데 깨어나면 항상 정신이 개운하지 못하고 힘이 하나도 없습니다. 그리고 그걸 과용하면 온갖 질병이 생겨서 일찍 죽습니다. 그리고 저희는 다른 사람들에게 물건을 제공해주고 생계를 유지합니다. 예를 들어 제가 남부끄럽지 않게 옷을 입고 다니려면 1백 명 정도 되는 사람들이 만든 것을 입어야 합니다. 집이나 가구를 만드는 데는 그보다 더 많은 사람들의 일손이 필요하고 제 아내의 몸치장에는 그보다도 다섯 배는 많은 일손이 필요합니다."

나는 이어서 병든 사람들을 돌봄으로써 생계를 유지해나가는 사람들의 이야기도 했다. 나와 같이 배를 탄 선원 중 다수가 질병으로 죽었다는 말을 몇 번 했기 때문이다. 그런데 주인은 그런 나의 말뜻을 이해할 수가 없었다. 후이늠들은 죽기 며칠 전에 신체가 허약해진다든가 어떤 사고로 인해서 몸을 다칠 수 있다는 점은 알았다. 그런데 만물을 완전하게 유지시키는 힘을 갖는 자연이 우리 몸속에 어떤 고통을 일으킨다는 점은 이해할 수 없었다. 그래서 그런 이상한 질병이 어떻게 해서 생기느냐고 물었다. 나는 이렇게 대답해주

었다.

"저희는 몸 안에서 나쁜 작용을 하는 음식을 먹습니다. 배고프지 않은데도 먹고 목이 마르지 않은데도 물을 마십니다. 밤새도록 독한 술만 마시는 경우도 있습니다. 그런 것들이 저희 몸에 열이 나게 하고 소화가 안 되게 합니다. 몸을 파는 것으로 살아가는 암야후들은 어떤 나쁜 병을 갖고 있어서, 그것들하고 관계하는 숫야후들의 몸이 썩어가게 합니다. 많은 질병들이 부모에게서 유전되어 자식들은 그 병을 갖고서 태어납니다. 야후들의 육체에 생기는 병을 나열하자면 한이 없을 겁니다. 팔다리나 관절에 생기는 병의 수만 해도 오륙백 가지는 됩니다. 내부적인 원인이든 외부적인 원인이든 저희 야후들의 육체가 잘 걸리는 병이 있습니다. 그러한 자들의 병을 고치는 야후들이나 고쳐주는 척하는 야후들이 저희 중에 있습니다. 그리고 저도 그런 야후들 중 하나고 그런 기술을 조금 갖고 있으므로, 주인님 은혜에 보답하는 뜻에서 저 같은 야후들이 일하는 방법에 대해서 알려드리겠습니다. 상당히 많은 병이 과식으로 인해서 생겨납니다. 그래서 저희 같은 의사들은 항문을 통해서나 입을 통해서 다량의 배설이 필요하다고 생각합니다. 그래서 식물 뿌리, 광물질, 수액, 기름, 조개, 소금, 과즙, 미역, 동물의 배설물, 목피, 뱀, 두꺼비, 물고기 같은 것을 원료로 해서 아주 고약하고 구역질이 나오게 하는 약을 만들어냅니다. 그것을 먹으면 위장에 들어 있는 것을 토해내게 됩니다. 그런 약에다가 독극물을 첨가하여 입이나 항문을 통해서 집어넣는 경우도 있습니다. 그러면 창자 속에 들어 있는 것을 모두 밀어내서 배가 시원해집니다. 저희는 자연의 섭리에 따라서 입은 음식을 주입하는 곳이고 항문은 음식을 빼내는 곳이라고 알고 있습니다. 그런데 의사들은 저희 몸이 제 위치를 찾게 하려면 신체를 정반대로 작용시켜야 한다고 처방하는 경우가 있습니다. 그래서 입과 항문 두 구멍의 용도를 바꾸어서, 음식을 항문으로 밀어 넣고 입으로 빼내는 겁니다. 그리고 진짜 병뿐 아니고 저희 야후들은 상상으로 인한 여러 가지 병에 걸리는 일이 많습니다. 거기에 대한 치료법도 여러 가지가 있습니다. 그런 병에 대해서는 이름도 각각 붙여놓았고 약도 이름이 있습니다. 암야후들이 그런 병에 걸리는 경우가 많습니다. 의사들은 병을 고칠 때 한 가지 유리한 점이 있는데, 그것은 병을 예단하는 것입니다. 그런 예단은 빗나가는 경우가 드뭅니다. 왜냐하면 의사들이 고치기 힘든 병에는 '이 야후는 사망할 것이오'라는 예단을 하면 되기 때문입니다. 죽음을 일으키는 방법을 의사들은 압니다. 그래서 죽을 거라고 선고한 야후가 병이 호전되는 상황이 발생하면 의사 야후들은 자기들이 진단을 잘못 내렸다고 비난을 받기보다는 적절한 방법을 써서 사망에 이르게 함으로써 자기들의 진단이 옳았다는 걸 사람들에게 입증합니다. 그리고 의사들은 서로 싫증이 나버린 남편과 아내에게도 쓸모가 있는 경우가 있고 장남이나 고관들이나 왕에게도 필요한 경우가 있습니다."

나는 주인과 함께 영국의 정치에 대해서, 그리고 영국의 헌법에 대해서 얘기하는 경우가 있었다. 그것은 세계인의 경이와 선망의 대상이 되어 있었다. 내가 우연히 영국 수상에 대해서 언급한 일이 있었는데, 주인은 나에게 그것이 어떤 종류의 야후를 의미하는지 알려달라고 했다.

내가 이렇게 설명해주었다.

"수상 또는 총리라는 야후는 기쁨이나 슬픔, 사랑이나 미움, 동정심이나 노여움 같은 감정을 전혀 갖지 않은 존재입니다. 재산이나 권력이나 벼슬에 관한 강한 욕망 외에는 아무것도 갖지 않은 야후입니다. 그 야후는 자기 마음을 진정으로 드러내는 말은 전혀 하지 않습니다. 그가 진실을 얘기하는 것처럼 보일 때는 반드시 그것은 거짓이고 거짓을 얘기하는 것처럼 보일 때는 그건 진실입니다. 그가 욕해대는 야후는 승진할 것이 확실한 야후고 그가 칭찬을 해주면 반드시 그때부터 망하게 돼 있습니다. 그에게서 어떤 약속을 받아내는 건 가장 나쁜 징조고 맹세까지 하게 했다면 더 나쁜 징조입니다. 수상의 자리에 오르는 데는 세 가지 방법이 있습니다. 첫째는, 아내나 딸이나 여동생을 미인계로 교묘히 이용하는 것이고, 둘째는 선임자를 모함에 빠뜨리는 것이고, 셋째는 공개적으로 맹렬하게 왕실의 부패를 규탄하는 것입니다. 그런데 현명한 군주라면 그중에서 마지막 방법을 이용하는 자를 임명할 겁니다. 왜냐하면 그렇게 열정적으로 비판하는 자가 결국에는 군주에게 가장 굽실대고 알랑거리는 자가 될 것임에 틀림없기 때문입니다. 수상은 마음대로 야후들을 임용할 수 있기 때문에 상원의원과 같은 자들을 대부분 자기 사람들로 만들어서 권력을 유지합니다. 그리고 그에게는 면책권이 있기 때문에 퇴임 후에도 죄를 받는 것을 면하게 되고 결국은 국민에게서 갈취한 재산을 잔뜩 갖고서 자기 자리에서 물러납니다. 수상의 관저는 다른 사람들도 그 수상과 닮도록 가르치는 곳입니다. 수상의 일을 돌봐주는 사람들은 그들의 주인을 모방함으로써 자기들도 그처럼 능숙한 야후가 되기를 배웁니다. 그들은 고위직 인사들이 아첨을 떠는 일종의 하부 궁정을 구성하고 온갖 나쁜 짓을 하면서 주인을 돌봅니다. 즉 수상은 부패한 여자들이나 수상이 총애하는 사람의 지배를 받는데, 그 사람들은 총리의 통치력이 전달되는 터널 구실을 하고 결국에는 그 사람들이 나라의 지배자가 되는 겁니다."

주인은 어느 날 내가 '귀족'에 관해서 언급하는 말을 듣고는 나에게 과분한 칭찬을 해주었다. 내가 어떤 귀족 가문 태생이 틀림없다고 했다. 내가 그 나라의 어떤 야후보다도 생김새나 청결함에서 뛰어나기 때문이라고 했다. 힘이나 민첩성에서는 뒤떨어지지만 그것은 나의 생활 방식이 그 짐승들과는 다르기 때문에 어쩔 수 없는 것이며, 내가 말을 하는 능력뿐 아니고 이성도 갖추고 있기 때문에 나의 주인과 친한 사람들 사이에서는 내가 천재 야후로 통한다는 것이었다.

후이늠들 사이에서도 흰색이나 밤색이나 회색이나 붉은색이나 검은색의 후이늠들은 그 색깔에 따라서 선천적인 능력이나 재주가 다르다고 주인은 일러주었다. 그리고 하인 후이늠은 항상 하인의 신분을 유지하고, 다른 계급과 짝지을 생각은 할 수 없으며 그런 일은 그 나라에서는 아주 이상하고 부자연스런 행위로 받아들여진다고 했다.

주인이 나를 좋게 생각해준 것에 대해서 나는 감사하다는 표시를 했다. 그렇지만 내가 실은 별볼일 없는 가문 출신이며 나에게 기본적인 교육을 받을 수 있게 해주셨던 선량하고 평범한 부모의 태생이라고 했다. 그러고는 다음과 같이 말을 이었다.

"귀족이라는 종족은 주인님이 생각하시는 것과는 판이하게 다릅니다. 귀족들은 어릴 때부터 사치, 게으름 속에서 자랍니다. 성인이 되면 여자들한테 정력을 소모하고 고약한 병에 걸립니다. 그리고 재산을 탕진하면 돈 때문에 얼굴도 못생기고 건강도 나쁘고 천한 태생의 여자와 결혼하고 그런 여자를 미워하고 멸시하면서 지냅니다. 그런 결혼에서 자식을 낳으면 병으로 망가진 자식이 되고 그렇게 되어 그 가문이 3대 이상을 유지하지 못합니다. 아내가 혈통을 유지하고 더 낫게 하려고 외간남자와 정을 통해서 건강한 자식을 낳는다면 문제는 달라집니다. 허약하고 병들고 헬쑥한 용모가 귀족의 혈통을 나타내는 표시입니다. 자식이 건강하고 힘세게 생겼다면 신분 높은 사람들에게는 수치스러운 일이고 그런 자식의 진짜 아비는 마구간 머슴이거나 노동자일 거라고 세상 사람들이 손가락질합니다. 그러한 신체적 결함이 심통이나 우둔함이나 무식이나 변덕이나 욕정이나 오만함과 합쳐지는 겁니다. 그런 계층인 귀족들의 승낙 없이는 아무런 법률도 제정하거나 폐지할 수 없습니다. 또 그런 귀족들이 모든 사람의 소유물에 대한 결정권을 갖고 있고 저희는 거기에 대해서 어떤 항소도 할 수 없습니다."

7장

그 나라의 야후들과 나의 차이가 크기 때문에, 이미 야후란 종족에 대해서 아주 나쁜 인식을 갖고 있는 후이늠에게 내가 어떻게 솔직하게 나 자신의 종족에 관해서 묘사할 수 있었는지 독자들은 이상하게 생각할 것이다. 그런데 인간들과는 정반대의 사고방식을 지닌 그 훌륭한 후이늠들의 여러 가지 장점이 나의 눈을 뜨게 해주고 이해력을 넓혀주었다. 그래서 나는 인간들의 행위나 사상에 대해서 다른 눈으로 보게 되었고 나의 종족의 자격지심 따위는 고려할 필요도 없다고 생각하게 되었다. 더구나 나의 주인처럼 훌륭한 존재 앞에서는 더더욱 그랬다. 나의 주인은 매일 나 또는 나의 종족의 결점에 대해서 수없이 지적해주었고 나는 그러한 지적이 옳다고 여기게 되었다. 그런 것들은 내가 전에는 결점이라고 느껴본 일이 없었고 인간들 사이에서는 약점으로 간주되지 않을 것들이었다. 그리고 나는 주인의 영향으로 인해서 거짓이나 위선을 철저히 혐오하게 되었고 진실만이 오직 선이라고 느껴져서 이제 나의 모든 것을 진실을 위해서 바치기로 결심했다.

그런데 내가 인간들에 대해서 솔직하게 묘사한 데는 더 강한 동기가 있었다는 점을 고백해야겠다. 내가 그 나라에 온 지 1년도 되기 전에 나는 그곳 주민들에게 강한 존경심과 애착을 품게 되어 다시는 인간 세상으로 돌아가고 싶지도 않았고 악의 유혹이 없는 그곳에서 그 훌륭한 후이늠들과 함께 미덕을 실천하면서 여생을 보내기로 결심했다. 그런데 나의 운명이 그런 팔자를 허락해주지 않았다. 그런데 이제 와서 생각하면, 내가 우리 종족에 관해서 얘기할 때 아주 훌륭한 도덕성을 가진 주인 앞에서도 그들의 결점에 대해서 가급적이면 완곡하게 표현했고 여건이 허락하는 한 유리한 표현을 썼다는 점도 인정해야겠다. 자기가 원래 소속되어 있는 곳에 대해서 편견을 조금이라도 갖지 않을 사람이 어디 있을까?

나는 주인을 모시는 많은 시간을 주인과의 대화로 보냈는데, 그 중 중요한 것에 대해서는 지금까지 얘기했다. 그런데 사실은 여기 있는 것보다 훨씬 많은 얘기를 했으며 많은 부분을 생략했다는 점을 밝혀둔다.

내가 주인이 묻는 모든 질문에 답하고 주인의 의구심이 완전히 충족되었다고 생각되던 어느 날 아침, 주인은 일찌감치 나를 불러서는 자기 앞으로 가까이 앉게 하면서 이런 얘기를 했다. 사실 전에는 그렇게 가깝게 앉아서 얘기하는 일은 없었다.

"나는 네가 들려준 이야기에 대해서 진지하게 생각해보았다. 너희 종족은 무슨 이유에서인지 모르지만 우연히 이성을 조금 갖고 태어난 것으로 보이는구나. 그런데 너희들은 점점 더 타락하고 악랄해지는 용도 외에는 그런 머리를 사용하지 않는 것 같다. 그리고 천성적으로 부여받은 얼마 안 되는 이성적인 능력을 스스로 버리고서, 원래 타고난 결점을 증대시키고 보충하는 일로 한평생을 헛되

336

이 보내는구나. 너 자신으로 말할 것 같으면 보통의 야후 같은 힘이나 동작의 민첩함도 없고 뒷다리로 불안하게 걸어다니고 발톱을 이용해서 너를 방어하거나 다른 용도로 쓸 수도 없고 햇빛이나 비를 막도록 되어 있는 수염을 잘라버려서 불안하다. 그리고 너는 이 나라의 야후들처럼 빨리 달릴 수도 없고 나무에 신속하게 오를 수도 없다. 그리고 너희들이 갖고 있는 정치나 법률 제도는 너희들에게 이성이 부족하기 때문에 생겨난 거다. 왜냐하면 이성적인 동물을 다스리는 데는 이성의 힘만으로 충분하기 때문이다. 그래서 네가 너희 동족에 관해서 얘기할 때는 많은 것을 숨겨왔고 거짓을 말한 게 분명한데, 그것만으로 보아서도 너희들은 이성적인 존재라고 주장할 수 없을 거다."

내가 다른 야후들과는 신체적인 조건에서 차이점이 부분적으로 있기는 하지만 외부적인 모습이 비슷한 것과 마찬가지로 우리 인간들의 마음속 기질이 야후와 거의 같다고 주인은 생각하게 되었다고 말해주었다. 야후들은 다른 어떤 종족보다도 자기들끼리 더 미워하는 동물로 알려져 있는데, 그 이유가 흉측하게 생긴 남의 결점은 더 보고 자기 결점은 보지 않기 때문이라고 주인은 말했다. 그래서 내가 옷으로 몸을 덮는 것이 어리석은 생각은 아니라고 그는 말했다. 그렇게 함으로써 흉측한 모습을 감출 수 있기 때문이라는 것이다.

주인은 나의 얘기를 듣고서 영국의 인간들이 싸우는 이유가 후이늠 나라의 야후들이 싸우는 것과 별다를 바가 없다는 점을 알게 되었다고 했다. 예를 들어 야후 다섯 마리에게 오십 마리는 충분히 먹을 수 있는 먹이를 던져주어도 사이좋게 먹지 못하고 한 마리도 예외 없이 서로 독차지하려고 싸운다고 했다. 그래서 야외에서 그 짐승들이 음식을 먹을 때는 후이늠 하나가 옆에 서서 감시해야 하고 우리 안에서 먹을 때는 서로 떼어서 매어놓아야 한다고 했다. 그리고 예를 들어 암소가 한 마리 죽으면 야후들이 모두 몰려가서 서로 고기를 차지하려고 치열한 싸움을 벌인다고 했다. 그래서 영국에서의 살상무기 같은 게 없어서 서로 죽이지는 못하지만 엄청난 부상을 서로에게 입힌다고 했다. 또 어떤 때는 아무런 싸울 이유가 없는데 여러 야후가 심한 싸움을 벌인다고 했다. 그리고 한 지역의 야후들은 이웃 지역의 야후들이 싸울 준비를 하기 전에 먼저 기습할 기회를 노린다고 했다. 다른 지역의 야후들과 싸울 기회가 없으면 한 구역의 야후들끼리 싸운다는 것이었다.

그 나라의 어떤 땅에는 반짝반짝 빛나는 돌이 있는데 야후들이 그 돌을 미치도록 좋아한다고 나의 주인은 말해주었다. 그런 돌이 땅속에 박혀 있으면 야후들은 여러 날에 걸쳐서 발톱으로 파내어서 가져가고 그것을 우리 속의 비밀스러운 곳에 숨겨둔다고 했다. 그래도 다른 야후에게 그 보물을 숨긴 것을 들킬까 봐 조마조마한다고 했다. 주인은 그런 야후들의 탐욕의 이유가 무엇인지, 그리고 그러한 돌이 야후들에게 무슨 쓸모가 있는지 알 수 없다고 했다. 그런데 나의 말을 쭉 듣고 나서, 그것이 인간들이 가진 금전적인 탐욕과 같은 원리에 의해서 생겨난 게 아닌가 하고 생각된다고 했다. 주인은 이런 말도 해주었다. 즉 후이늠 하나가 실험 삼아서 야후 중 한 마리가 묻어놓은 그 돌을 남몰래 캐내어서 감추었다고 한다. 그러자 그 야후 놈은 그 보물이 없어진 것을 알고는 온갖 소리를 질러대면서 난리가 났다고 한다. 그 소리에 다른 야후들이 몰려들자 울부짖으면서 그들을 물어뜯고 할퀴고 하다가는 나중에는 먹이도 먹지 않고 잠도 안 자고 일도 안 하려고 하고 몸은 말라갔다고 했다. 그러다가 그 후이늄이 그 돌을 다시 그곳에 묻어놓고 살짝 덮어놓았다고 했다. 그러니까 그 야후는 돌이 다시 그곳에 있는 것을 발견하고는 이내 원기를 회복했다고 한다. 그런데 무척 신경을 써서 다음에는 그 돌을 더 찾기 힘든 곳으로 옮겨놓았다고 했다. 그 후로는 그 야후는 일도 잘 하는 짐승이 되었다고 한다.

그 반짝이는 돌이 많은 땅에서는 근방에 있는 야후들이 끊임없이 침입해 오기 때문에 항상 치열한 싸움이 벌어진다고 주인은 알려주었고 나도 그것을 직접 목격했다.

두 야후가 그와 같은 돌을 발견하고 그 중에서 어느 누가 소유해야 하는지를 다투는 중에 다른 야후가 그것을 빼앗아가버리는 일도 종종 벌어진다고 주인은 나에게 말했다. 그런데 주인이 보기에 그러한 다툼이 우리 인간들이 법정에서 벌이는 소송 사건과 비슷한 데가 있다고 말하는 거다. 나는 그의 지적이 일부는 맞고 일부는 틀리다고 말해주었다. 야후들의 경우에는 서로 가지려고 다투었던 돌 밖에는 잃는 게 없지만 우리 인간들의 재판에서는 피고나 원고에게 조금이라도 재산이 남아 있을 경우 그 소송 사건이 끝나지 않는다고 얘기해주었다.

나의 주인은 다음과 같은 얘기도 했다. 야후들에게 가장 혐오스러운 점은, 풀잎이든 뿌리든 나무 열매든 동물의 썩은 살이든 간에 그들에게 생기는 모든 것을 무차별적으로 먹어치워버리는 식성이라고 했다. 그리고 야후들의 이상한 성질은 자기 집에서 제공해주는 좋은 음식은 놓아두고 다른 곳에서 강탈해온 음식이나 도둑질한 음식을 더 좋아한다는 것이라고 했다. 그들은 먹이가 없어질 때까지 배가 터지도록 먹어댄다고 한다.

그리고 포도주와 같은 효과를 나타내는 일종의 뿌리가 있는데 보기가 드물고 찾아내는 게 어렵지만 야후들은 그것을 찾아서는 맛있게 빨아먹는다고 한다. 그러고 나서는 서로 춤추고 껴안기도 하고 웃기도 하고 소리 지르기도 하고 어지러워서 빙빙 돌다가는 아무데서나 곯아떨어진다고 했다.

그 나라에서 병에 잘 걸리는 동물이 야후라는 점을 나는 알게 되었다. 그렇지만 영국에서 말이 병에 걸리는 경우보다는 훨씬 그 빈도가 적었다. 그런데 그런 병에 걸리는 것은 나쁜 환경 때문이 아니라 그 동물들이 탐욕스럽기 때문이다. 후이늠의 언어에는 그것을 가리키는 말이 한 가지밖에 없다. 즉 '흐니어 야후'라는 야후병이다. 그 병에 대한 처방은 그들 자신의 오줌이나 똥을 섞은 것을 강제로 그 목구멍 속으로 집어넣는 것이다. 나는 후이늠이 이 치료법을 야후에게 사용하여 여러 번 성공하는 것을 보았다. 그래서 과식 등으로 인해서 생긴 여러 가지 병에 대한 치료법으로서 그런 방식을 모든 인간들이 적용해보도록 추천하고 싶다.

학문, 정부, 예술, 제조업 등의 분야에서 나의 주인은 그 나라의 야후들과 인간들 사이에 유사점을 거의 발견할 수 없다는 사실을 인정했다. 주인이 알고자 하는 것은 두 종류의 야후 사이에 어떤 유사점이 있느냐였다. 주인이 어느 호기심 많은 후이늠에게서 들은 바에 의하면, 공원에 있는 사슴들 가운데에서도 대장 격인 수사슴이 있듯이, 대개 야후의 무리 속에는 대장 격인 야후가 있다고 한다. 그놈은 다른 야후보다 더 흉악스럽게 생기고 성질도 고약한 놈이라고 한다. 그 대장은 보통 자기와 가장 닮은 야후를 직속 부하로 거느리는데, 그 부하가 하는 건 대장의 발이나 궁둥이를 핥아주고 암야후들을 대장의 우리로 몰아다주는 일이라고 한다. 거기에 대한 보답으로 그는 가끔씩 고기 조각을 얻어먹는다고 한다. 그 직속 부하는 다른 무리의 미움을 사게 된다. 그래서 신변을 보호하려고 항상 자기 주인 옆에 붙어 다닌다고 한다. 대장은 자기보다 더 센 놈이 나타날 때까지 자기 자리를 유지한다. 그렇지만 그가 쫓겨나자마자 후계자는 자기의 무리를 거느리고 와서는 똥이나 오줌을 쫓겨난 대장의 머리에서 발끝까지 씌워버린다고 한다. 그런 현상이 인간들과 얼마나 흡사한지는 나의 판단에 맡기겠다고 주인은 말했다.

나는 그런 주인의 말에 아무 대답도 하지 못했다. 주인은 우리 인간의 지능을 보통 사냥개보다 못한 것으로 보았다. 그런데 사냥개는 사실 절대로 실수하는 법이 없고 무리 중 대장이 짖는 소리를 식별하고 따라가는 판단력이 있다.

주인은 야후에게 특이한 몇 가지 특성이 있는데, 그것은 내가 인간에 관해서 얘기할 때 언급하지 않은 것이라고 말했다. 야후들은 다른 짐승들처럼 암컷을 공동으로 소유하는데 한 가지 특이한 점이 있다고 한다. 암야후는 임신 중에도 수컷과 교미하며 수컷들은 수컷들끼리 다투는 것과 마찬가지로 암컷들과도 다툰다고 한다. 그러한 짓은 야수의 세계 어디에서도 볼 수 없는 것으로서, 다른 어떤 동물도 그런 짓은 하지 않는다고 했다.

야후들에게서 또 한 가지 나의 주인이 이상하게 여기는 점은, 다른 모든 동물들은 본질적으로 깨끗함을 좋아하는 성질이 있는데 반해 야후들은 이상하게도 더러운 것을 즐기는 성질이 있다는 점이라고 했다. 앞서의 비난에 대해서 나는 아무런 반박도 하지 않았다.

거기에 대해서는 나의 종족과 유사한 종족을 변호할 구실을 찾을 수 없었기 때문이다. 그렇지 않았더라면 나의 성격으로 보아서 반드시 변호했을 거다. 그런데 이번의 비난에 대해서는, 그 나라에 돼지가 있었더라면(그런데 사실은 없었다) 나는 야후를 쉽게 변호할 수 있었을 거다. 왜냐하면 돼지는 야후보다는 생김새가 귀여운 동물이기는 하지만 아무래도 더 청결하다고 볼 수는 없기 때문이다. 나의 주인도 돼지들이 더럽게 음식을 먹는 모양이나 더러운 우리 속에서 뒹구는 모양을 보면 그것을 시인하지 않을 수 없을 게다.

나의 주인의 종들이 여러 야후에게서 발견한 또 한 가지 특성이 있는데, 주인은 도무지 그것을 이해할 수 없다고 했다. 야후들이 어떤 때는 환상에 사로잡힌 듯 우리의 한쪽 구석으로 들어간다는 것이다. 그러고는 드러누워서 소리지르고 신음하며 아무 음식도 먹지 않으려고 한다는 것이다. 후이늠들은 도대체 뭐가 잘못되어 그러는지 알지 못한다고 했다. 결국 후이늠들이 발견한 치료법은 중노동을 시키는 것이라고 한다. 그렇게 하면 야후가 제정신을 차리게 된다고 했다. 그것에 대해서 나는 일종의 동포애로 인해서 한마디도 할 수 없었다. 나는 그러한 우울증에 대해서 알았다. 그것은 게으른 자들이나 허영심 많은 자들이나 부자들만 걸리는 병이다. 그러한 인간들에게도 그 나라의 야후와 같은 중노동 치료법을 적용할 수 있다면 반드시 치료할 수 있을 거라고 나는 확신한다.

주인은 야후들에게 다음과 같은 성질도 있다고 했다. 암야후는 강둑이나 수풀 같은 데 숨어서 숫야후들이 지나가는 것을 지켜보다가는 슬쩍 나타났다가 또 숨고 하는 이상한 행동을 보인다고 한다. 그럴 때 그런 암야후에게서 고약한 냄새가 난다고 했다. 그때 어떤 수컷이 다가오면 자주 뒤돌아보면서 천천히 도망친다고 한다. 그러고는 그 수컷이 따라올 것이 뻔해 보이는 적당한 장소로 들어간다고 한다.

또 어떤 때는 모르는 암야후가 나타나면 다른 서너 마리 암야후들이 새로 나타난 놈을 서로 둘러싸고 놀려먹으며 온몸의 냄새를 맡아보고는 멸시하는 몸짓을 하면서 다른 곳으로 피해버린다고 한다.

주인이 그런 것을 직접 보았거나 다른 후이늠의 말을 듣고서 나에게 전했을 수도 있다. 그런데 나는 여기서 암야후에게 본능적으로 음탕스러움, 질투심 등이 있는 것을 알고는 실망하지 않을 수 없었다.

주인이 암야후의 그런 나쁜 기질로 인해서 숫야후까지 덩달아서 욕할까 봐 나는 마음이 조마조마해지기도 했다. 인간들의 나라에서는 남자들에게서도 그런 일이 벌어지기 때문이다. 그런데 자연은 원래 그렇게 만들어놓지 않은 것으로 보인다. 지구의 반대편인 인간들 사회에서는 남성들의 그것은 전적으로 후천적인 산물인 것이다.

8장

야후의 몇 가지 특성에 대해서 언급한다. 후이늠의 덕망에 대해서 서술하며 후이늠 자녀들의 교육과 훈련에 관해서도 서술한다. 그리고 후이늠의 회의에 관해서 언급한다.

이제 나는 인간의 특성에 관해서 더 많은 것을 이해할 수 있게 되었으므로 나의 주인이 야후에 대해서 설명해준 것을 나 자신이나 나의 동포들에게 적용하는 것이 어렵지 않게 되었다. 그런데 내가 직접 관찰해보면 더 많은 것을 알아낼 수도 있을 것으로 보았다. 그래서 주인에게 근방에 있는 야후의 무리에게 가보게 해달라고 자주 요청했다. 그것을 주인은 기꺼이 승낙했다. 내가 그 짐승들한테 심한 혐오감을 갖고 있었기 때문에 그들한테 가까이 가더라도 내가 물들지 않을 것이라고 확신한 거다. 그래서 하인 하나에게 나를 대동하면서 나를 보호해주도록 지시했다. 그는 튼튼한 밤색 말인데 아주 정직하고 선량했다. 그가 보호해주지 않았더라면 나는 야후들 가까이 가는 걸 감히 시도하지 못했을 거다. 내가 그 나라에 처음 도착했을 때 그 짐승들한테 얼마나 괴롭힘을 당했는지는 이미 얘기했다. 그 후에도 칼을 차지 않고서 그놈들 옆에 가까이 갔을 때 몇 번 붙잡힐 뻔했다. 그것들은 내가 자기들과 같은 동족일 거라고 어렴풋이나마 생각했을 것이다. 나를 보호해주는 말이 옆에 있을 때 나는 야후들이 보는 데서 옷을 걷어올리고는 팔뚝이나 가슴의 살을 보여준 경우가 있었기 때문에 그것들이 나를 자기 동족으로 생각했을 가능성이 높다. 그럴 때 그놈들은 나의 보호자에게 제지를 받지 않는 한도 내에서 나에게 가까이 와서 원숭이처럼 나의 동작을 흉내냈다. 그렇지만 항상 나를 혐오하는 표정이었다. 마치 사람이 있는 곳에서 길들여져서 모자와 양말을 신은 까마귀가 우연히 야생 까마귀 무리 속에 있게 되었을 때 그들에게 구박을 당하는 경우와 같았다.

야후들은 태어날 때부터 아주 민첩하다. 나는 세 살배기 꼬마 야후를 잡아본 일이 있었다. 내가 온갖 부드러운 표정과 몸짓으로 다정하게 대해주려고 해보았지만 그 녀석은 사납게 울고 할퀴며 물어뜯어서 놔버리지 않을 수 없었다. 때마침 잘 놓아줬다고 봐야 했다. 왜냐하면 한 떼의 야후가 우리 주위로 몰려들었기 때문이다. 그런데 꼬마놈이 도망가서 안전한 것을 보았고 또 밤색 말이 나의 옆에 있었기 때문에 나에게 가까이 오지는 못했다. 그 꼬마놈의 살은 고약한 냄새가 났는데, 족제비와 여우의 중간 정도의 냄새가 났지만 그것보다 더 고약했다. 그리고 두 손으로 그놈을 붙들고 있는 동안에 그놈이 노란 액체로 보이는 배설물을 내 옷에 쏟아냈다. 그런데 옆에 다행히도 냇가가 있어서 옷을 깨끗이 빨고는 몸을 씻었다. 그렇지만 냄새가 완전히 사라지기 전까지는 나의 주인한테 가까이 갈 수도 없었다.

내가 아는 바로는 야후들은 모든 동물 중에서도 길들이기가 가장 힘든 동물로서 그것들에게 수레를 끌거나 짐을 운반하게 하는 것 이상의 일은 시킬 수가 없었다. 그런데 그런 결함이 그것들의 뒤틀어지고 반항적인 기질에서 생긴다고 나는 생각했다. 그것들은 교활

하고 심술궂으며 악랄한 동물이었다. 신체가 건장하고 튼튼하기는 하지만 비겁하며 오만하다. 털의 색깔이 붉은 야후는 다른 야후들보다 더 악랄하고 음흉하며 힘도 세다는 사실을 나는 알게 되었다.

후이늠들은 필요할 경우 야후들을 부려먹으려고 그것들 중 일부를 집 근처에 만든 오두막에 가두어둔다. 나머지 야후들은 들판 같은 곳에서 지낸다. 거기에서 그놈들은 식물 뿌리를 캐어 먹거나 풀을 뜯어 먹거나 썩은 고기를 찾아다니거나 족제비나 들쥐를 잡아먹는다. 그것들은 언덕 아래의 땅을 손톱으로 깊이 파서 굴을 만들고는 그곳에 혼자 들어가서 지낸다. 암야후의 굴은 더 크게 지어서 새끼 두세 마리와 함께 지내는 경우가 있다.

그것들은 어릴 적부터 개구리처럼 헤엄을 잘 치며 물속에서 오랫동안 잠수할 수 있다. 암야후는 물속에서 고기를 잡아서 집으로 가져가 새끼들에게 준다.

나는 한 번 기묘한 일을 당한 적이 있었다. 어느 날 나의 보호자인 밤색 말과 함께 밖으로 나갔다. 날씨가 매우 덥고 해서 근처에 있는 강에서 목욕을 하게 해달라고 밤색 말에게 요청했다. 그 말의 승낙을 받아서 나는 옷을 모두 벗고는 완전히 나체가 되어서 물속으로 들어갔다. 그런데 한 젊은 암야후가 강둑 뒤에 숨어서 나를 지켜보다가는 나의 보호자와 내가 추측한 바에 따르면 정욕이 솟구쳤는지 내 쪽으로 오더니 내가 있는 곳에서 5미터도 되지 않는 곳에서 물속으로 뛰어들었다. 나는 그때처럼 겁이 난 적이 없었다. 나의 보호자는 그런 상황도 모르고 멀리 떨어진 곳에서 풀을 뜯어 먹고 있었다. 암야후가 나를 와락 껴안았다. 나는 크게 소리질렀다. 그러자 밤색 말이 나 있는 곳으로 달려왔고 그래서 암야후 녀석은 아주 실망스런 표정으로 나에게서 팔을 풀고는 강둑으로 도망갔고 내가 옷을 입는 동안 나를 쳐다보면서 뭐라고 소리를 질러댔다.

그 사건은 나의 주인이나 그 집 후이늠들에게 좋은 화젯거리를 주었지만 사실 나에게는 고역스런 일이었다. 왜냐하면 그 암놈이 나를 자기 족속으로 알고 본능적인 성욕을 보인 마당에 이제 내가 진짜 야후 족속이라는 사실을 부정하기 힘들게 되었기 때문이다. 그 암야후는 털이 붉은 색깔은 아니고 자두처럼 검은색이었으며 생김새도 다른 암야후처럼 흉물스럽게 생기지는 않았다. 그리고 나이는 11세가 넘지 않았을 걸로 보였다.

이제 이미 그 나라에서 3년을 살았으므로 독자들은 내가 그곳 주민들의 생활 방식이나 관습에 관해서 설명해주기를 기대할 것이다. 사실 나도 그것에 관해서 열심히 알려고 했다.

고상한 후이늠들은 덕성을 지향하는 성격을 천성적으로 갖추었고 악이란 것을 모르는 이성적인 동물이다. 그들의 신조는 이성을 고양시키고 이성의 지배에 따라서 행동하는 것이다. 그리고 이성은 그들에게 우리처럼 난해한 문제가 아니다. 우리는 어떤 문제를 양 방향에서 따진다. 그렇지만 그 나라에서는 이성이 논쟁의 여지를 주지 않는다. 감정이나 이해 관계로 인해서 이성이 흐릿해지거나 퇴색되지 않는다. 나는 나의 주인에게 '논쟁'이란 게 무엇을 의미하는지 이해시키는 데 애를 먹었다. 왜냐하면 이성이라는 것은 우리가 확신하고 있을 때만 긍정이나 부정을 하는 방법을 가르쳐주며, 우리의 지식을 초월하는 범주에서는 우리는 긍정도 부정도 할 수 없다고 나의 주인은 생각했다. 따라서 거짓이거나 불확실한 명제에 대해서 논박하거나 다투거나 하는 것은 후이늠들에게는 해악으로 간주되는 것이다. 그리고 내가 나의 주인에게 철학에 관해서 설명하려고 했을 때도 그는 웃을 뿐이었다. 이성을 가졌다고 자부하는 동물이 다른 사람들이 단지 추측하는 것을 믿는다는 것은 있을 수 없는 일이며 그러한 철학 지식이 진실이라고 하더라도 실용적으로 아무 쓸모없다면 그것을 믿는 자체가 우습다는 것이었다. 이 점에서 나의 주인은 플라톤이 우리에게 전달해주는 소크라테스의 생각과 완전히 같았다. 나는 그 위대한 철학자들을 우러러보면서 이 말을 언급하는 것이다. 그러한 철학이 지배했더라면 유럽의 학문에서 얼마나 많은 변혁이 일어났을 것이며 지식의 세계에서 명성에 이르는 그 왜곡된 과정이 얼마나 많이 사라졌을까를 자주 생각하곤 했다.

후이늠들에게는 우애심이나 박애심이 중요한 미덕으로 간주된다. 그리고 그러한 미덕은 특정한 후이늠에게 국한되는 게 아니라 온 종족에게 적용된다. 아무리 먼 곳에서 온 후이늠일지라도 가까운 이웃처럼 대하며 어디를 가더라도 자기 고향인 것처럼 마음이 편안해진다. 그들은 품격과 예의를 최대한 지킨다. 그렇지만 격식 같은 것은 모른다. 그들은 자식을 사랑하기는 하지만 응석받이로 만들지는 않는다. 오직 이성의 지시에 따라서 자녀들을 가르친다. 나는 나의 주인이 이웃집 자식들에게도 자기 자식과 동일한 애정을 베풀어주는 것을 볼 수 있었다. 그들은 모든 동족을 다 위해주도록 가르침을 받는 것이다.

암컷인 후이늠이 수컷과 암컷을 하나씩 낳게 되면 이제 더는 수컷과 교미를 하지 않는다. 그런데 아주 드물게 발생하는 일이지만, 사고로 자식을 잃어버리는 경우는 예외다. 그런 경우에 부부는 다시 교미를 한다. 그런 사고가 암컷의 가임기가 지나버린 다음에 발생하면 다른 부부가 자기네 자식 중에서 하나를 제공하게 된다. 그리고 그들은 암컷이 임신할 때까지 교미를 한다. 그런 관습은 그 나라에 인구가 넘쳐나는 것을 피하려고 생긴 것이다. 그런데 하인의 신분인 후이늠은 그런 엄격한 산아 제한을 받지 않는다. 그들은 숫자녀, 암자녀 각각 셋씩 낳게 하며 나중에 신분이 높은 집안의 하인이 된다.

후이늠들은 흉한 자식을 낳지 않으려고 배우자를 고르는 데 신중을 기한다. 수컷에게는 강인함, 그리고 암컷에게는 아름다움이 중

시된다. 애정 때문에 그런 게 아니라 종족의 퇴보를 막으려는 것이다. 그들에게는 연애, 구애, 결혼 예물용 패물 같은 것이 없다. 두 짝이 만나서 결합하는 것은 오직 부모와 친구들의 결정에 따른다. 그것은 아주 자연스럽게 이루어지고 그들은 그런 행위를 이성적인 동물에게 필수적 행동이라고 간주한다. 한쪽이 결혼 생활을 위반하거나 부정한 행위를 저지르는 것은 생각해볼 수 없다. 결혼한 한 쌍은 다른 어떤 후이늠에 대해서와 마찬가지로 다정하고 우애가 넘치게 살아간다. 질투심이나 부부싸움이나 불만족 같은 것은 있을 수 없다.

암컷, 수컷을 불문하고 그들이 젊은 세대를 교육하는 방법은 인간들의 본보기가 될 만하다. 그들은 18세가 되기까지는 일정한 날을 제외하고는 귀리와 우유를 먹지 못하게 한다. 여름에는 오전에 두 시간, 그리고 오후에 두 시간 목초를 뜯어먹는다. 그들의 부모도 그런 식으로 먹는다. 그렇지만 하인들은, 들판에서는 그렇게 마음대로 먹지 않지만, 먹을 풀을 집으로 가져가서는 일하는 데 지장이 없는 시간에 먹는다.

젊은 후이늠들은 수컷, 암컷을 가리지 않고 절제심, 근면성, 강인함, 청결성 등에 대해서 교육받는다. 우리 인간들은 여성이 남성과 다른 교육을 받고 있다는 나의 말을 듣고 나의 주인은 그것은 말도 되지 않는 소리라고 했다. 그렇게 교육하면 여자들은 아이를 낳는 일 외에는 쓸모가 없다는 것이었다. 그리고 그런 쓸모없는 사람들에게 자녀 양육을 맡긴다는 것은 생각해볼 수 없는 일이라고 했다.

후이늠들은 가파른 언덕길을 위아래로 달리거나 딱딱한 돌로 된 길을 달리는 운동을 시켜서 젊은이들이 힘세고 빨라지도록 단련시킨다. 그런 운동을 하다가 몸에 땀이 나면 물속에 뛰어 들어간다. 1년에 네 번 한 구역의 젊은이들이 모여서 달리기나 높이뛰기나 기타 실력을 겨룬다. 우승자에게는 그를 축복하는 노래를 불러준다. 그러한 축제의 날에는 후이늠들의 식사용으로 건초나 귀리나 우유를 짊어진 야후들을 하인들이 몰고 간다. 그런 다음에는 그런 행사에서 못된 짓을 할까 봐 야후들을 돌려보낸다.

4년마다 춘분이 되면 그 나라의 모든 후이늠을 대표하는 대표자들의 회의가 열린다. 그 회의는 우리 집에서 대략 30킬로미터 떨어진 들판에서 열리고 5일에서 6일 동안 계속된다. 그 회의에서는 각 지역의 상황에 대해서, 즉 어느 지역에서 건초나 귀리나 소나 야후가 충분하거나 부족한지 등에 대해서 의논한다. 그리고 부족한 지역이 있으면 만장일치의 동의와 갹출로 보충해준다. 또한 자녀의 수를 조정한다. 예를 들어 어떤 후이늠이 두 아들을 두고 있다면 두 딸을 가진 후이늠과 그중 하나를 맞교환한다. 그리고 어떤 사고로 인해서 자녀 하나를 잃었고 어머니가 가임기가 지났다면 그것을 보충하려고 그 지역의 어느 가정에서 자녀 하나를 더 둘지 결정한다.

9장

후이늠들의 회의에서의 토론, 그들의 학문, 그들의 건물, 그들의 장례 방식, 그리고 그들의 언어의 결함 등에 관해서 서술한다.

내가 그곳에 체류하는 동안에 그 회의가 열린 적이 있었다. 내가 떠나기 석 달 전 일이었는데, 나의 주인은 우리 지역의 대표로 참석했다. 그 회의에서도 하나의 해묵은 과제가 토의되었다. 그것에 대해서 나의 주인은 나중에 나에게 자세히 설명해주었다.

토의된 문제가 야후들을 완전히 말살해버릴 것인가 말 것인가 하는 점이었다. 말살시켜버릴 것을 지지하는 어떤 후이늠은 아주 타당해 보이는 논거를 제시하면서, 야후들이 자연이 만들어놓은 것 중에서 가장 혐오스럽고 흉측한 동물이고, 나쁜 짓만 하고 심술궂으며, 후이늠이 키운 소의 젖을 몰래 빨아먹고, 고양이를 잡아먹으며, 조금 감시를 소홀히 하면 귀리를 짓밟고 다니고, 그 외에도 모든 못된 짓을 한다고 주장했다고 한다. 그리고 이런 전설이 전해 내려온다고 말했다고 한다. 즉 야후들이 원래 그 나라에 있었던 게 아니라 아주 오래전에 어떤 진흙에서 우연히 생겨났는지, 아니면 바다 속 거품에서 생겨났는지 모르지만, 그런 짐승 두 마리가 산 위에 나타났다고 한다. 그것들이 새끼를 낳고 그 종족은 어느새 엄청난 수로 불어서 온 나라에 들끓게 되었다고 했다. 후이늠들은 그러한 재앙을 없애려고 대대적인 소탕 작전을 벌였고 결국 그 무리를 모두 울타리 안에 가두었다고 했다. 그리고 나이 많은 야후들은 죽여 버렸고 후이늠마다 각각 두 마리씩 야후들을 우리 안에서 길러서, 천성적으로 순하게 만들기는 힘들었지만 그래도 최대한 노력하여 약간이라도 온순하게 만들어놓았다고 했다. 그래서 짐 운반이나 기타 다른 일에 야후를 이용할 수 있게 되었다고 했다는 것이다. 그러한 전설은 거의 믿을 수 있는 것이라고 했다. 그 동물들을 후이늠뿐 아니고 다른 모든 동물들이 미워하는 사실을 볼 때 그것들이 원래 그 나라 태생일 턱이 없다는 것이었다. 그것들이 못된 성질로 인해서 그렇게 미움을 받는 게 당연하기는 하지만, 원래 그 나라 태생이라면 그렇게까지는 미움받지 않을 것이라고 했다. 후이늠들이 야후를 부려먹는 데 익숙해져서 나귀를 양육하는 건 소홀히 하게 되었는데 이는 잘못이라고 했다. 나귀가 비록 민첩함에서는 야후에게 뒤지지만 더 순하고 기르기 쉽고 보기에도 좋은 동물이며 고약스런 냄새도 없고 힘도 세어서 모든 노동일을 감당할 수 있다고 했다. 그리고 나귀들의 울음소리가 듣기 좋지는 않지만 그래도 야후들의 끔찍스러운 울음소리보다는 낫다고 말했다는 것이다.

　다른 여러 후이늠들도 같은 의견을 말했다고 했다. 그때 나의 주인도 한 가지 의견을 말했는데, 그것이 나에게서 유래한 것이었다. 나의 주인은 앞에서 말한 후이늠의 말이 맞는다면서, 그 최초의 야후 두 마리는 바다 건너에서 그 나라로 표류해 온 것이 확실하다고 말했다고 했다. 그것들이 육지에 도달하고 나서 다른 동물들의 미움을 받게 되었고 둘이서만 산속에서 지내다가 점점 퇴화했고 시간이 지나면서 원래의 그들 종족보다 더 야만스러워졌다고 했다. 그렇게 주장할 수 있는 증거를, 많은 후이늠이 알고 있을 터인데, 자기가 지금 소유한 야후 한 마리에게서 찾을 수 있다고 말했다는 것이다. 다음에는 나를 어떻게 해서 발견했는지 설명했고, 그리고 이어서 나의 몸이 다른 동물의 가죽이나 털로 만든 인공적인 덮개로 덮여 있고, 나는 내 나라 말을 할 수 있는 동시에 그 나라 말도 할수 있다는 것과 내가 그 나라에 오게 된 경위에 대해서 말했다고 한다. 그 덮개를 벗었을 때 나를 보았더니 나의 몸이 야후와 똑같은데, 다만 색깔이 더 희고 털이 덜 있으며 발톱이 짧다는 차이밖에 없다고 말해주었다고 했다. 그리고 이어서 다음과 같은 말도 했다고 한다. 나의 나라와 다른 나라에서는 야후들이 모든 것을 지배하고 후이늠들은 노예처럼 대우받는다는 사실을 내가 나의 주인에게 설득하려고 했는데, 사실 나의 나라의 야후나 그 나라의 야후가 하나도 다를 것이 없다고 말했다고 한다. 단지 나의 나라의 인간들이 그 나라의 야후들보다 좀 더 이성이 있고 교양이 있는 것뿐이라고 했다고 한다. 그런데 나의 나라 인간들의 이성이, 그 나라의 야후가 나보다 더 열등한 정도 이상으로 후이늠보다 열등하다고 했다고 한다. 내가 여러 가지로 어처구니없는 얘기를 했는데, 그중에서도 영국에서 후이늠을 순하게 만들려고 어릴 적에 수컷을 거세하는 습관이 있다고 전했다고 한다. 그 수술이 간단하고 안전한데, 건축술을 제비에게서 배우고 부지런함을 개미에게서 배울 수 있는 것처럼, 그런 짐승들에게서 지혜를 배운다는 것이 사실은 수치스러운 일이 아니라고 했다고 한다. 그래서 거세하는 방식을 그 나라의 야후에게도 한번 적용해보자고 건의했다고 한다. 그렇게 하면 야후들을 온순하게 만들고 일을 시키기에도 편할 뿐 아니라 한 세대가 지나면 살생을 하지 않고서도 야후들을 멸종시킬 수 있다고 주장했다는 것이다. 그리고 그동안에 나귀를 육성하면 된다고 주장했다고 한다. 왜냐하면 나귀는 모든 면에서 야후보다 더 나은 동물이고, 야후가 열두 살은 되어야 일을 시켜먹을 수 있는 데 반해서 나귀는 다섯 살만 되면 일을 시킬 수 있는 장점도 있다고 말했다고 했다.

이것이 그 회의에서 토의된 내용에 관해서 주인이 나에게 전해준 내용이었다. 그런데 주인이 한 가지를 생략했는데 그게 나와 관련된 것이었다. 독자들도 나중에 알게 되겠지만 그것이 나에게 불리한 내용이었고 훗날 나의 모든 불행은 그 회의에서 시작되었다고 생각한다.

후이늠들에게는 글자라는 게 없다. 그들의 지식은 말로만 전해진다. 그런데 그들 종족이 불화가 없이 단결되고 모든 미덕을 갖추었으며 오직 이성에 따라서만 행동하고 다른 나라와는 모든 교류가 단절되었기 때문에 그들의 지식은 잊히지 않고 잘 보존되어 내려온다. 그들은 병에 걸리지도 않으며 따라서 의사가 필요 없다. 그렇지만 날카로운 돌 때문에 발바닥 같은 데 생긴 상처를 치료하는 데 쓰는, 약초로 만든 우수한 약이 있었다.

그들은 태양과 달이 회전하는 것을 보아서 1년의 길이를 계산했다. 그런데 1년을 몇 주 단위로 세분하지는 않았다. 그들은 태양이나 달의 운행에 관해서 잘 알았고 일식이나 월식에 관해서도 잘 이해했다. 그 이상으로는 알 필요도 없고 알려고 하지도 않았다.

시에 대한 그들의 머리는 이 세상 어떤 동물보다도 뛰어나다고 보아야겠다. 그들의 시에 나타나는 비유법, 정확하면서도 아름다운 묘사법은 우리 인간들이 모방할 수 없을 정도였다. 그들의 시는 대부분 우정이나, 선량한 행동이나, 운동 경기에서 승리한 자들을 찬양하는 것에 관한 내용이다. 그들의 건물은 투박하고 꾸밈이 없으며 불편한 점이 없게 만들어져 있고 추위나 더위에서 보호하기에 적절하도록 되어 있다. 목재로 쓰기 적당한 나무가 있는데, 일직선으로 자라고 40년을 자라면 뿌리가 썩어서 이내 쓰러진다. 그것을 돌로 만든 연장으로 뾰쪽하게 다듬어서(그들은 철을 사용하지는 않았다) 땅에 대략 30센티 간격으로 박은 다음에 귀리 짚으로 얽는다. 지붕도 그와 같은 방식으로 만들고 문도 그런 식으로 만든다.

그들은 발굽과 발목 사이의 움푹 들어간 부분을 우리 인간들의 손처럼 사용한다. 그런데 그것을 이용하는 기술이 내가 원래 생각했던 것보다 훨씬 교묘했다. 나는 우리 집 흰 암말이 그런 방식으로 바늘에 실을 꿰는 것을 본 일도 있었다. 소젖을 짜거나 귀리를 수확하거나 기타 모든 일을 그런 방식으로 한다. 그들은 부싯돌을 다른 돌에 갈아 도끼나 망치나 쐐기와 같은 형태의 연장을 만들어서 쓴다. 또한 그런 것으로 건초를 베거나 들판에 자연적으로 자라나는 귀리를 수확한다. 야후들이 귀리 다발을 수레에 실어 집으로 운반해오고 하인들은 헛간에서 발로 밟아 알갱이를 빼서 저장소에 저장한다. 그리고 후이늠들은 토기 그릇과 나무 그릇을 만드는데 토기 그릇은 햇빛에 말리는 방식으로 만든다.

사고만 피할 수 있다면 후이늠들은 노령으로 죽는 경우를 제외하곤 매장은 눈에 띄지 않는 장소에 한다. 가족이나 친구들이나 친척들은 누가 죽었다고 해서 슬퍼하거나 하지 않으며, 죽는 자도 마치 이웃집에 놀러왔다가 떠나가는 것처럼, 이 세상을 하직하는 것을 전혀 슬퍼하지 않는다. 언젠가 나의 주인이 어떤 일로 인해서 그의

친구와 가족들을 우리 집에 초청한 일이 있다. 그런데 그날 그의 친구는 오지 않고 가족들만 늦게 왔는데 그 친구의 부인이 두 가지 변명을 했다. 우선 남편을 위한 변명인데, 그날 오전에 그 남편이란 후이늠이 "르는"했다는 것이다. 그 말은 쉽게 번역할 수 없는 것인데, 굳이 번역하자면 "그의 원래 어머니에게로 돌아가다"라고 할수 있었다. 그리고 그 부인이 더 일찍 오지 못한 이유는, 남편이 정

오가 가까워져서 저세상으로 갔기 때문에 시신을 매장할 마땅한 장소를 찾으려고 의논하다가 시간이 오래 걸렸다는 것이다. 그런데 그날 그 부인은 우리 집에서 여느때와 마찬가지로 유쾌하게 지내다가 돌아갔다. 그리고 그녀도 석 달 후에 저세상으로 갔다.

그들은 보통 70세 내지 75세까지 살며 80세까지 사는 경우는 드물다. 죽기 며칠 전부터 그들은 신체가 허약해지는 것을 느낀다. 그렇지만 고통은 느끼지 않는다. 그 기간 동안은 이전처럼 마음대로 외출을 못 하기 때문에 친구들이나 친척들이 집으로 찾아온다. 그들은 죽을 날짜를 정확히 계산하는데, 죽기 10일 전에, 방문해준 후이늠들 중에서 가장 가까운 곳에 사는 후이늠을 찾아가 고맙다는 표시를 한다. 이런 때 그들은 야후가 끄는 썰매 같은 것을 이용하는데, 그 썰매는 그때만 쓰는 게 아니라 늙어서 기운이 없을 때나 장거리로 여행할 때, 또는 사고로 발을 다친 경우에도 이용한다. 죽을 날짜가 다가온 후이늠이 그러한 방문을 할 때는 여생을 편히 지내려고 다른 먼 지방으로 여행하는 것처럼 친구들에게 작별 인사를 한다.

이런 언급을 할 필요가 있는지 모르겠지만, 후이늠들이 사용하는 언어에는 야후들의 기형적인 형태나 고약스러운 성격에서 유래된 말을 제외하고는 사악한 것에 대해서 나타내는 어떤 말도 없다. 그리고 하인들이 어리석은 일을 했거나 어린 후이늠이 실수를 했거나 돌멩이에 상처를 입었거나 고약스러운 날씨 등과 같은 좋지 않은 것에 대해서 표현할 때면 그런 말 다음에 야후라는 단어를 첨가하게 된다. 예를 들어 '흐은 야후', '흐나홀름 야후', '은름나윌마 야후' 등의 언어가 있고, 잘못 지어진 집을 의미하는 '은홀믄롤 야후'

같은 언어가 있다.

이 훌륭한 종족들의 관습이나 덕망에 관해서 더 많은 이야기를 하고 싶지만 그 주제에 대해서 다른 책 한 권을 출판할 계획이 있으므로 추가로 알고 싶은 독자들은 나중에 그 책을 참고하면 될 것이다. 그동안에 나는 나의 비참한 사건에 대해서 이야기해야겠다.

10장

후이늠의 나라에서 저자가 생활해 나가는 방식과 그 행복한 삶에 대해서 언급한다. 후이늠과 함께 지냄으로써 저자의 덕성이 크게 향상된다. 주인은 저자에게 그 나라를 떠나라고 하고 저자는 너무 애통하여 기절한다. 결국 그 말에 따르기로 한다. 후이늠의 도움을 받아서 카누를 만들고 바다에 띄운다.

　나는 나름대로 편리한 방식을 고안하여 그 나라에서 매우 만족스럽게 살아가고 있었다. 주인은 그의 집에서 6미터 정도 떨어진 곳에 그들의 집과 비슷한 형태로 나의 집을 만들어주었다. 나는 그 방의 벽과 바닥을 진흙으로 발랐고 나 자신이 고안한 돗자리를 깔았다. 방석도 하나 만들었는데, 야후의 머리카락으로 만든 덫으로 잡은 여러 새의 깃털을 그 안에 집어넣었다. 그런 새는 맛있는 고깃감도 되었다. 그리고 칼로 의자 두 개를 만들었다. 그런 때는 하인인 밤색 말이 일을 거들어주었다. 입고 있던 옷이 다 해지자 토끼와, 누노라고 부르는 아름다운 동물의 가죽으로 옷을 만들어 입었다. 그 동물은 크기가 토끼만 했고 가죽이 고운 털로 덮여 있었다. 또한 그 재료를 이용해서 양말도 만들어 신었다. 신발 바닥이 닳으면 나무를 깎아서 바닥을 만들었고 신발 가죽이 닳으면 햇볕에 말린 야후의 가죽을 대어 수선했다. 그리고 속이 빈 나무에서 꿀을 꺼내어 물에 타서 먹거나 빵에 찍어 먹기도 했다. 그래서 '궁하면 통한다'는 말이나 '필요는 발명의 어머니'라는 말을 나보다 더 실감한 사람은 없을 거다. 나는 신체의 완전한 건강을 유지할 수 있었고 마음은 완전히 평화로웠다. 친구 사이의 배신이라든가 누구한테 해코지를 당하는 일 따위는 없었다. 고관이나 그 심복의 환심을 사려고 뇌물을 바치거나 아첨할 필요가 없었다. 그곳에는 나의 신체를 못 쓰게 만들 의사도 없었고 나를 망하게 만들 변호사도 없었다. 나를 시기할 인간도 없었고 협박하는 인간도 없었다. 나의 행동과 말을 감시하거나 나에 대해 엉터리 고소장을 만들 인간도 없었다. 누구를 비난하는 인간, 흉보는 인간, 소매치기, 강도, 도둑, 살인자, 도박꾼 같은 인간이 없었다. 어떤 파벌의 지도자나 그 추종자도 없고 지하감옥, 교수대, 목을 치는 도끼, 형틀, 간교한 상인, 주정뱅이, 창녀, 음탕하고 사치만 일삼는 여편네, 교만한 학자, 온갖 나쁜 짓으로 출세하는 자들, 귀족, 판사도 없었다.

　나는 우리 집으로 찾아오거나 저녁 초대를 받아서 오는 후이늠들과 동석하는 특권을 누렸다. 주인은 내가 그들이 모이는 방에 들어가서 자기들이 하는 대화를 들을 수 있도록 해주었다. 주인과 그의 친구들은 나에게 자주 질문을 해댔고 나의 답변을 경청해주었다. 때때로 나는 나의 주인이 다른 후이늠을 방문할 때 동행하는 영예도 누렸다. 나는 그들이 나에게 질문하는 경우가 아닌 한 말하는 걸 자제했다. 내가 답변을 해야 할 때는 유감스러웠다. 왜냐하면 그동안에는 후이늠들의 훌륭한 대화를 들을 수가 없기 때문이다. 나는 그냥 겸손하게 그들의 말을 듣는 것을 즐겼다. 거기에서는 좋은 말만 오갔는데 단순하지만 의미는 깊은 말들이었다. 그리고 격식에 치우치지 않으면서도 품위가 있었고 말하는 사람이나 듣는 사람 모두 즐거운 분위기였다. 누가 도중에 말을 중단시키거나 지루해하거나 격노하거나 의견이 충돌하는 경우는 없었다. 그들은 많은 후이늠들이 모이면 잠시 동안 침묵을 유지하는 것이 대화의 질을 향상시킨다는 생각을 갖고 있었다. 나는 그것이 사실이라는 점을 알게 되었다. 이야기가 잠시 중단되는 동안에 그들의 마음속에 새로운 생각이 떠오르고 그렇게 하여 대화가 활발하게 이어지는 것을 보았기 때문이다. 그들이 하는 대화는 주로 우애심이나 자비심, 질서나 가정, 자연의 이치, 옛날부터 전해오는 풍습, 미덕의 한계, 이성의 법칙, 다음의 회의에서 결정할 내용, 시구에 관한 것 등등이었다. 그리고 내가 있음으로 해서 그들의 대화가 더 풍부해졌다는 말을 덧붙일 수 있겠다. 왜냐하면 나는 나의 이력과 영국의 역사 등에 관해서 그들에게 알려줄 수 있었고 그것을 듣고서 그들은 인간들에 대한 논평을 했기 때문이다. 그렇지만 여기서 그들의 논평 내용에 대해서는 밝히지 않기로 하겠다. 나의 주인은 나보다도 야후에 대해서 훨씬 더 잘 이해했다. 그는 인간의 악랄함과 우매함에 대해서 다른 후이늠들이 있는 곳에서 지적했고 내가 한 번도 언급하지 않은 것까지도 지적해주었다. 그들 나라의 야후들이 이성을 갖추었을 경우 그들이 저지를 가능성이 있는 것까지 예상하여 그것을 나의 나라의 인간들에 빗대어서 지적해주기도 했다. 그러면서 영국의 야후들이 얼마나 고약한 존재인지를 알려주었다.

지금 고백하지만, 내가 갖고 있는 얼마 안 되는 가치 있는 지식은 모두 나의 주인이나 또는 나의 주인과 그들 친구들 간의 대화를 들음으로써 얻은 것이다. 그러한 대화를 주의 깊게 듣는 것이 유럽의 현인들의 대화를 듣는 것보다 더 가치 있다고 나는 확실히 말할 수 있다. 그곳 주민들의 힘이나 아름다움이나 속도에 대해서 감탄하게 되었고 그런 주민들 속에 미덕이 빛나는 것을 보고서는 그들에 대한 존경심이 우러나오지 않을 수 없었다. 처음에는 야후들이나 기타 다른 동물들이 후이늠에게 갖는 경외심에 대해서 이해할 수가 없었다. 그렇지만 그것이 생각보다 일찍 나의 마음속에서 우러나왔고 후이늠들이 나를 다른 야후들과는 차별해주는 고마움과 함께 뒤섞이게 되었다.

나는 나의 가족이나 친구나 기타 다른 인간들을 보게 될 때 그들을 있는 그대로의 존재로서, 즉 근본적인 모양이나 성질에서는 야후에 지나지 않는 동물로 바라보게 되었다. 그들이 진짜 야후보다는 더 지능이 있고 말을 할 수 있는 재주를 가졌을지 모르지만 천성적으로 야후에게 부여된 악을 늘리는 데만 그 지능을 사용한다는 사실을 알게 되었다. 그 나라에서 내가 호수나 샘물에 비친 나의 모습을 볼 때는 내가 내 자신이 무섭고 보기가 싫어서 고개를 돌려버렸고 차라리 보통 야후의 모습을 보는 것이 더 편했다. 후이늠들과 대화를 하고 그들을 바라보는 데서 즐거움을 느껴가면서 이제 나는 그들의 걸음걸이나 몸짓을 흉내 내게 되었고 그것이 습관화되어버렸다. 그래서 영국에서 나의 친구들은 내가 말처럼 홀떡거리면서 걷는다고 놀려대곤 한다. 그렇지만 그것이 나에게는 놀려먹는 말이 아니라 칭찬하는 말로 들린다. 그리고 내가 말을 할 때는 후이늠들의 목소리와 말버릇에 습관이 들어 있어서 놀림당하는 일이 많지만 그래도 억울한 생각이 전혀 들지 않는다.

그처럼 평안한 나날을 보내면서 나의 인생이 그대로 계속 유지되리라고 생각했는데, 어느 날 아침에 나의 주인이 보통 때보다 좀 더 일찍 나를 불렀다. 나는 그의 얼굴 표정에서, 그가 당황하고 어떤 말을 꺼낼지 안절부절못한다는 사실을 알 수 있었다. 그는 잠시 동

안 말을 하지 않고 있다가, 내가 그의 말을 어떻게 받아들일지 모르 겠다면서 이런 말을 해주었다. 즉 지난번 회의에서 야후의 문제를 토론할 때, 다른 후이늠들은 나의 주인이 나를 한 마리의 야후가 아 니라 후이늠처럼 대접한다는 사실을 책망했다는 것이다. 내가 나의 주인과 자주 대화를 나눔으로써 나의 주인이 어떤 즐거움을 얻는 다고 알려졌다는 것이었다. 그러한 행위는 후이늠의 존엄성에 맞지 않는 것이며 전무후무한 일이라고 했다고 한다. 그래서 그 회의에 서, 나를 다른 야후들처럼 대하든지 아니면 내가 원래 왔던 곳으로 헤엄쳐서 돌아가게 하든지 하라고 결론을 내렸다는 것이다. 전자에

대해서는, 우리 집이나 다른 곳에서 나를 본 적이 있는 후이늠들이 적극적으로 반대했다고 한다. 왜냐하면 원래 야후들은 성질이 고약한 동물인데, 내가 다른 야후들과 함께 생활하고 지능을 이용해서 다른 야후들을 지배하게 되면 나의 성질이 흉악해지고 결국 야후들을 거느리고 몰려와서 후이늠들의 가축을 해칠 가능성이 있기 때문이라고 했다.

나의 주인은 그 회의에서 난 결론에 따라서 실행할 것을 매일 강요받으므로 언제까지나 미룰 수는 없다는 말을 했다. 그는 내가 다른 나라로 헤엄쳐 갈 수는 없을 것이라고 하면서, 그래서 바다를 건너갈 수 있다는, 전에 말한 배 비슷한 물건을 만들어내기를 바랐다. 그리고 그의 하인들이나 이웃의 하인들에게 나를 도와주라고 지시했다고 한다. 자기로서는 내가 살아 있는 동안 나를 자기의 하인으로 데리고 있고 싶지만 어쩔 수 없다고 했다. 나를 데리고 있고 싶은 이유는 내가 천성적으로 열등하기는 하지만 후이늠을 본받음으로써 나의 못된 성질을 고쳤기 때문이라고 했다.

여기서 일러두고 싶은 점은 그 회의에서는 어떤 것을 권고만 하지 강요는 하지 않는다는 사실이다. 이성적인 동물들에게는 무엇을 강요한다는 것이 있을 수가 없다고 그들은 생각한다. 왜냐하면 그들이 이성적인 존재인 한은 이성을 배척할 수 없다고 그들은 생각하기 때문이다.

나는 주인의 말을 듣고는 엄청난 좌절감을 느꼈다. 그리고 그 충격을 이길 수가 없어서 그 자리에서 쓰러져버렸다. 내가 정신을 차렸을 때, 주인은 내가 죽은 줄로만 알았다고 말했다. 왜냐하면 그들에게는 기절이라는 개념이 없기 때문이다. 나는 힘없는 목소리로,

내가 차라리 죽는 것이 백 배는 나을 것이고, 비록 그 회의의 권고나 그들의 독촉에 대해서 탓할 수는 없지만 나의 어리석은 생각으로는 그렇게 나에게 혹독하게 대하지 않는 것이 현명할지 모른다고 말했다. 그리고 내가 5킬로미터도 헤엄쳐 갈 수 없는데, 그 나라에서 가장 가까운 섬이라고 하더라도 5백 킬로미터는 떨어져 있을 것이고, 내가 타고 갈 작은 배를 만들 재료는 그 나라에는 없을 것이며, 그래서 이제 내가 죽을 수밖에 없는 운명을 알지만, 주인에 대한 감사와 순종의 표시로 그 일을 해보겠다고 했고, 내가 앞으로 당할 불운 중에서 어떤 재앙을 만나서 죽는 것이 가장 가벼운 불운일 것이라고 했으며, 내가 요행히도 여러 난관을 헤치고 살아난다고 하더라도 이제 야후들 속에서 나날을 보내야 하고, 나를 인도해줄 모범이 없어서 또다시 옛날과 같은 타락한 생활로 빠져들 것을 생각하면 내가 어떻게 견디겠느냐고 했다. 그러고는 배를 만드는 걸 여러 후이늠이 도와주도록 한 데 대해서는 감사하다고 했고 그 힘든 일에 많은 시일이 걸릴 것이니 여유를 달라고 했다. 그리고 내가 영국에 돌아가게 된다면 훌륭한 후이늠들을 찬양할 것이고 인간들에게 그들의 덕을 본받도록 할 것이라고 말했다.

나의 주인은 나의 말에 고마움을 표시하면서 배를 만드는 데 두 달의 기간을 주겠다고 했다. 그러고는 그의 하인인 밤색 말에게 나를 도와주라고 지시했다. 내가 그 밤색 말만 있으면 충분하다고 말했는데 그 말이 나에게 잘해준다는 사실을 알았기 때문이다.

내가 밤색 말과 함께 제일 먼저 한 일은 옛적에 선원들이 나를 버려두고 가버린 바닷가로 가는 것이었다. 거기로 가서 높은 지대로 올라가서 사방을 살펴보니 동북쪽으로 조그만 섬 같은 것이 회미하게 보였다. 주머니에서 망원경을 꺼내어보니 25킬로미터 정도 떨어진 곳에 있었다. 그런데 밤색 말에게는 그것이 파란 구름으로밖에 보이지 않았다. 왜냐하면 그들에게는 바다 멀리 다른 나라가 있다는 개념이 없기 때문에 바다에 멀리 떨어져 있는 물체를 식별하는 데 어려움이 있는 것이다.

그 섬을 발견하고 나서는 더는 골똘하게 생각하지 않았다. 이왕 추방될 바에는 우선 그 섬을 나의 유배지로 삼고서 그 다음은 운명에 맡기기로 했다.

집에 돌아와서 밤색 말과 상의하여, 조금 떨어진 숲으로 목재를 구하러 나갔다. 나는 칼을 이용해서, 그리고 그 말은 예리한 돌을 이용해서 지팡이 정도의 굵기로 된 참나무 가지를 여러 개 잘랐고 그보다 더 큰 토막도 여러 개 잘랐다. 그렇지만 그 작업의 세부 공정에 대해서 일일이 언급한다는 것은 독자들에게 누만 끼치게 될 것이다. 대략 6주 만에 인디언들이 이용하는 방식의 카누를 한 척 만들었다. 크기는 인디언식보다 훨씬 컸으며, 야후의 가죽을 배 전체에 덮었다. 배의 돛도 역시 야후의 가죽으로 만들었다. 그런데 늙은 야후의 가죽은 두껍고 딱딱해서 어린것의 가죽을 이용했다. 그리고 노도 네 개 만들었다. 토끼와 새의 고기를 삶아서 배에 비축해놓았고 그릇을 두 개 구해서 하나는 우유, 다른 하나는 물을 채워 준비해놓았다.

카누를 주인집 근처의 큰 연못에 띄워서 시험해보고는 결함이 있는 곳은 보충했고 모든 틈새를 야후의 기름으로 메웠다. 이제 배는 내가 타고 다른 물건을 다 실어도 될 만큼 튼튼해졌다. 추가로 배를 이곳저곳 손본 다음에 갈색 말과 또 다른 말의 지시 하에 야후들로

하여금 그 배를 수레에 실어서 바닷가로 끌고 가게 했다.

모든 준비가 끝나고 이제 떠나야 할 날이 되었을 때, 나는 눈물을 흘리면서 주인과 주인아주머니, 그리고 다른 모든 식구들에게 작별 인사를 했다. 주인은 호기심으로 그랬는지 나를 아끼는 마음으로 그랬는지 모르지만 내가 카누에 타고 가는 모습을 보기로 했고 이웃에 사는 후이늠들도 몇몇 같이 동행했다. 이제 밀물이 올라올 때까지 한 시간 이상을 기다려야 했다. 그러다가는 물이 차오르고 바람도 내가 갈 방향으로 부는 것을 보고는 주인에게 다시 한 번 작별 인사를 했다. 내가 그의 발굽에 입을 맞추려고 엎드렸더니 주인은 자기 발을 살며시 들어서 나의 입에 대주었다. 나는 이런 사실을 밝히는 것에 대해서 유감으로 생각한다. 나를 비난하는 인간들은 나처럼 열등한 인간에게 그처럼 고상한 후이늠이 그런 후한 대접을 해줄 리 만무하다고 주장할 것이기 때문이다. 그리고 나와 같은 처지의 어떤 사람들은 자기들이 다른 나라에서 원주민에게 엄청난 대접을 받았다고 자랑하는 경우도 많다는 사실을 나는 안다. 그렇지만 그들이 후이늠의 점잖은 행동을 잘 안다면 나에 대한 생각이 달라질 거다.

나는 주인과 함께 온 나머지 후이늠들에게도 인사를 하고 나서 배에 올라타고 그 나라와 작별했다.

11장

저자가 위험한 항해를 하고 뉴홀랜드에 도착하며 거기에서 살아가기를 바란다. 원주민의 화살에 맞아서 부상당한다. 포르투갈 선원에게 잡혀서 그들의 선박으로 끌려간다. 선장이 따뜻하게 대해주고 저자는 영국에 도착한다.

내가 그 기약 없는 항해를 시작한 것이 1715년 2월 15일 오전 9시였다. 바람은 순풍으로 불어주었다. 처음에는 노를 저어갔다. 그런데 기운이 빠져갔고 바람의 방향도 바뀔 것으로 생각되어 작은 돛을 올렸다. 조류의 도움이 있었으므로 배는 시속 7킬미터 정도의 빠른 속도로 앞으로 나아갔다. 나의 주인과 그외 다른 후이늠들은 나의 배가 보이지 않을 때까지 해안에 서 있었다. 나에게 항상 잘해주었던 밤색 말이 "흐누이 일라 니하 마이아 야후", 즉 "몸조심해라, 착한 야후야"라고 여러 번 소리치는 걸 들을 수 있었다.

나의 생각은 작은 무인도라도 하나 발견하여 나 혼자 힘으로 살아가는 것이었다. 그렇게 된다면 유럽의 가장 좋은 궁궐에서 살아가는 왕보다도 더 행복해질 수 있을 것이라 생각했다. 야후들이 있는 곳으로 돌아가서 그들과 함께 부대끼며 산다는 것은 생각만 해도 끔찍했다. 나 혼자 무인도에서 살아가게 된다면 적어도 나 혼자서 명상을 즐길 수 있고 내 종족의 타락에 물들지 않으며 후이늠들의 그 숭고한 덕을 회상해가면서 살 수 있을 것이라고 생각했다.

전에 나의 배의 선원들이 나를 선실에 가두어놓은 일에 대해서 독자들은 기억할 것이다. 그때는 몇주일 동안 갇혀 있었기 때문에 배가 어느 곳으로 가는지도 알 수 없었다. 그리고 선원들이 나를 보트에 태울 때, 그것이 거짓말인지 진실인지는 모르지만, 우리가 어느 구역에 있는지 모른다고 말했다. 그런데 내 짐작에 우리는 그때 희망봉의 남쪽으로 약 10도 되는 지점, 즉 남위 45도쯤에 있었을 것이다. 큰 배에 있을 때 그들이 말하는 소리를 듣고는 우리가 마다가스카르로 가는 도중에 남동쪽으로 방향을 잡았음을 짐작할 수 있었던 거다. 그것이 추측에 불과하기는 하지만, 나는 보트를 동쪽으로 몰았다. 그렇게 하면 뉴홀랜드의 남동쪽 해안으로 도착하거나 그 서쪽에 있는 어떤 섬에 닿을 수 있을 것이라고 보았던 것이다. 내 계산으로는 저녁 6시경까지 적어도 동쪽으로 80킬로미터는 갔다고 생각했다. 가까운 곳에 작은 섬이 있는 것을 발견하고는 그곳으로 배를 몰았다. 그곳은 바윗덩어리로 된 섬이었는데 작은 만이 보였다. 거기에 카누를 대고는 바위 위로 기어 올라보니 섬이 길게 남북으로 뻗어 있었다. 카누에 누워서 잠을 자고 나서는 아침 일찍부터 항해를 시작했고 일곱 시간 만에 뉴홀랜드 남동쪽에 도달했다. 그것은 내가 오래전부터 해왔던 생각, 즉 해도에는 그 나라가 적어도 3도 이상 동쪽으로 치우쳐서 잘못 표시되어 있다는 생각을 확인해주었다. 나는 그런 생각을 오래전에 허만 몰이라는 사람에게 말해주고 그 이유에 대해서 설명해주었지만 그는 해도에 있는 대로만 따르기를 고집했다.

내가 상륙한 부근에는 인적이 없었고 나는 무기도 없었으므로 내륙 깊숙이 들어가는 게 겁났다. 그냥 바닷가에 머물러 있으면서 조개를 발견해서 날것으로 먹었다. 원주민에게 발각될 가능성이 있으므로 불을 피울 수도 없었다. 식량을 아끼려고 사흘 동안 굴과 조개만 먹고 지냈다. 물은 다행히도 맑은 시냇물이 근처에 있어서 해결할 수 있었다.

나흘째 되는 날에 아침 일찍 좀 더 먼 곳으로 가보니 내가 있던 곳에서 5백 미터쯤 떨어진 언덕 위에 원주민 이삼십 명 정도가 있었다. 그들은 남녀 가릴 것 없이 옷을 하나도 걸치지 않았고, 연기가 피어오르는 모닥불을 중심으로 둘러앉아 있었다. 그중 한 명이 나를 발견하고는 다른 사람들에게 알렸다. 그러자 남자들 대여섯이 나를 향해 왔다. 나는 필사적으로 도망쳐서 바닷가로 가서는 카누에 올라타고서 바다로 노를 저어갔다. 그들은 내가 도망치는 것을 보고는 카누에 올라타는 나를 향해 활을 쏘았다. 그 화살 중 하나가 왼쪽 무릎 안쪽으로 박혔다. 그 상처는 내가 죽을 때까지 지워지지 않을 것이다. 화살에 독이 묻어 있을까 염려되어 잠시 후에 화살이 도달하지 않는 곳으로 벗어났을 때 상처 있는 곳에 입을 대고서 피를 빨아내고 붕대로 감았다.

또다시 그 지점으로 갈 수는 없는 노릇이고 북쪽으로 노를 저어갈 수밖에 없었다. 바람이 역풍으로 불었기 때문에 노를 저어서 나갔다. 안전하게 상륙할 곳을 찾는데 동북 방향으로 범선 하나가 보였다. 그 배는 점점 더 가까이 다가왔기 때문에 나는 그 배와 접선해볼까 말까 망설였다. 그렇지만 야후를 본다는 데 대한 두려움이 밀려와서 카누의 머리를 돌려서 노와 돛을 다같이 이용해서 남쪽으로 향했고 아침에 출발했던 그 만으로 다시 들어갔다. 유럽의 야후들과 만나느니 차라리 그 원주민들에게 나의 운명을 맡기는 것이 더 낫다고 생각했다. 카누를 뭍에 대고는 시냇가에 있는 바위 뒤로 몸을 숨겼다. 그 시냇물은 앞에서 언급했듯이 물이 맑고 깨끗했다.

그런데 그 범선은 내가 있던 만에서 2킬로미터 떨어진 곳까지 다가오더니 보트를 내리고서 물을 담을 항아리를 실었다. 그 만은 선원들에게 잘 알려진 곳이었던 모양이다. 나는 그들의 보트가 뭍에 상륙하는 것은 보지 못했다. 그 선원들은 상륙해서 나의 카누를 발견하고는 카누의 주인이 근처에 있을 것이라고 생각하고 이리저리 샅샅이 찾아다니다가 결국 바위 뒤에서 납작하게 엎드려 있는 나를 발견하게 되었다. 그들은 놀란 얼굴로 나의 기묘한 형색, 즉 가죽으로 만든 외투, 나무로 바닥을 대어 박은 신발, 털가죽으로 만든 양말 등을 바라보았다. 내가 그곳에 사는 원주민은 아니라는 것을 알았다. 왜냐하면 원주민들은 발가벗고 다니기 때문이다. 선원 중에서 한 사람이 포르투갈어로 나에게 일어서라고 하더니 누구냐고 물었다. 나는 포르투갈어를 잘 알았기 때문에, 내가 후이늠들에게서 쫓겨나온 가엾은 야후라고 말하면서, 제발 나를 놓아달라고 간청했다. 그들은 내가 자기네 나라 말로 대답하는 것에 놀랐고 내가 유럽인이라는 사실을 알았다. 그런데 "야후"나 "후이늠"이 무슨 말인지 알 턱이 없었다. 그리고 내가 말 우는 소리와 같은 이상한 목소리로 발음하는 것을 듣고는 웃음을 터뜨렸다. 나는 공포심과 혐오감으로 인해서 몸을 부들부들 떨었다. 나는 다시 나를 놓아달라고 간청하면서 나의 카누 있는 곳으로 슬슬 피했다. 그렇지만 그들은 나를 붙잡았고, 내가 어느 나라 사람인지, 그리고 어느 곳에서 왔는지 등등의 질문을 해댔다. 나는 내가 영국 태생이고 약 5년 전에 그곳에서 떠나게 되었는데, 그때는 그들 나라인 포르투갈과 영국이 우호 관계에 있는 나라였다고 했다. 그리고 내가 그들에게 나쁜 짓을 할 의

도가 전혀 없으므로 나를 나쁜 사람으로 보지 말아달라고 하면서,
나는 나머지 여생을 보낼, 사람이 살지 않는 땅을 찾고 있는 가엾은
야후라고 말해주었다.

그들이 말을 할 때 그것이 아주 괴상하게 들렸다. 마치 영국에서
개나 소가 말한다거나 후이늠의 나라에서 야후가 말을 하는 것처럼
흉측하게 들렸던 거다. 그 사람들도 나의 이상스런 꼴이나 기묘한
말로 인해서 놀라기는 마찬가지였다. 그런데 나의 말을 알아듣기는
했다. 그들은 나에게 다정스런 어투로, 그들의 선장이 나를 무료로
리스본까지 태워다줄 것이며 거기에서 영국으로 돌아갈 수 있을 것
이라고 말했다. 그래서 두 사람이 먼저 배로 가서 선장에게 허락을
받아오겠다고 했다. 그동안에 내가 도망치지 않겠다고 서약하면 나
를 강제로 잡아두지는 않겠다고 말했다. 나는 그들의 말에 따르는
수밖에 없다고 생각했다. 그들은 내가 어떻게 그곳에 오게 되었는
지 아주 궁금해했다. 나는 그들이 묻는 말에 자세히 대답하지 않았
다. 그래서 그들은 모두 내가 머리가 돈 사람이라고 생각했다. 물
단지를 싣고 갔던 보트가, 나를 배로 데리고 오라는 선장의 지시를
받고서 두 시간 후에 돌아왔다. 나는 무릎을 꿇고 빌면서 제발 나를
놓아달라고 했지만 허사였다. 그들은 나를 밧줄로 묶고서 보트에
실은 다음에 큰 배에 옮겨 타고서는 선장실로 나를 데려갔다.

선장은 페드로 드 멘데스라는 아주 선량한 사람이었다. 그는 나
의 얘기를 들려달라고 하면서, 무엇을 먹고 싶은 게 없는지 물었다.
나를 잘 대해주겠다는 등 여러 가지 고마운 말을 했기 때문에 나는
야후가 그처럼 친절할 수 있는지 의아해했다. 그렇지만 나는 침묵
을 지켰다. 선장이나 선원들에게서 인간 냄새만 맡아도 기절할 정

도였다. 결국 나는 나의 카누에 있던 음식을 갖다 달라고 요청했다. 그렇지만 선장은 나에게 닭고기와 포도주를 주었고 내가 지낼 선실을 마련하라고 선원에게 지시했다. 나는 옷을 벗지도 않고서 선실에서 누워 있다가 약 반 시간이 지난 후에 선원들이 식사를 하는 사이에 슬며시 선실에서 빠져나와서 뱃전으로 갔다. 야후들과 함께 지내느니 바닷물로 뛰어들어 헤엄쳐서 도망치려고 했다. 그런데 선원 하나가 나를 발견하고는 선장에게 보고했고 나는 선실에서 사슬에 묶인 신세가 되고 말았다.

식사가 끝나고 나서 선장은 내가 그처럼 필사적으로 도망치려고 하는 이유가 무엇인지 궁금하다고 했다. 자기들은 단지 나에게 잘해주려는 것뿐이라고 했다. 나는 그가 나에게 그렇게 대해주었기 때문에, 그를 약간의 이성을 갖춘 동물로 인정하고서는 그의 말에 순응하기로 했다. 나의 이력에 대해서, 즉 나의 부하들이 나를 해안에 버리고 가고 내가 후이늠의 나라에서 살았던 3년간의 생활에 대해서 말해주었다. 선장은 그 말을 모두 내가 지어낸 말이라며 믿지 않았다. 그래서 나는 화가 났다. 왜냐하면 야후들의 습성의 하나인 '거짓말'에 대해서 나는 잊어버리고 있었기 때문이다. 야후들은 그런 습성으로 인해서 자기 동족을 의심하는 기질이 있는 것이다. 나는 선장에게 '거짓말'이 그의 나라에서 흔한 것인지 물어보았다. 내가 '거짓말'이라는 개념에 대해서 잊어버렸고, 후이늠의 나라에서는 천 년을 산다고 하더라도 가장 천한 하인에게서라도 '거짓말'을 듣는 일이 없을 것이라고 그에게 말해주었다. 그리고 그가 나의 말을 믿든 믿지 않든 관계없지만, 그의 호의에 대한 보답으로서 그의 선천적인 결함을 조금은 묵인해줄 것이며 그의 의구심에 대해서 해명해줄 것이고 그런 나의 말을 들으면 그가 나를 의심하지 않을 것이라고 말해주었다.

선장은 현명한 사람이었으며, 나의 말에서 이치에 맞지 않는 부분이 있으면 지적해주다가는 결국에는 나의 말이 사실일 수도 있다고 믿기 시작했다. 그렇지만 내가 진솔한 사람이라는 것을 알게 되었으니, 항해를 하는 동안에 도망치려는 생각은 버리고 자기들의 동반자가 되겠다고 서약해야 하며 그렇지 않으면 리스본에 도착할 때까지 나를 감금하지 않을 수 없다고 말했다. 나는 할 수 없이 그들에게 따르겠다고 서약했다. 그렇지만 그와 동시에, 내가 야후들이 사는 곳으로 다시 돌아가느니 어떤 고통도 견디어낼 것이라고 고집했다.

우리는 별다른 사고 없이 항해를 했다. 은혜를 모르는 사람이 되지 않으려고 선장의 요청에 따라서 가끔씩 그의 말동무가 되었으며 그런 때는 인간에 대한 혐오감을 애써 억눌러야 했다. 그렇지만 그렇게 노력했어도 무의식적으로 반감이 나타나곤 했다. 그런데 선장은 모르는 척하면서 그냥 지나갔다. 선장 이외의 다른 선원들을 피하려고 매일매일 대부분을 선실에서 혼자서 보냈다. 선장은 야만스러워 보이는 나의 옷을 벗어버리라고 했으며 자기의 옷 중에서 가장 좋은 것으로 한 벌 빌려주겠다고 했다. 나는 야후의 몸을 덮었던 옷을 입기가 싫어서 그의 제안을 거절했다. 단지 깨끗한 셔츠만 두 장 빌려달라고 했다. 그것은 그가 입은 후에 세탁을 해놓았기 때문에 내가 그 옷 때문에 더럽혀지지 않을 것이라고 생각했던 거다. 나는 그 옷을 이틀에 한 번씩 갈아입었고 내가 직접 세탁했다.

내가 탄 배는 1715년 11월 5일에 리스본에 도착했다. 배에서 내리자 선장은 자기의 외투로 내 몸을 감쌌다. 사람들이 나에게 달려들어 해치지 않을까 염려했던 게다. 그는 나를 자기 집으로 데리고 가서 나의 간절한 요청을 받아들여 집 뒤쪽에 있는 가장 높은 방으로 안내했다. 나는 후이늠에 관해서는 어느 누구에게도 말하지 말아달라고 했고 그런 얘기를 누가 들으면 많은 사람들이 나에게 몰려들 것이고 나는 감옥에 가거나 종교 재판에 회부되어 사형당할 것이라고 말했다. 선장은 새 옷을 한 벌 만들어준다고 했지만 나는 재단사가 내 몸의 치수를 재는 것을 거절했다. 그렇지만 그 선장의 체격이 나와 비슷했기 때문에 자기의 몸에 맞도록 옷을 만들게 했고 결국 그 옷은 나에게 잘 맞았다. 그는 다른 생활용품도 새 것으로 마련해주었지만 나는 그것들을 사용하기 전에 볕에 잘 말렸다.

선장에게는 아내도 없었고 대신 하인은 세 명이 있었다. 그의 모든 행동거지는 얌전하고 인간적인 면을 갖추고 있었다. 그래서 나는 그와 같이 지내는 것에 점점 혐오감을 느끼지 않게 되었다. 그의 설득에 마지못해 뒤쪽 창문을 통해서 밖을 내다보았다. 그리고 다른 방으로도 가서 거리를 바라보았는데 공포감에 금방 고개를 돌려 버렸다. 일주일 후에는 선장의 권고에 대문까지 나가보았으며 그런 식으로 해서 공포감은 점점 사라져갔지만 인간에 대한 혐오감은 그대로 남아 있었다. 나중에는 결국 그와 함께 거리를 걸어다니게 되었다. 그렇지만 코를 약초나 담배로 막고 있어야 했다.

10일이 지나고 나서, 나의 집안에 관한 얘기를 전에 들었던 터라 선장은 내가 꼭 조국으로 돌아가서 처자식과 함께 살아야 한다고 권했다. 리스본 항구에는 그때 막 영국으로 출발하려는 배가 있다면서, 자기가 모든 필요한 조치를 해주겠다고 했다. 그가 간절하게 설득하고 나는 한사코 반대했는데, 그것에 대해서 일일이 언급하는 건 적절치 않을 거다. 그는 내가 혼자 살 수 있는 외딴 섬을 발견하기가 쉽지 않을 것이며, 대신 내가 나의 집에서 주인 노릇을 하면서 은둔 생활을 해도 되지 않느냐고 말했다.

나는 할 수 없이 그의 말에 따르기로 했다. 그래서 11월 24일에 영국 상선을 타고서 리스본을 떠났다. 페드로 선장은 배까지 올라타서 나를 전송했고 20파운드를 빌려주었다. 그는 이별하면서 나를 포옹했는데 나는 그것을 꾹 참아야 했다. 영국으로 가는 동안에 배 안에서 어느 누구와도 접촉하지 않았으며 몸이 불편하다는 핑계를 대고서는 선실 안에서 꼼짝하지 않았다. 12월 5일 오전 9시경에 우리 배는 다운즈에 도착했고 오후 3시경에는 레드리프에 있는 나의 집에 무사히 도착했다.

아내와 가족들은 깜짝 놀라면서 나를 맞아주었다. 내가 이미 죽은 줄 알았던 거다. 그런데 나의 가족들을 보고서 나는 혐오감이 밀려왔고 그것들이 나의 혈족이라는 생각을 하니 더욱 역겨워졌다. 후이늠의 나라에서 쫓겨난 후로 야후들의 꼴을 보는 걸 억지로 참아왔고, 그 선장과 같이 있기는 했지만 나의 생각이나 기억 속에는 후이늠의 미덕이나 사상만이 들어차 있었다. 그런데 내가 야후 중 한 마리와 교미를 해서 또 다른 야후를 낳은 것을 생각하니 극도의 혐오감이 밀려온 것이다.

처음에 나를 보았을 때 아내는 나를 껴안고 입을 맞추었다. 그런데 내가 오랫동안 역겨운 동물들과 접촉하지 않았기 때문에 그 자리에서 기절하여 거의 한 시간 동안 정신을 차리지 못했다. 내가 이 글을 쓰는 지금은 영국에 돌아온 지 5년이 지난 상태인데, 첫해에는 식구들과 잠자리도 같이 할 수가 없었다. 그들의 냄새조차 견딜 수 없었고 같은 방에서 식사도 할 수 없었다. 지금도 나의 가족은 나의 빵에 손을 댈 수도 없고 내가 마시는 컵으로 물을 마시지도 못한다. 그리고 나의 가족 중에서 아무도 나의 손을 만지지 못하게 한다. 내가 돈에 여유가 생겨서 제일 먼저 산 것은 거세하지 않은 젊은 수말 두 마리였다. 그것들에게 좋은 마구간을 마련해주었다. 그 말들 다음으로 내가 좋아하는 것은 그것들을 보살펴주는 마부다. 왜냐하면 그의 몸에 배어 있는 마구간 냄새가 나의 정신을 맑게 해주기 때문이다. 내가 기르는 말들은 나의 언어를 알아듣는다. 그래서 나는 하루에 네 시간 이상 그들과 대화하면서 지낸다. 그들에게 고삐나 안장을 채우는 일은 없으며 나와 아주 사이좋게 지내고 있다.

12장

저자의 진실성과 책을 내는 동기에 대해서 언급한다. 진실을 왜곡하는 여행자들에 대해서 비난한다. 이 책을 내는 데 저자가 아무런 나쁜 의도가 없음을 밝힌다. 식민지를 개척하는 방법에 관해서 언급하고 영국에 대해서 찬양한다. 저자가 발견한 나라들에 대해서 국왕의 권리가 있음을 인정하면서, 그 나라들을 정복하기는 어렵다고 설명한다. 독자들에게 작별을 고하면서, 앞으로의 자신의 삶의 계획에 대해서 언급한다.

나는 16년 7개월에 걸친 나의 유랑에 관련된 이야기를 사실에 입각하여 충실하게 써 왔다. 나는 문장의 멋이라든가 현란함에는 관심이 없이 오직 진실을 전달하는 데 중점을 두었다. 내가 다른 사람들처럼 터무니없는 이야기를 갖고서 사람들을 놀라게 할 수도 있을거다. 그렇지만 나는 있는 그대로의 사건을 단순한 방식으로 서술하기로 했다. 왜냐하면 나의 의도는 독자들에게 무엇을 알려주려는 것이지 흥미를 제공하려는 것은 아니기 때문이다.

영국인이나 기타 다른 나라 사람들이 가보지 않은 곳을 가본 나같은 사람들은 누구든지 그곳에 사는 별난 인간들이나 동물 같은것에 대해서 서술할 수 있을 거다. 그렇지만 그런 이야기에 대해서책을 내는 사람들은 이국 땅에서 좋은 것뿐 아니고 나쁜 것에 대해서도 언급함으로써 그것을 읽는 독자들이 더 현명해지고 개화되어그들이 정신을 고양하도록 하는 것을 주목적으로 삼아야 한다고 나는 생각한다.

여행자들은 자기 여행기를 책으로 내기 전에, 그가 서술하는 모든 것이 자기가 알고 있는 한은 절대적으로 진실한 것이라고 대법관 앞에서 서약해야 할 것이라고 나는 생각한다. 그렇게 하면 지금 처럼 세상 사람들이 속아 넘어가지 않을 것이며 일부 여행자들이 인기를 얻으려고 순진한 독자들을 기만하는 일이 일어나지 않을 것이다. 나는 어릴 적에 몇몇 여행기를 아주 재미있게 읽었다. 그렇지만 그 뒤로 세상을 여행해보고 나의 관찰을 통해 그들의 이야기가 거짓이었다는 사실을 알게 되면서 그러한 여행담에 대해서 혐오감을 가졌고 남의 이야기를 쉽게 믿는 인간의 약점이 이용당하는 것에 대해서도 극심한 혐오감을 갖게 되었다. 나의 그러한 혐오감을 사람들 일부는 인정할 것이라 생각하며, 나는 진실에 절대적으로 따르겠노라 다짐했다. 그리고 내가 오랫동안 가르침을 받아왔던 나의 주인 후이늠과 그 외 훌륭한 후이늠들의 교훈과 모범을 내가 간직하는 한은 내가 사악한 유혹으로 빠지는 일은 절대 없을 것이라고 다짐한다.

그리고 잔인한 운명이 시논을 불행하게 만들었지만
그것이 그를 사기꾼으로 만들지는 않을 것이로다.
〔베르길리우스의 〈이니이드〉라는 서사시에서 시논은 트로이 사람들을 속임으로써 목마를 성 안으로 들어오게 한다 — 옮긴이 주〕

좋은 기억력이나 뚜렷한 여정을 제외하고는 아무런 재능이나 학식이 없이 책을 써가지고는 명성을 얻을 수 없다는 사실을 나는 잘 안다. 그리고 여행기나 방랑기를 쓰는 사람은 마치 사전을 편찬하는 사람들처럼, 나중에 나타나서 옛것을 뒤엎어버리는 새로운 저자들의 무게에 짓눌려서 결국은 망각 속에 묻혀버린다는 사실도 안다. 그래서 내가 이 책에서 묘사한 나라들을 찾아가는 여행자들은 나의 오류(그런 것이 있다고 한다면)를 찾아내고 자기들이 발견한 새로운 사실들을 첨가함으로써 나를 밀어내고 내 자리를 차지함으로써 내가 원래의 작가였다는 사실을 세상 사람들이 잊어버리도록 만들 수 있을 거다. 내가 명성만을 얻으려고 책을 썼다면 그것은 나에게 커다란 손실이 될 것이다. 그렇지만 나의 목적은 사회의 공익에 있기 때문에 그런 것이 나에게 아무런 손해를 가져다주지 않을 것이다. 그런데 후이늠의 나라에서 그들의 미덕에 대해서 절감하는 게 쉽지는 않을 것이다. 후이늠의 나라를 제외하고는 가장 타락하지 않은 인간들은 브로브딩낙 사람들이라고 할 수 있다. 도덕이나 정치에서 그들의 훌륭한 행위를 우리가 본받을 수 있다면 그것은 아주 좋은 일이 될 것이다. 나는 그것에 대해서 더는 언급하지 않을 것이며 독자 여러분이 스스로 현명한 판단을 하기를 바랄 뿐이다.

나의 이 책에 대해서 비판을 가할 사람은 아무도 없을 것이라는 점에 대해서 나는 기쁘게 생각한다. 무역이나 기타 어떤 상업적인 거래를 할 가능성이 없는 나라에서 생긴 사건을 단순히 기술하는 것에 대해서 이의를 제기할 사람은 없을 것이다. 나는 보통의 여행 작가들이 빠지기 쉬운 오류를 범하는 것을 피하려고 애썼다. 그리고 나는 어떤 당파에도 연관이 없는 사람이고 나의 글은 그 어떤 집단이나 개인의 편견이나 감정이나 악의 같은 것이 없다. 단지 나는 인간들을 계몽하고 교육할 목적으로만 글을 쓰는 것이다. 왜냐하면 그 훌륭한 후이늠들과 오랜 세월에 걸쳐서 살아온 덕분으로 내가 다른 인간들보다는 다소나마 나은 인간이 되었다고 자부해도 크게 틀린 생각은 아닐 것이기 때문이다. 내가 글을 쓰는 것은 돈이나 명예를 위한 게 아니다. 나는 누구를 비난하는 언급은 한 번도 하지 않았고 누구를 화나게 하는 표현도 쓰지 않았다. 그러니 내가 누구한테 비난을 받아야 할 이유는 없다. 평론가들이나 비판자 같은 사람들이 아무리 애를 써도 나의 글에서 비난을 할 대목을 찾아내지는 못할 것이다.

내가 영국 왕의 신하이기 때문에 귀국하는 즉시 당국에 보고를 했어야 한다고 알려준 사람이 있었다. 왜냐하면 영국의 국민들이 발견한 땅은 모두 영국 왕의 땅이 되기 때문에 그렇다는 것이다. 그렇지만 내가 발견한 그런 나라들을 정복한다는 것은 페르디난도 코르테스가 아메리카의 벌거벗은 미개인들을 정복하는 것처럼 쉬운 일이 될지 의심스럽다. 나의 생각으로는 영국인들이 릴리푸트 사람들을 정복하려고 해군 함정이나 군대를 파견한다는 건 어리석은 짓일 것이고 브로브딩낙 사람들을 정복한다는 것은 위험한 일이며 가능하지도 않을 것이다. 그리고 영국 군대는 머리 위를 날아다니는 섬을 정복하는 것이 여의치 않을 거다. 후이늠들은 전쟁이란 것을 모르기 때문에 그것에 대해서 준비가 되지 않은 상태며 총과 같은 것에 대해서도 전혀 모른다. 그렇지만 내가 영국 왕이라면 그들을 정복하려는 시도를 하지 않을 것이다. 그들의 단결력이나 두려움을 모르는 대담함, 애국심은 전쟁에서 영국 군대가 갖는 기술상의 우위를 보충하고도 남을 것이다. 2만의 후이늠이 유럽 군대의 한가운데로 돌진하여 그들의 대열을 붕괴시키고 병사들이 탄 마차를 엎어버리며 무시무시한 발로 병사들을 짓밟아버리는 것을 상상해보자. 그러니 그 고상한 종족을 정복하는 것보다는 그들이 유럽인들을 계몽하도록 그들을 초청하는 것이 더 나을 것이라고 나는 생각한다.

그래서 그들의 정의감, 진실성, 절제심, 공익정신, 인내심, 순결성, 우애심, 자비심, 충성심 등을 우리 인간들에게 가르치기를 바란다. 그러한 미덕에 관해서는 대부분 우리 인간들이 현재 알며 옛적의 책뿐 아니라 현재의 책에서도 읽어볼 수 있다. 내가 많은 책을 읽은 것은 아니지만 나는 그렇게 알고 있다.

나의 발견으로 인해서 영국 왕의 영토가 확장되는 것을 내가 바라지 않는 또 하나의 이유가 있다. 그런 경우 군주가 정의를 실천할 수 있을 것인지 나는 의구심이 간다. 어떤 해적의 무리가 폭풍을 만나서 표류하다가 육지를 발견하고 그 해적들이 노략질을 하려고 상륙한다고 치자. 거기서 선량한 원주민을 만나서 잘 대접을 받고 그 나라에 이름을 지어놓고서는 원래의 그 나라 왕을 대신하여 그 나라를 지배하게 될 것이다. 그러다가 원주민 몇십 명을 살해하고 원주민 몇십 명은 강제로 끌고서 귀국하여, 그전에 자기네들이 저질렀던 죄를 사면받을 것이다. 그렇게 해서 새로운 통치가 시작되는 것이다. 다음에 어떤 일이 생겨서 군대가 파견되고 원주민들은 쫓겨나며 학살당하고 그들 원주민의 지도자들은 금 같은 보물이 있는 곳을 대라고 고문당할 것이다. 거기에서는 아무리 잔인한 행위도 묵인될 것이며 그 땅은 원주민들이 흘리는 피로 범벅이 될 것이다. 그러한 잔악한 행위를 저지르는 일당이, 우상 숭배를 하는 야만스러운 원주민을 개종시키거나 문명으로 이끈다는 현대의 이주민들인 것이다.

그러한 얘기가 영국인을 지칭하는 건 아니라는 사실을 밝혀둔다. 사실 영국인들은 식민지 개척에서 공정하고 지혜롭다는 점에서 세계인들의 모범이 되어 있다. 그들은 식민지에서의 종교나 학문의 함양을 위해서 많은 투자를 하고 기독교를 전파하려고 훌륭한 목사를 파견하며, 모국인 영국에서 모범적인 사람들만을 골라서 식민지로 보내어 정착하게 하고 정의를 실현하는 데 노력하며, 부패하지 않고 유능한 행정가들이 식민지를 통솔하게 한다. 그중에서도 가장 모범적인 점은, 통치하는 원주민들의 더 나은 삶이나 영국 왕의 명예만을 위해 애쓰는 덕망 높은 총독을 식민지에 파견한다는 사실이다.

그런데 내가 이 책에서 언급한 나라들은 다른 나라 사람들에 의해서 정복당하거나 학살당하거나 노예화되거나 쫓겨나기를 원하지 않는 것으로 보이고 또한 금이나 은이나 사탕수수나 담배 같은 게 풍부하지도 않기 때문에 그런 나라들을 식민지화하는 게 아무런 이익이 되지 않는다고 나의 좁은 식견으로 생각한다. 그리고 그런 것에 이해관계를 갖고 있는 사람들이 나타나서 내가 소환을 받는 경우 나는 언제든지 출두해서, 어떤 유럽인들도 나보다 먼저 그 나라를 찾아간 일이 없었다고 증언할 것이다. 내가 그곳의 주민들의 말을 믿을 수 있다면 말이다.

그렇지만 우리나라 왕의 이름으로 그 나라들의 소유권을 접수하는 것에 대해서는 나는 한 번도 생각해본 일이 없었다. 설사 그렇게 생각했다 하더라도 당시의 나의 상황으로 보아서는 신중을 기해야 했으므로 더 좋은 기회가 올 때까지 기다려야 했다.

나의 책으로 인해서 제기될 가능성이 있는 문제에 대해서 이처럼 답변해놓았으니, 이제 나는 독자들에게 작별 인사를 고하면서, 레드리프에 있는 나의 집에서 명상과 사색의 생활을 누리려고 한다. 그리고 후이늠들과 지내면서 배운 그 덕성을 실천하면서, 비록 나의 가족들이 야후이기는 하지만 좋은 성질도 조금은 있기 때문에 최대한 그들을 교화해보려고 노력할 것이다. 그리고 나의 모습을 가능한 한 자주 거울에 비추어보면서, 인간이란 동물의 모습을 보는 데 익숙해지도록 노력할 것이다. 이 나라에 사는 후이늠들이 단순한 동물이라는 사실이 한탄스럽기는 하지만 그들을 늘 공경하는 마음으로 대할 것이다. 나의 훌륭한 옛 주인이나 그 가족, 친구, 그리고 후이늠 종족 전체를 생각하면 영국에 현재 살아가는 후이늠들을 천대하거나 무시할 수 없다. 그들의 지능이 아무리 퇴보했다고 하더라도 신체의 모든 부분이 그 후이늠 나라의 종족들과 너무나도 닮았기 때문이다.

지난주부터 나는 아내에게 나와 함께 식사를 하도록 했지만 긴 식탁의 끝에 앉아서 내가 묻는 말이 있으면 최대한 간단하게 대답하도록 하고 있다. 그리고 야후의 냄새가 아직도 고약하게 나기 때문에 라벤더나 약초나 담배로 늘 코를 막고 있다. 그리고 내가 이제 나이가 든 사람으로서 오래된 습관을 버리기가 힘들기는 하지만, 내가 아직도 두려워하는 야후들의 이빨이나 발톱에 대한 두려움을 잊어버리고서 언젠가는 이웃 야후들과도 다정하게 지내게 될 희망을 전혀 포기한 것은 아니다.

야후 종족들의 악랄하거나 어리석은 행동이 천성으로 인해서 어쩔 수 없는 것에만 그친다면 내가 그들과 우호적으로 지내는 것에 크게 어려움은 없을 것으로 생각한다. 변호사, 소매치기, 귀족, 도박꾼, 정치가, 창녀, 의사, 위증자, 변호사 등의 인간들을 볼 때 나는 혐오감을 느끼지는 않는다. 그것들은 자연적인 원리에 따라서 행동하기 때문이다. 그렇지만 정신이나 신체가 모두 타락한 자들이 교만에 빠져 있는 걸 보면 나는 참지를 못한다. 그런 동물들이 어떻

게 해서 그런 악을 저지르는지 이해할 수 없는 거다. 이성적인 동물
에게 필요한 모든 미덕을 갖고 있는 현명하고 덕망스러운 후이늠에
게는 그곳에 사는 혐오스러운 야후들의 성질을 언급하는 경우를 제
외하고는 '악'이라는 개념이 존재하지 않는다. 그리고 그들에게는
'교만'이라는 단어도 없다. 그들은 야후라는 동물들이 지배하는 세
상에서 살아본 경험이 없기 때문이다. 나는 단지 그들보다 세상 이
곳저곳으로 많이 다녀보았기 때문에 야생 속에서 사는 야후들의 교
만함에 대해서 무수히 보아왔다.

이성에 따라서 행동하는 후이늠들은 그들이 소유한 훌륭한 덕성에 대해서 자랑하지 않는다. 마치 내가 팔다리를 가졌다고 해서 자랑하지 않는 것과 같은 이치다. 팔다리가 없다면 아주 불행한 일이 되겠지만 우리는 그것이 있다고 해서 자랑하지 않는다. 내가 이 주제에 관해서 이처럼 장황하게 늘어놓는 이유는, 하나의 야후에 불과한 나 자신이 살아가는 이 사회를 조금이라도 더 살 만한 것으로 만들려는 소망 때문이다. 그리고 악의 기미가 있는 사람은 나의 앞에 나타나지 않았으면 하고 간절히 바란다.

〈끝〉

출판업자가 독자들에게 전하는 글

〔이 글과 다음에 나오는 글은 이 책의 초판 발행시에 출판업자가 독자에게 알리는 글
과, 저자인 걸리버가 자기가 원래 쓴 원고를 출판업자가 마음대로 뜯어고친 것에 대
해서 항의한 글로서 참고 삼아서 여기에 싣는다. 그 출판업자는, 예를 들어 앤 여왕
을 칭찬하는 말을 집어넣는 등 원래의 원고에 없는 내용을 첨가하거나 원래 있던 내
용을 삭제했다―옮긴이 주〕

이 여행기의 저자인 라뮤엘 걸리버는 나의 오랜 친구이며 외가
쪽으로 먼 사촌이 되기도 한다. 약 3년 전에 걸리버는 사람들이 레
드리프에 있는 자기 집으로 찾아오는 것에 싫증이 나서 자기 고향
인 노팅햄셔의 뉴아크에 집을 하나 마련했으며 거기에서 이웃 사람
들의 존경을 받으면서 은퇴 생활을 하고 있다.

걸리버는 자기 아버지가 거주했던 노팅햄셔에서 태어나기는 했
지만 그의 집안이 원래 옥스퍼드셔 출신이라는 말을 그에게서 들은
적이 있다. 내가 그 사실을 확인하려고 그 지역에 있는 교회 공동묘
지를 둘러보았더니 걸리버라는 이름이 무덤이나 묘비에 여러 개 나
와 있는 사실을 볼 수 있었다.

걸리버가 레드리프를 떠나기 전에 그는 이 책《걸리버 여행기》의
원고를 나에게 맡기면서 내가 상황에 따라서 적당히 교정할 수도
있을 것이라고 말했다. 나는 원고를 세 번이나 주의 깊게 읽어보았
다. 그의 문체는 매우 평이하고 간결하다. 다만 결함이 있다면 다른
대부분의 여행기와 마찬가지로 불필요하게 너무 상세히 묘사한 부
분이 많다는 점이었다. 그런데 전체를 통해서 진실을 말한다는 점

은 분명해 보였다. 그리고 저자는 진실성에서 나무랄 데가 없는 사람이었기 때문에, 레드리프에 사는 사람들은 어떤 것이 진실이라는 걸 말해야 할 때는, "그건 걸리버가 한 말처럼 진실한 거야"라는 표현을 즐겨 쓸 정도였다.

나는 저자의 허락을 받아서 원고를 몇몇 사람들에게 보여주었는데 그 사람들의 권유도 있고 해서 이제 이 책을 세상에 내놓게 되었다. 그러면서 이 책이 정치나 정당에 관한 것 같은 진부한 책보다는 더 나은 오락거리가 될 수 있으면 하고 바란다.

이 책은 항해에서 바람, 조류, 위도, 경도, 배의 위치, 폭풍 속에서 배의 이동, 선원들의 생활상 등에서 불필요하게 세밀한 사항을 삭제하지 않았더라면 부피가 적어도 두 배는 되었을 것이다. 그러한 삭제를 했다고 해서 걸리버가 화를 내지 않을까 나는 약간 걱정하고 있다. 그렇지만 나는 일반 독자들이 책을 쉽게 읽어나갈 수 있는 방향으로 최선을 다했다. 그런데 내가 바다의 사정을 잘 몰라서 한 실수가 있다면 그것은 전적으로 나의 책임이라고 할 수 있다. 그리고 호기심에서 원본을 보여달라는 사람이 있다면 나는 기꺼이 거기에 응할 것이다.

저자에 대한 더 자세한 사항에 대해서는 이 책의 앞부분에서 알 수 있을 것이다.

리처드 심프슨

걸리버가 출판업자 리처드 심프슨에게 보낸 편지

내가 이 책을 쓰게 된 이유는 자네가 나에게 여러 번 재촉을 했기 때문이라는 사실을 자네는 세상에 널리 알려야 하네. 일류대학 출신을 고용하여 나의 원고를 정리하고 글을 수정하게 한 것도 자네의 책임이라는 사실도 밝혀야 하네. 그렇지만 나는 자네에게 나의 글을 마음대로 생략하거나 뜯어고치라고 허락을 내준 적이 없네. 그러니 새로 첨가된 글에 대해서는 나는 아무런 책임이 없다는 사실을 밝히는 바네. 비록 내가 다른 어떤 인간보다도 앤 여왕님을 더 존경하기는 하지만, 그 여왕님에 관한 글이 특히 그러하네. 나의 주인이었던 후이늠이 존재하는 한 나는 우리와 같은 유형의 어떤 인간도 칭찬할 의향이 없네. 그리고 자네가 쓴 것은 사실과 전혀 다르네. 그 여왕님이 통치하던 시기에는 두 사람의 고관을 통해서 통치했네. 한 사람은 고돌핀 경이고 다른 한 사람은 옥스포드 경이었네. 그러니 자네는 나로 하여금 거짓말을 한 것으로 만들어놓았네. 그리고 '마법의 나라'에서의 연구자들의 이야기, 후이늠 주인과 나의 대화에서 자네는 아주 중요한 사실을 생략하거나 왜곡해버려서 내가 쓴 글이라고 도저히 사람들이 믿을 수 없을 정도로 만들어놓왔네. 자네는 내가 쓴 원래의 글이 정부 당국자를 화나게 할 수도 있을 것이고 어느 누군가가 출판물에 관해서 날카롭게 감시하고 있고 누구의 명예를 훼손시키는 출판물은 처벌을 받을 수도 있다는 말을 했네. 그렇지만 2만 킬로미터나 떨어져 있는 먼 곳에서, 그리고 다른 통치자의 밑에 있으면서 내가 한 말이나 행동이 지금 현재의 야후들과 무슨 연관이 있는지 나는 알 수가 없네. 그 당시에는 나는 내가 다시 야후들의 통치를 받는다는 생각은 하지 않았네. 그런데 내가 돌아와서 후이늠은 짐승이고 야후들은 이성적인 존재인 양 행동하고 야후들이 탄 수레를 후이늠들이 끌고 다니는 것을 볼 때 분노가 치밀지 않을 수 없었네. 그래서 그런 역겨운 모습을 보기가 싫어서 내가 지금 이곳에 눌러앉게 된 것이네.

나는 나 자신이 아주 신중하지 못했다는 사실을 한탄하네. 자네나 기타 여러 사람의 설득에 못 이겨서 나의 본래의 생각과는 다르게 이 책을 출판하게 만든 건 잘못이네. 자네는 책을 출판하면 사회에 이바지하게 된다는 말을 했는데 나는 야후들을 어떤 것으로든 교화할 수 없다는 사실을 자네에게 여러 차례 말했네. 과연 내 말대로 되지 않았는가. 이 조그만 영국이라는 나라에서도 부정부패나 악습이 전혀 교정이 되지 않고 있네. 내 책이 반년 이상이나 사람들을 교정하려고 해보았지만 아무런 성공도 거두지 못했네. 당파 싸움이 끝이 났는가? 판사들은 정직해졌는가? 변호사들은 정직해지고 겸손해지고 상식을 갖추었는가? 귀족들의 교육 형태가 바뀌었는가? 암컷 야후들은 덕성이나 명예나 진실로 차 있는가? 유능하고 현명하고 학식 있는 사람들이 대우받는가? 저질 작가들이 출판계를 더럽히는 게 근절되었는가?

그런 개혁이나 기타 다른 많은 개혁이 있을 거라고 자네가 말하기에 나는 약간이나마 기대를 했네. 그런 개혁이 내가 쓴 글에 나타나 있는 요지였지 않았는가. 7개월 정도면 야후들을 어느 정도 교화할 수 있는 충분한 시간이라고 생각하네. 야후의 본성이 덕성이나 지혜를 받아들이게 되어 있다면 말일세. 그렇지만 나의 기대는 사라져버렸고 자네는 내가 쓰지도 않은 것들을 이것저것 집어넣기만 했네. 그래서 어떤 사람들은 내가 책의 저자가 아니라고 하기도 하고 어떤 사람들은 나 자신이 전혀 알지도 못하는 내용의 책을 내가 썼다고 말하네.

그리고 인쇄소 사람들이 내가 항해했던 날짜라든지 귀국했던 날짜를 제대로 표시하지 못했네. 책이 출판된 후에 나의 원고는 파기되었다는 사실을 알게 되었네. 그런데 나한테는 그 원고의 사본이 전혀 없네. 이제 내가 수정 자료를 보내놓았으니 재판할 때는 반드시 그것을 근거로 해야 하네. 나로서는 그러한 수정이 반드시 이루어질 것인지 보장할 수 없지만 자네를 한번 믿어보도록 하겠네.

바다에 나가서 사는 어떤 야후들이 항해에 관련한 나의 용어가 맞지 않는 것이 많고 지금은 더는 쓰이지 않는 용어가 있다고 말하는 것을 들었네. 그렇지만 그것은 나로서는 어쩔 수 없는 일이었네. 내가 항해할 때는 나이 많은 선원들하고 어울렸기 때문에 그들이 쓰는 말을 나도 쓰지 않을 수가 없었네. 바다에서 사는 야후들은 육지에서 사는 야후들과 마찬가지로 새로운 유행어를 끊임없이 사용한다는 사실을 나중에 알게 되었네. 육지에서 사는 야후들은 말이 끊임없이 변하기 때문에 내가 장기간 낯선 곳에 있다가 돌아올 때에는 말이 달라져서 잘 알아들을 수가 없었네. 런던에 있는 야후들이 나의 집으로 올 때면 내가 그들과 제대로 대화를 할 수 없을 정도였네.

인간들은 나의 이야기를 내가 꾸며낸 것으로 생각하고 후이늠이나 야후 이야기는 존재하지 않다고 생각하는데 그것은 정말 유감스러운 일이네. 후이늠 나라의 야후들과 영국의 야후들이 다른 점은 영국의 야후들이 옷을 걸치고 다니고 재잘거리는 언어를 쓴다는 것뿐이네. 내가 원고를 쓴 것은 이 나라 야후들의 칭찬을 받으려는 게 아니라 그들을 올바른 길로 인도해주려는 것이네. 이 나라의 온 야후들이 나를 칭찬해준다고 하더라도 나의 마구간에 사는 퇴화한 두 마리 후이늠의 울음소리보다도 못하게 들리네. 그 말들은 퇴화하기는 했지만 그들에게서 아무런 악이라고는 없는 덕성을 배우기 때문이네.

내가 거짓을 말할 정도로 비열한 사람이라고 이 나라의 야후들이 생각한다면 그건 큰 오해네. 나 자신도 비록 야후이기는 하지만 2년여 동안 힘들게 나의 후이늠 주인에게서 배운 교훈으로 인해서, 모든 인간들이 갖고 있는 저 비열한 거짓이나 속임수를 제거할 수 있게 되었네.

내가 지금 화를 내는 동안에도 또 다른 불평거리가 많기는 하지만 나나 자네를 괴롭히는 일은 더는 하지 않기로 했네. 내가 마지막 여행에서 돌아온 후로 어쩔 수 없이 몇몇 야후들, 특히 나의 가족들을 상대하게 되면서 나의 야후의 본래 결함이 다시 부활하게 된 것을 고백하지 않을 수가 없네. 그렇지 않았더라면 이 나라에서 야후들을 개화시키겠다는 어리석은 일은 시도하지 않았을 것이네. 그런데 내가 그런 희망 없는 일을 저지르게 되었네.

1727년 4월 2일

393

작품 해설

조너선 스위프트는 1667년 11월 30일, 아일랜드의 수도 더블린에서 태어났다.

"내가 이곳에서 태어난 건 순전히 우연의 일치였다. 나의 어머니는 어떤 이유로 인해서 영국으로 돌아가지 못하고 아일랜드에 남았다. 그래서 나는 아일랜드 사람이라고 할 수 있다. 그런데 내가 인생의 황금기를 보낸 곳은 영국이었다"라고 스위프트는 회고한다. 스위프트가 태어나기 6개월 전에 그의 아버지가 사망했다. 아버지의 사망으로 인해서 스위프트는 커다란 자산을 잃어버린 셈이었다.

스위프트가 가장 존경했던 그의 할아버지 토머스 스위프트는 영국 국교도의 성직자로, 청교도 혁명 당시 왕당파로서 찰스 1세를 지지하여 박해를 받았다. 또한 스위프트의 아버지는 왕정복고 후 아일랜드로 이주하여 법률 계통의 일을 했으며 1664년 애비게일 에릭과 결혼한다. 그녀는 아일랜드 출신이지만 잉글랜드 레스터셔의 사제 딸이었다.

조너선 스위프트는 아버지 없이 백부의 손에 자라 항상 안정감을 느끼지 못했으며 학업에도 열중하지 않아 트리니티 칼리지에서도 '특별한 배려'로 학위를 받을 수 있었다. 명예혁명(1688~89) 이후

더블린에 무질서가 횡행하자 당국은 학생들에게 피신을 권했고, 그는 잉글랜드로 건너가 어머니 쪽 먼 친척인 정치계 거물 템플 경 밑에서 비서로 일하며 생활했다. 템플 경의 풍부한 장서를 마음껏 섭렵하며 지적인 성숙을 이룬 스위프트는 정치에 뜻을 두기도 했다. 한때 아일랜드로 돌아가 영국 국교회의 사제가 되었으며 시와 문장을 쓰기 시작했다. 이 시절 겪은 사회의 혼란과 명예혁명 이후 지속된 영국과 프랑스의 전쟁은 그에게 많은 영향을 미쳤다.

《걸리버 여행기》에서 걸리버는 유럽의 두 강대국인 영국과 프랑스 사이의 전쟁에 대해서 언급하면서 100만여 군인들의 죽음이나 부상당한 채 죽어가는 군인들의 신음소리, 처참한 상처에 대해 묘사하는데, 여기서 전쟁에 대한 스위프트의 혐오감이 드러난다.

전쟁이 경제에 미친 엄청난 영향력이 그의 혐오감에 부채질을 한 측면도 있다. 그는 1711년에 이렇게 썼다.

"이 시대의 사람들은 전쟁과 세금을 제외하고는 기억하는 것이 별로 없다. 영국과 프랑스인들은 유럽에서 가장 잔인한 사람들이다."

윌리엄 왕은 전쟁 비용을 마련하려고 새로이 설립한 '영국은행'을 통해서 나라의 부채를 늘린다. 《걸리버 여행기》의 거인국에서 브로브딩낙의 왕은 어떻게 해서 한 국가가 그처럼 장기간 전쟁을 이어나갈 수 있는지 묻고 상비군에 대해서도 질문한다. 또한 소인국에서 릴리푸트의 황제가 적국인 블레푸스쿠와 싸우는 데 이용하려고 거인인 걸리버를 먹여 살릴 방안을 언급할 때도 그와 유사한 얘기를 유머러스하게 말한다. 그 비밀스러운 무기인 거인을 먹여 살리는 비용이 막대하기 때문에 릴리푸트의 재무대신은 걸리버를 제거해버리기를 바란다. 그렇지만 황제는 블레푸스쿠를 점령하여 속국으로 만들고 총독을 보내어 통치하는 데 그 거인을 이용하고 싶어 한다.

영국이 아일랜드를 비롯한 식민지를 통치하는 방식의 폐해를 아는 걸리버는 릴리푸트 황제의 요구에 반대한다. "저는 자유롭고 용감한 사람들이 노예가 되는 것을 바라지 않습니다"라고 걸리버는 저항한다. 스위프트는 이전에 더블린에서 펴낸 글에서도 영국의 식민 통치를 비난하는 유사한 주장을 한다. 이는 사람들이 자칫하면 망각하기 쉬운 것을 기억하게 해준다. 즉 작가로서의 스위프트는 영국인이 아니라 아일랜드인이라는 점이다. 스위프트는 아일랜드에서 자라면서 그의 조국이 영국과 애매모호한 관계에 있을 뿐 아니라 종교와 정치에서 깊이 분열되어 있다는 사실을 알게 된다. 아일랜드에서는 내부적으로 세 종교 분파가 다투었다. 전체 인구 3백만 중에서 가톨릭교도가 가장 강한 세력을 누렸다. 나머지는 북부에서 영향력을 발휘하던 장로교도와 더블린 인구의 3분의 2 정도인 영국 국교도였다. 영국 국교의 목사였던 스위프트는 '소수파 안의 소수파'였던 영국 국교를 옹호하는 데 평생을 바쳤다.

스위프트는 영국이 아일랜드를 경멸적으로 통치하는 데 대해서도 저항했다. 그는 아일랜드가 불타버리거나 바닷속으로 사라져버린다면 영국인들이 춤을 출 것이고 아일랜드를 억압하여 영국인들이 조금이라도 즐거움을 얻을 수 있다면 주저하지 않을 것이라고 비꼬았다. 실제로 스위프트의 시대에 아일랜드의 정치 상황은 처참했다. 표면적으로는 영국이 한 왕국을 이루었지만 아일랜드는 사실상 영국의 식민지였다. 정부의 주요 부처는 영국에서 임명된 관리들이 통치했다. 아일랜드가 독자적인 의회를 꾸리기는 했지만 권한은 별로 없었고 영국에서 만들어진 조치에 대해서 도장 찍어주는 역할만 할 뿐이었다. 영국 왕의 동의가 없이는 아일랜드의 의회는 개원할 수가 없었고 영국에서 내린 명령에 따라서 열렸다. 중요한 안건에 대해서는 영국으로 보내어 동의를 얻어야 했으며 영국에서는 그러한 안건을 삭제하거나 추가하거나 거부할 수 있었다.

가장 심각한 것은 식민지의 경제 정책으로 인해서 아일랜드의 경제 상황이 악화되었다는 점이었다. 아일랜드의 무역은 영국 경제의 부흥을 위해서 심각하게 제한받았는데, 아일랜드는 양모 제품을 영국이 지정하는 영국의 항구가 아닌 다른 어떤 곳으로도 수출할 수가 없었다. 그 덕에 영국은 모직 제품에 대한 거의 독점적인 지위를 누렸다. 아일랜드가 일어설 수 있는 기회는 이 때문에 구조적으로 불가능했다. 상황이 극도로 악화되었기 때문에 스위프트는 《겸손한 제안(A Modest Proposal)》이라는 글에서 아일랜드 사람들이 할 수 있는 유일한 일이란 아기를 길러서 도살업자에게 파는 것뿐이라고 냉소적으로 주장했다.

아기를 1년 동안만 잘 키우면 가장 맛있고 영양가 있고 완전한 음식이 된다. 그 아기를 구워먹을 수도 있고 삶아먹을 수도 있다. 그것이 송아지 고기나 닭고기보다 더 맛있을 것이다.

이처럼 영국을 공격하는 악의적인 글을 써낸 스위프트는 아일랜드인의 영웅이 되었다. 그는 식민지 국민의 동의가 없는 모든 통치는 노예 통치라고 주장했다. 그것을 영국에서는 달갑게 생각하지 않았다. 스위프트가 영국 제품 불매 운동에 앞장서자 그의 글은 불법적인 것으로 선언되었다. 그의 글을 펴낸 출판업자는 구속되었으며 스위프트를 공개적인 글로 비난하는 사람에게는 300파운드의 상금을 지불한다는 발표가 있었다. 그렇지만 아무도 그렇게 하지 않았다. 더블린의 대배심이 스위프트와 출판업자에 대한 재판을 거부하자 그 배심원들이 해체되었고 새로운 배심원이 구성되었다.

릴리푸트에서 걸리버가 블레푸스쿠를 점령하여 속국으로 만들어 식민 통치를 하는 것을 거절하는 부분을 읽을 때 독자들은 이런 내막이 있다는 점을 알아두어야 한다. 《걸리버 여행기》를 쓸 당시에 스위프트는 아일랜드를 위해서 가장 강력한 투쟁을 전개하고 있었다. 그는 아일랜드에서 출생했을 뿐 아니라 인생의 대부분을 아일랜드의 국가적인 일에 관여하는 데 보냈다. 그러한 것들이 스위프트의 역사관과 세계관을 이루며 또한 그의 필법을 구성한다. 그의 필법은 영국적인 것이 아닌 기괴하고 냉소적인 것이었다. 스위프트가 아일랜드에서 보낸 시간은 그의 냉소적인 필체를 이해하는 데 도움이 된다.

6세 때에 스위프트는 백부의 도움으로 더블린에서 서남쪽으로 70킬로미터 떨어진 우수한 학교에 다니게 된다. 그렇지만 거기서 지낸 9년은 몇몇 즐거운 때를 제외하고는 고단한 것이었다. 하루 10시간을 갇혀 지내고 매의 공포에서 헤어나지 못하는 상황을 그는 나중에 서술한다. 1682년에 그는 더블린의 트리니티 칼리지에 입학한다. 당시의 나이는 15세였다. 그 대학에서의 교과 과정은 아주 보수적인 것이었는데 스위프트는 언어(그리스어와 라틴어 포함)와 문학 분야를 제외하고는 다른 과목에서는 특별한 소질을 보이지는 못했다.

트리니티 칼리지에서 학생으로 있을 때 그는 스승인 조지 애쉬라는 사람과 인연을 맺었는데, 이 사람은 새로운 학문을 연구하려고 설립한 '더블린 학술회'에서 주도적 역할을 하는 회원이 되었다. 이 학회가 설립될 무렵에 '런던 왕립회'의 일원이었던 아이작 뉴턴이 만유인력의 법칙을 발표한다. '더블린 학술회'에서는 인간의 생활을 향상시키려고 여러 가지 실험을 했는데, 석탄 가루와 흙을 결합하거나 계란과 오줌을 함께 냉동시키는 것, 또는 아편이나 물 같은 물질을 개에게 주입하고 그 효과를 관찰하는 등의 실험이 포함되었다. 이 마지막 실험이 《걸리버 여행기》의 3부에서 묘사된다. 《걸리버 여행기》에서는 연구 프로젝트에 대해서 냉소적으로 표현하는데, 실제로 그런 실험들이 이루어졌던 것이다. 그러한 경멸적인 태도로 인해서 스위프트는 때때로 새로운 학문에 대해서 반감을 갖는 것으로 간주되기도 했지만 이는 단순한 억측에 불과했다. 왜냐하면 스위프트는 새로운 학문에 대해 읽는 것을 좋아했기 때문이다. 그런데 스위프트는 인간의 생활을 향상시키는 데 학문이 큰 역할을 하리라고 기대하지는 않은 것으로 보인다. 《걸리버 여행기》의 3부에서는 진보라는 개념이나 새로운 기술의 추구에 대해서 의구심을 갖는 것으로 나타난다.

스위프트는 1682년에서 1689년까지를 트리니티 칼리지에서 보내고 명예혁명의 소용돌이 속에서 아일랜드를 떠나서 영국으로 향한다. 스위프트가 잉글랜드에서 비서로 일했던 템플 경은 외교관으로서 특이한 자질을 보였는데, 영국과 네덜란드, 스웨덴 사이의 동맹을 이끌어내는 데 기여를 하기도 했다. 그는 네덜란드의 헤이그에 있을 때 오렌지의 윌리엄 왕자와 만났는데, 이 왕자가 나중에 영국 왕이 된다. 윌리엄 템플은 은퇴한 후에도 왕에 대한 조언자로 남아 있었다. 1690년에 윌리엄 템플은 의회가 정기적으로 개원되도록 윌리엄 왕에게 조언을 했지만 거절당하자 스위프트를 왕에게 보내어 자기의 생각을 관철하려고 한다. 윌리엄 왕은 스위프트의 말을 들어본 뒤에 바로 그것을 거절해버린다. 이 사건에서 스위프트는 궁정에 있는 사람과 처음으로 맞닥뜨린 것인데, 그의 말을 국왕이 듣지 않자 좌절한다. 릴리푸트에서 걸리버가 궁정과 대신들에 대해서 호감을 갖지 못하는 데는 이런 내막이 있다.

몇 번의 병고를 경험한 후에 스위프트는 1690년에 최초의 시작을 내놓았다. 그후에도 몇몇 시를 발표하고 옥스퍼드대학에서 석사학위를 받는다. 그후 그는 아일랜드로 돌아가서 1695년에 영국 국교의 사제가 된다. 그런데 스위프트의 진정한 종교적인 성향에 관해서는 알 길이 별로 없다. 1701년에 그는 최초의 정치적인 색채가 담긴 글을 발표하는데, 정치적인 분쟁에 대해서나, 왕과 국민들 사이에 권력이 균형을 이루는 것에 대해서 다룬다. 그러한 생각은 《걸리버 여행기》에서도 언급된다. 1702년에 그는 트리니티 칼리지에서 박사학위를 받는다. 그후 몇 년 동안 아일랜드의 영국국교에 대한 지원을 끌어내려고 런던을 왕래하는 사이에 런던의 저명한 작가들과 알게 되고 1704년 《지어낸 이야기(A Tale of A Tub)》라는 작품을 발표하여 스위프트 역시 명성을 얻는다.

1713년에 스위프트는 세인트 페트릭 교회의 수석사제로서 더블린에서 중요한 역할을 맡게 되며 그 직책을 1745년에 그가 사망할 때까지 유지한다. 1714년에는 런던으로 건너가서 당쟁을 조정하려고 노력하지만 그것이 실효성이 없자 다시 더블린으로 돌아간다. 그 해에 앤 여왕이 사망하고 독일에서 온 새로운 왕인 조지 1세가 즉위하게 되어 스위프트가 지지했던 정부는 몰락한다. 그로부터 몇 년 후에 스위프트는 말을 타고서 아일랜드의 여러 곳으로 유람을 떠나는데 이때의 경험이 《걸리버 여행기》를 쓰는 데 영향을 미친 것으로 보인다. 또한 이 무렵에 그는 아일랜드의 정치에도 관여하게 된다. 1720년대에는 영국의 식민 정책을 비난하는 글을 발표하며, 그의 일생일대의 대작인 《걸리버 여행기》를 집필한다.

스위프트는 한 친구에게 보낸 서신에서 이렇게 말했다.

"나는 이제 내 여행의 역사를 쓰려고 하네. 이건 상당한 분량이 될 것이고 지금까지 사람들에게 알려져 있지 않은 나라들에 관한 것이네."

그로부터 3년 후인 1724년에 스위프트는 다시 이렇게 편지를 썼다.

"나는 이제 말의 나라 이야기를 끝내고 날아다니는 섬 이야기를 쓰고 있네. 오래 걸리지는 않을 것이네. 그것이 끝나면 내 이야기도 끝날 것이네."

그가 친구들에게 밝힌 대로라면 《걸리버 여행기》를 쓴 시기는 1721년에서 1725년 사이로 보이는데, 이 시기는 스위프트가 여러 모로 활발한 활동을 한 때였다. 라퓨타의 이야기는 말의 나라 이야기를 쓴 다음에 쓴 것으로 보인다. 1726년 4월에 그는 완성된 원고를 갖고서 런던으로 건너갔으며 거기에서 몇 개월을 보낸 다음에 더블린으로 돌아간다. 1726년 10월에 런던의 출판업자가 《걸리버 여행기》의 초판을 펴낸다. 이 책은 대단한 반응을 불러일으켰다. 1

주일 만에 초판이 매진되었으며 사람들이 만나는 곳에서는 그 책에 대한 얘기가 화젯거리가 되었다. 사람들은 모두 자기의 관점에서 설명을 늘어놓았다. 모든 사람이 그 책을 아주 좋아했다. 계급이 낮은 사람들부터 높은 사람까지, 각료들부터 간호사에 이르기까지 모든 부류의 사람들이 그 책을 읽었다. 정치가들은 그 책이 특별한 정치적인 성향은 보이지 않지만 인간에 대해서 너무 심하게 냉소하지 않느냐 하는 점에 의견이 일치했다. 그 외 몇 가지 문제점도 지적되었다. 3부의 나는 섬 이야기는 가장 재미없는 것으로 간주되었으며 스위프트가 여성들에게 악의를 품고 있는 게 아니냐는 지적도 나왔다. 소설 속의 주인공과 실제 인물인 스위프트 사이에는 어떤 연관이 있는가 하는 의문도 제기되었다. 스위프트의 평소 사상이 그대로 소설에 반영된 것인가, 아니면 단순한 소설에 불과한가,《걸리버 여행기》가 즐거운 이야기인가 아니면 비극적인 이야기인가? 이런 것에 대해서는 아직까지도 결론이 나지 않았다.

《걸리버 여행기》가 출판되었을 때 스위프트의 나이는 59세였다. 그 후에도 그는 10년 동안 저작 활동을 했으며 많은 시를 발표했다. 1730년대 후반에는 난청과 어지러움이 심해졌으며 건강이 점차적으로 나빠졌다. 그런데도 아일랜드의 의회에서 일어나는 어리석은 일들에 대한 풍자적인 글을 써냈으며 1737년의 70번째 생일 때 온 더블린 사람들이 축복해주었다. 그렇지만 그 생일이 지나고 얼마 후에 그의 건강은 갑자기 악화되었으며 1742년에 75세가 되었을 때 그의 친구들은 그가 더는 제정신이 아니라고 선언했다. 그는 1745년 10월 19일에 사망했으며 세인트 페트릭 성당에 묻혔다. 그리고 자기의 유산을 정신병자들을 위한 병원을 건립하는 데 쓰도록 남겨두었다.

만약 시중에 나와 있는 기존의 번역서가 흡족한 것이었다면 이 책의 번역에 착수하지 않았을 것이다. 그렇지만 표현이 매끄럽지 않은 등 흠이 많은 것을 보고서는 부족한 부분을 보완하여 나의 번역서만큼은 정말 읽고 싶은 책을 만들어보자는 마음에서 번역에 착수하게 되었다.

앞으로도 나의 고전 번역 작업은 계속 이어질 것이다. 특별한 일이 없는 한 머지않아 '문예출판사'에서 나올 그 책들을 만날 수 있을 것이니 많은 애독을 바라마지 않는다.

옮긴이

옮긴이 **박용수**

20여 년 동안 번역 활동을 하면서 번역 연구에 노력을
기울이고 있는 번역자다. 기계적인 번역문이 아닌 살아 있는 문장,
번역투의 문장이 아닌 토종적인 문장을 연구하는 데
많은 노력을 하고 있다.
대표적인 번역서로는《로빈슨 크루소》,《채털리 부인의 사랑》,
《애거서 크리스티 단편집》,《셜록 홈즈 스토리》,
《카네기 처세론》등이 있다.

걸리버 여행기

1판 1쇄 발행 2008년 10월 10일
1판 13쇄 발행 2021년 5월 20일

지은이 조너선 스위프트 | 옮긴이 박용수
펴낸곳 (주)문예출판사 | 펴낸이 전준배
출판등록 2004. 02. 12. 제 2013-000360호 (1966. 12. 2. 제 1-134호)
주소 03992 서울시 마포구 월드컵북로 6길 30
전화 393-5681 | 팩스 393-5685
홈페이지 www.moonye.com | 블로그 blog.naver.com/imoonye
페이스북 www.facebook.com/moonyepublishing | 이메일 info@moonye.com

ISBN 978-89-310-0621-6 03840

• 잘못 만든 책은 구입하신 서점에서 바꿔드립니다.

요문예출판사® 상표등록 제 40-0833187호, 제 41-0200044호

■ 문예 세계문학선

★ 서울대, 연세대, 고려대 필독 권장도서　▲ 미국 대학위원회 추천도서
● 《타임》 선정 현대 100대 영문 소설　▽ 《뉴스위크》 선정 세계 100대 명저

(뒷면 계속)